J'ai encore menti !

DU MÊME AUTEUR

L'exil des anges, Fleuve Éditions, 2009 ; Pocket, 2010.

Nous étions les hommes, Fleuve Éditions, 2011 ; Pocket, 2014.

Demain j'arrête !, Fleuve Éditions, 2011 ; Pocket, 2013.

Complètement cramé !, Fleuve Éditions, 2012 ; Pocket, 2014.

Et soudain tout change, Fleuve Éditions, 2013 ; Pocket, 2015.

Ça peut pas rater !, Fleuve Éditions, 2014 ; Pocket, 2016.

Quelqu'un pour qui trembler, Fleuve Éditions, 2015 ; Pocket, 2017.

Le premier miracle, Flammarion, 2016 ; J'ai lu, 2017.

Une fois dans ma vie, Flammarion, 2017 ; J'ai lu, 2018.

Vaut-il mieux être toute petite ou abandonné à la naissance ?, avec Mimie Mathy, Belfond 2017 ; Le Livre de Poche, 2018.

Comme une ombre, avec Pascale Legardinier, J'ai lu, 2018, 2020.

J'ai encore menti !, Flammarion, 2018 ; J'ai lu, 2019.

Les phrases interdites si vous voulez rester en couple, avec Pascale Legardinier, J'ai lu, 2019.

Pour un instant d'éternité, Flammarion, 2019 ; J'ai lu, 2020.

Une chance sur un milliard, Flammarion, 2020.

GILLES LEGARDINIER

J'ai encore menti !

ROMAN

J'AI LU

1

Il fait nuit, un peu froid. Déjà quarante minutes de retard, mais je ne m'inquiète pas. Je sais qu'il me rejoindra dès que possible. Malheureusement, ses priorités ne se résument pas à moi. Son métier lui prend un temps fou et tellement d'énergie. Tout le monde lui met la pression, alors de ma modeste place, je prends mon mal en patience.

Écartant à peine le voilage de la fenêtre, je jette un coup d'œil discret sur la rue en contrebas. Je me méfie parce qu'avec ma poisse, il suffit que je regarde une demi-seconde pour qu'il relève la tête pile à ce moment-là et me surprenne. Que penserait-il d'une jeune femme qui l'épie comme une mégère impatiente ? Par contre, je ne m'explique pas pourquoi je me suis approchée de la baie vitrée sur la pointe des pieds... Il a beau être doué, il ne risque pas de m'entendre de l'extérieur, surtout trois étages plus bas.

Pour le moment, sa voiture n'est pas là. Je m'attarde au carreau. Sur les trottoirs, dans la lueur des vitrines, des silhouettes glissent et se croisent. De simples formes que je m'amuse à tenter d'identifier comme masculines ou fémi-nines – pas toujours évident. Chaque fois une vie, chaque fois une histoire qui évolue selon sa propre trajectoire, un cœur à la poursuite de son but dont ceux qui le frôlent ignorent tout. Des ombres esseulées filent d'un pas pressé, un couple s'attarde devant l'alléchante devanture du traiteur, un homme promène son chien qui n'a pas envie d'avancer. La bête est courte sur pattes et assez ronde. Vu d'ici, on a l'impression que le bonhomme traîne un petit sac-poubelle qui roule sur lui-même.

Je suis bien mieux chez moi qu'avec eux dans la grisaille humide. Je n'ai jamais aimé être dehors à l'heure où l'obscurité finit par triompher du jour. L'arrivée du crépuscule exacerbe les solitudes, accentue les vides. J'en ai quelques-uns dans mon existence.

L'expression populaire qualifie cette heure particulière d'« entre chien et loup ». C'est peu de le dire. L'époque est dure pour celles qui ont envie d'aimer sans avoir la force de se battre en permanence. Il devient si difficile de donner sans se faire voler… Tout s'est tendu. La vie se complique. Il faudrait actualiser l'expression. Ces temps-ci, lorsque la nuit tombe, ce serait plutôt entre chacals et hyènes.

Pour patienter, je me prépare un thé. Pendant que la bouilloire chauffe, j'ajuste mon pull à col roulé autour de ma gorge. Je croise les bras et j'en caresse les manches. On dirait une pub pour de la lessive spéciale lainages. C'est doux ! Pas une bouloche et ça ne feutre pas. Trop bien. Mes doigts glissent avec volupté sur la matière. Une façon comme une autre de me rassurer. Je suis devenue mon propre doudou ! C'est pathétique. Tout ça va mal finir. Si dans dix minutes il n'est toujours pas là, je vais commencer à me suçoter les oreilles, puis me les mordiller. Ensuite, je me rongerai les pattes. Un jour, on me retrouvera avec le museau tout râpé, les yeux rayés et la tête aplatie à force de m'auto-câliner.

L'interphone sonne. Je n'attendais que ça mais je sursaute quand même. Pauvre fille. J'ai failli m'ébouillanter avec mon Earl Grey. Vous m'imaginez lui ouvrir la porte en poussant un râle de damnée à l'agonie, la tête brûlée au deuxième degré, avec un sachet de thé en guise de bandeau de pirate ?

Pour ne pas qu'il comprenne que je ne faisais rien d'autre que l'attendre, je m'oblige à compter jusqu'à trois avant de lui répondre. Mais je suis tellement troublée qu'arrivée à « deux », je ne sais même plus ce qui vient après.

Je décroche. Il s'annonce. Même à travers un système de communication grésillant, sa voix grave me fait de l'effet. Je lui ouvre l'accès de l'immeuble. Il n'est pas encore auprès de moi que je lui obéis déjà. Que pouvais-je faire d'autre ? Quel genre de fille aurait patienté des plombes pour s'offrir un coup de folie au moment où il arriverait enfin : « Ben non mon gars ! Tu restes dehors. T'as quarante-sept minutes et trente-huit secondes de retard. Je suis passée à autre chose. J'ai largement eu le temps de refaire ma vie. Apprends à lire l'heure ! J'ai d'autres chats à fouetter que de poireauter pour tes jolis yeux. » Je pourrais être ce genre de fille. En revanche, je ne fouette pas les chats. Je suis dans un tel état... J'espère que je ne lui ai rien dit d'inconvenant.

Pour guetter son approche, je me poste aussitôt en embuscade à l'angle de mon coin-cuisine. Je ne veux pas patienter directement derrière la porte parce que j'ai vu dans des séries américaines qu'il y a des gens que tout désignait comme sains d'esprit qui tirent des coups de feu à travers. Là, s'il canarde, ça fera juste des trous dans ma penderie déjà pourrie. J'espère quand même que les balles épargneront ma doudoune neuve, sinon il y aura des plumes partout...

L'ascenseur s'immobilise à mon étage. On ouvre la porte avec vigueur. Rêveuse, la tête appuyée sur le chambranle, je ferme les yeux et j'essaie de le visualiser. J'entends ses pas dans le couloir. Sa démarche est assurée, imposante. Rien qu'à l'oreille, on devine déjà sa carrure. C'est si beau le son d'un homme qui marche.

Mais pourquoi s'arrête-t-il avant d'avoir atteint ma porte ? Et puis c'est quoi ce tintement de clés ? Pas le choix, tant pis si je me prends un coup de fusil, je dois en avoir le cœur net. Je colle mon œil au judas et je constate que c'est Audrey, ma voisine, qui rentre chez elle. La pauvre n'a pas une démarche imposante, elle trimballe deux sacs remplis à ras bord de victuailles. Épuisante condition d'une maman de deux ados. Mais soudain, derrière elle, j'aperçois mon homme qui débouche de l'escalier. Il est monté vite. Il tient la forme ! J'envisage un instant la puissance de ses cuisses. J'en rougis comme si je m'étais ébouillantée. Je recule en me plaquant dos au mur. Mes émotions me trahissent toujours. Il m'a peut-être vue à travers l'œilleton depuis l'extrémité du couloir. Parfois, les mecs sont capables de trucs incroyables dont nous n'avons pas idée, comme de nettoyer leurs chaussures avec leur brosse à dents qu'ils réutilisent ensuite pour son usage premier sans pour autant attraper de maladies.

Alors qu'il sonne, je m'efforce de reprendre mon souffle. Je marche sur place pour faire comme si j'arrivais, et dans le creux de ma main en déflecteur pour renvoyer le son de ma voix en arrière, je hurle d'une voix chantante :

— Voilà, voilà, j'arrive !

Je sais ce que vous pensez : la demoiselle a un gros problème dans sa tête. Tout ce cirque pour ouvrir une simple porte avec une réplique aussi minable que « Voilà, voilà, j'arrive ! ». C'est à pleurer. Vous avez raison. Et ce n'est pas le pire, car devinez quoi ? La vie serait carrément belle si ladite demoiselle n'avait que ce seul gros problème dans sa tête.

Je lui ouvre. C'est tout de suite très fort. On se regarde. Les mots sont inutiles. D'ailleurs je n'arrive pas à parler tellement je suis émue de le voir enfin. Tout va si vite. Il ne fait plus ni nuit, ni un peu froid. Il fait grand soleil et qu'est-ce que j'ai chaud !

Je l'invite à entrer. On raconte que les vampires ne peuvent pas franchir le seuil tant qu'on ne le leur propose pas. Bravo la quiche ! Je viens de faire la plus grosse boulette de ma vie ! La dernière aussi... Quel œuf fêlé je fais ! Il va me faire le numéro de la fouine qui croise un poulet dans un parking désert. Il va me vider de mon sang ! Et avec les plumes de la doudoune qui volent partout, ça pourrait faire un chouette film d'horreur. *Le Poulailler de l'enfer* ou *Carnage Cocotte*. Si ça marche, on fera un deuxième opus.

Je devine l'animal tapi en lui. S'il sourit et que je découvre ses canines pointues, je suis foutue. Saleté de vampire. Je peux toujours lui balancer la boule de bowling que Salima a oubliée chez moi un jour qu'elle revenait de la piscine. Qu'est-ce que j'ai bien pu faire de mon pieu et de mon maillet ? Est-ce qu'un vieux fond de mojito peut produire le même effet que de l'eau bénite ? Sinon tant pis, je le boirai et comme je ne tiens pas l'alcool, au moins je ne souffrirai pas quand il me plantera ses dents dans la gorge.

Je ne contrôle pas mes yeux, qui malgré moi l'épluchent de la tête aux pieds. Nous sommes physiquement très proches l'un de l'autre. Ce n'est pas de la passion torride, c'est le prix du mètre carré. J'ai un tout petit couloir. Mais nous y sommes seuls. Il me regarde droit dans les yeux. J'aime la façon dont il me fixe. C'est plus fort que moi, je suis saisie. Un peu comme un chaton que l'on soulève par la peau du cou. Je me fige avec un air niais et je ne bouge plus. J'envisage de ronronner.

Les hommes savent-ils que lorsqu'ils nous regardent ainsi, surtout avec des yeux d'un magnifique vert émeraude, c'est presque comme s'ils nous prenaient dans leurs bras ? Ils nous capturent alors dans une bulle invisible qui nous emprisonne, un piège dont le plus triste serait de s'échapper. On a soudain l'impression qu'ils sont capables de tout lire de nous. Peuvent-ils ignorer ce phénomène qui produit le même effet depuis que le monde est monde, ou sont-ils assez crétins pour ne pas encore avoir compris ? Se transmettent-ils le secret de ce pouvoir à notre insu, ou chaque spécimen repart-il de zéro simplement armé de sa jolie petite gueule et de notre crédulité ?

Il sourit, confiant. Pas de canines pointues. Je respire. Je le perçois comme s'il était filmé au ralenti. Ses épaules bien taillées légèrement en avant. Le mouvement de ses cheveux pourtant courts qui apporte une grâce paradoxale à son visage d'homme. Comment est-il possible de dégager à la fois cette sensation de force et cette promesse de douceur ? Ce garçon est une énigme. J'ai envie de la résoudre. J'ai envie de l'enlacer, envie de me blottir au creux de son épaule. Mais je ne dois pas. C'est lui qui décide. Lui seul sait ce qu'il convient de faire.

Il semble pourtant attendre quelque chose de moi. Il est à l'écoute. Moment d'exception. D'après mes copines et collègues plus âgées, un homme capable d'attention à notre égard est rarissime, et elles admettent unanimement que cela n'arrive plus jamais après quelques années de mariage. Alors je savoure. Je me délecte de chaque microseconde de ce regard suspendu à mes lèvres. Mais qu'espère-t-il entendre au juste ? « Ta journée s'est-elle bien passée ? », « Je t'ai préparé ton plat préféré, des protéines avec du gras », « Embrasse-moi », « Fais-moi un bébé, là tout de suite, dans l'entrée, et tant pis si la penderie pourrie s'écroule, je dois de toute façon la changer » ?

Une infime variation dans son regard indique qu'il est en train de changer d'état d'esprit. J'ai trop attendu pour répondre. Il a perdu patience. Monsieur reprend les choses en main. De sa voix mâle, il me demande :

— Alors, elle est où cette machine à laver en panne ?

2

Je vous en supplie, ne me jugez pas. Je n'implore pas votre pardon, il ne me sauverait pas. J'espère simplement votre compréhension. Celle qui ne s'est jamais menti a le droit de me condamner. Que celui qui n'a jamais pris de libertés avec la vérité me jette la première pierre. Tous les autres sont mes sœurs et frères de faiblesse.

Oui, j'avoue, je mens. D'abord à moi-même. Je peux tout confesser et sans aucune résistance. Je suis consciente de mentir, et le fait de ne pas être la seule à le faire ne m'absout en rien. Pourtant, je ne suis pas rongée par la culpabilité, car je suis désormais assez grande pour avoir eu le loisir de dresser un constat qui nuance ces dogmes assénés depuis notre plus tendre enfance. On nous a tous enseigné que mentir n'était pas bien. Mais qui peut se targuer d'avoir la force d'exister sans exercer cette faculté typiquement humaine ? Si je m'en veux de mentir, ce n'est pas au nom d'un principe, mais parce que généralement, cela complique bien plus de choses que ça n'en résout. Je me suis régulièrement retrouvée dans des plans ingérables à cause de mes pipeaux. Mon grand-père me dit souvent : « La vérité, quel qu'en soit le prix, est toujours le moyen le plus simple et le plus économique. » N'empêche, même sans penser à mal, je suis la reine de la spirale infernale, l'impératrice du pavage de l'enfer avec les meilleures intentions. À ce niveau-là, je mérite un diplôme de carreleuse ! Blague à part, je crois aussi qu'avant de nous vouer aux flammes éternelles, il faudrait enfin admettre qu'il y a mensonge et mensonge.

Un mensonge naît parfois de quelques mots, ou même d'un silence. Pourquoi mentons-nous ? On baratine pour se simplifier la vie, pour échapper à la réalité, pour arrondir les angles, pour ne pas souffrir, pour ne pas blesser, pour éviter les conflits, pour que d'autres croient au Père Noël ou à la petite souris alors que nous-mêmes n'y croyons plus. On ment aussi souvent pour garder la tête hors de l'eau. Il n'en demeure pas moins que certains racontent n'importe quoi pour tromper, pour fourguer, pour salir. Le même mot ne devrait pas désigner les deux catégories.

Alors pourquoi, plutôt que de juger son ampleur, ne prendrait-on pas en compte la motivation du mensonge ? Ne serait-il pas temps, puisque nous sommes théoriquement si évolués, de faire la différence entre un artifice de survie et une atteinte à autrui ? Certes, la frontière est mince et se définit dans une proportion dont l'appréciation reste intime. Je ne me sens de toute façon ni la compétence ni l'envie de juger. J'ai déjà assez de problèmes avec ma pauvre petite conscience. Il nous arrive à toutes et à tous de nous égarer dans les deux catégories, mais le fait est que certains mensonges sont porteurs d'une bienveillance ou d'une nécessité que des vérités n'auront jamais.

Alors oui, j'ai menti. Pour aider ou pour m'enfuir. Pour tromper les jours et les nuits qui tournent parfois à vide. Pour avoir la force de tenir sans le compagnon que j'espère. Certaines femmes peuvent s'en passer, pas moi. D'autres veulent à tout prix s'affranchir des hommes, qui ne seraient que nos geôliers. D'autres encore sont fières de n'avoir besoin de personne. C'est leur droit. Pour ma part, je n'éprouve aucune honte à vouloir faire équipe. Ce n'est pas de la faiblesse, c'est une aspiration. Je n'ai pas envie de traverser cette vie sans tenir une main, et un homme me semble une excellente option. Pas n'importe lequel cependant. L'attendre ne me pose aucun problème, tant que je crois encore qu'il peut exister quelque part.

À mon âge, j'en sais déjà trop pour bénéficier du courage qu'offre l'innocence. Je n'ai plus la capacité de me jeter dans n'importe quelle histoire sentimentale sans réfléchir. Je crois d'ailleurs que je ne l'ai jamais eue. C'est sans doute mon drame. Mes copines ont vécu des tas de liaisons. À tort et à travers, saisissant toutes les opportunités pour donner corps à leurs rêves de romance. Nous sommes tellement nombreuses à porter en nous cet espoir que nous abdiquons souvent tout discernement. Je les regardais faire. Elles me racontaient. Je les enviais parfois. Le plus souvent, je les consolais. Peu de ces aventures – parfois très hormonales – ont bien fini. Pourtant, certaines ont évolué vers de jolies histoires, et plusieurs de mes amies sont heureuses. Ces exceptions ne parviennent cependant pas à me faire oublier les risques encourus. Les statistiques sont d'une cruauté sans appel. Pires qu'une sentence. La seule question qui se pose alors se résume ainsi : faut-il jouer la partie quand il y a si peu de tickets gagnants et tant à perdre ?

Souvent, je voudrais oublier tout ce que je sais, repartir de zéro. Ne plus être consciente des risques, ignorer la rareté et le prix exorbitant des trésors que cette vie peut offrir, alors que les films et les chansons nous font croire qu'ils sont à la portée de la première venue. Mon âge ne me pose aucun souci ; tant que je peux accomplir, je garde espoir. Ce qui me pèse, c'est d'en savoir tellement que je me méfie en permanence, au point de redouter tout ce qui peut m'arriver, y compris de bien. Je n'ai plus beaucoup d'illusions, et sans illusions, l'espoir entre en soins intensifs.

Alors j'observe cet homme, ce réparateur qui se contorsionne de bonne grâce dans ma minuscule salle de bains. Je préfère le regarder lui plutôt que la télé. Dans les deux cas, je suis le jouet d'une fiction, mais lui n'a rien de virtuel et il ne joue que pour moi.

Il doit avoir mon âge. Il émane de lui un charme véritable. C'est peut-être uniquement dû à ce que je projette sur lui. Alors à défaut de vivre, j'imagine.

Comprend-il les femmes aussi bien que les machines à laver ? Que dirait-il de moi s'il devait me réparer ? Trouverait-il que j'ai le programmateur qui ne tourne pas rond ? Penserait-il que j'ai un cycle bloqué et qu'un essorage à 1 200 tours me ferait le plus grand bien ? Ses mains solides qui déplacent ce gros engin sans difficulté et empoignent les outils fermement peuvent-elles se montrer douces avec celle qu'il aimerait ?

Pas d'alliance, mais nous ne sommes pas d'une génération qui se marie systématiquement. Il doit très souvent se rendre chez des femmes seules. Peut-être en a-t-il même séduit ? Peut-être beaucoup ? Stop. Je ne veux rien savoir qui me gâcherait l'image que je me tricote de lui. Mon espoir est déjà sous perfusion. Alors je préfère le considérer comme un gentil garçon avec qui une vie serait potentiellement envisageable. Même quand on ne sait pas vraiment après quoi on court, malgré tout, on aspire tous à un futur.

Quel autre appareil pourrais-je déglinguer pour lui offrir l'occasion de revenir ? Et si ce n'était pas lui qui revenait, mais le vampire sadique qui trahit le contrat de confiance en série pour aligner ses victimes ? J'espère trouver l'amour et je tombe sur l'égorgeur des micro-ondes à obsolescence programmée. Je cherche l'âme sœur et c'est John Calgon qui rapplique pour me trucider. Toute l'histoire de ma vie.

Alors je rêve. Je me la raconte. Je me mens.

Lorsqu'il rassemble ses instruments, la machine tourne à nouveau parfaitement. A-t-il fait vite ou est-ce moi qui n'ai pas vu passer le temps à force de cogiter en le lorgnant ? Il ne paraît même pas ému d'apercevoir mes soutiens-gorges faisant des loopings par le hublot comme à la fête foraine. Il a achevé sa mission. C'est la seule chose qui compte. Un homme, en somme. Sa satisfaction semble sincère. Est-ce qu'au lieu de lui donner un pourboire, je peux l'inviter à dîner ? Plutôt que de lui demander de réparer de l'électroménager, puis-je lui proposer de construire une vie à deux ? Est-il possible que nous vieillissions heureux jusqu'à mourir ensemble, entourés de nos arrière-petits-enfants ? Est-ce qu'il aimera mes crêpes flambées qui ont déjà ruiné deux plafonds ? Je ne sais pas. D'ailleurs je ne sais rien. Si, une seule chose : aucune histoire d'amour, aussi imaginaire et brève soit-elle, ne devrait se terminer par la signature d'un bon d'intervention.

Je vous ai dit que souvent, je rêvais de tout oublier. Peut-être vous arrive-t-il à vous aussi de ne plus avoir envie de savoir, de souhaiter repartir d'une page blanche pour redécouvrir le monde ? Revenir, pas tout à fait comme une débutante mais sans être oppressée par le poids des leçons apprises. Se lancer, tenter, s'émerveiller à nouveau. Les mêmes questions qu'au début, avec peut-être d'autres réponses. Plus besoin de se mentir parce qu'on aurait oublié les vérités qui pèsent si lourd.

La vie est-elle vraiment belle ? Si oui, pourquoi ? Merci de justifier votre réponse. Vous pouvez cocher autant de cases que vous le souhaitez. Existe-t-il un âge limite pour trouver sa place dans ce foutoir ? Pourquoi tout ce qui est délicieux à manger fait-il grossir ?

Par quel miracle s'attache-t-on à certains êtres alors que l'on se méfie immédiatement de certains autres ? Pourquoi le parfum des fleurs et le soleil nous font-ils cet effet-là ? Pourquoi les hommes ? Pourquoi les femmes ? Pourquoi se trouver est-il si compliqué ? Faut-il se fier à son instinct ? L'innocence est-elle une chance ou un handicap ?

Tellement faim. Tellement soif. Si gourmande de vivre autrement. On parle souvent de retrouver l'appétit. Appréhender le monde, débarrassé de tous ses préjugés. Réinitialiser le disque, sans le reformater. Mieux qu'une deuxième chance. Tout recommencer. J'en ai tellement rêvé...

Je me demande si cela a fini par arriver précisément parce que je l'ai si désespérément voulu. C'est de ça qu'il faut absolument que je vous parle.

3

Avant, je détestais les mercredis après-midi. Je les avais en horreur. Une véritable phobie. Mais ça va mieux.

Je travaille au service social de la ville, et nous ne manquons pas d'occupation. Sans prétention, entre ceux qui souffrent vraiment qu'il faut aider et ceux qui abusent du système qu'il faut calmer, on est même débordés. Notre époque aussi cupide que cynique se charge de nous alimenter en vraies ou fausses victimes dont le flot ne faiblit pas, bien au contraire.

Nos bureaux d'accueil sont ouverts le samedi matin mais fermés le jour des enfants, dès midi. Vous vous demandez certainement pourquoi je me méfie du seul créneau de la semaine durant lequel je ne suis pas confrontée à la misère humaine qui vient s'échouer jusqu'au pied de nos bureaux avec l'acharnement des vagues un jour de grande marée. Ce ne sont pas les galets qui roulent jusqu'à nous, mais les galères ! Vous aurez peut-être du mal à le croire, mais j'ai moins de courage lorsqu'il s'agit de mes propres problèmes. Je suis plus comba-tive pour ceux des gens qui me touchent. Toujours plus motivée pour défendre d'autres causes que les miennes. Alors c'est bien joli le jour des enfants, mais moi je n'en ai pas.

Quoi que je fasse ces jours-là, je tombais toujours sur des femmes très occupées qui multipliaient les activités avec leurs bambins. Et que je roule jusqu'au karaté, et que je m'arrête en patate devant la boulangerie pour les pains au chocolat, et que je cavale pour être à l'heure au cours de batterie, à la danse, avec les devoirs en ligne de mire et la lessive qui ne sera jamais sèche pour le repassage du soir... Tout résoudre, tout compenser, tout planifier et rester zen malgré le désordre ambiant pour que les nouveaux locataires du monde puissent s'épanouir. Le pied de guerre et le compte à rebours érigés en art de vivre.

Cette impressionnante effervescence me renvoyait à tout ce que je n'ai pas, et croyez-moi, ça finit par faire une liste longue comme le toboggan du square – d'ailleurs comme pour ce dernier, ça fait super mal aux fesses quand vous atterrissez en bas. Je les voyais partout, ces mamans, complices, toujours un œil sur leurs petits qui ne perdent jamais une occasion d'en tenter une bonne. Surtout les garçons, avec déjà les filles comme spectatrices, admiratives devant ce qu'elles prennent pour de l'audace alors que ce n'est que de l'inconscience, l'œil brillant de cette lueur fascinée qui les conduira à leur perte une ou deux décennies plus tard. Et pendant que l'avenir du monde se joue selon des règles étonnamment immuables, les mamans veillent, débordantes de gratitude lorsqu'une de leurs semblables évite le pire à un mouflet qui n'est même pas forcément le sien. Ces femmes, unies par le partage de leur noble charge, protègent les enfants d'où qu'ils viennent, pourvu qu'ils s'ébattent dans un rayon de vingt mètres et grimpent dans les mêmes jeux aux normes de sécurité de plus en plus draconiennes. Sous des dehors légers, elles forment une armée de gardes du corps bienveillants, munies de sacs à main bourrés de tout un attirail pour faire face et de boucles d'oreilles aux formes surprenantes. Touchante solidarité silencieuse sans laquelle l'espérance de vie de nos chers petits rechuterait au niveau de l'époque où les tyrannosaures les bouffaient.

Les voilà qui échangent leur expérience au travail ou des astuces de pâtisserie en extirpant le tout mignon avec sa capuche à oreilles d'ourson qui s'était mis en tête de ramper sous un parterre de rosiers. De la gadoue en dessous, des milliers d'épines à tétanos au-dessus. C'est sûrement dans un jardin d'enfants qu'on a inventé le parcours du combattant. Pour peu qu'un autre adorable angelot balance des caillasses pour tenter de faire des ricochets là où il n'y a pas une seule molécule de flotte, vous avez en prime vos tirs à balles réelles. Les mamans et les nounous sont alors le dernier rempart face à la barbarie. Et si on leur érigeait un monument ? Je les admire et croyez-moi, j'ai eu tout le loisir de les observer. C'est en les regardant que j'ai appris ce qu'aimer signifie.

Aimer, c'est arriver à regarder des petits êtres sans défense s'empiffrer de tout ce qui vous fait envie et vous est interdit. Il serait pourtant si facile de leur arracher leur goûter et de s'enfuir en s'en goinfrant... Leurs petites mains potelées ne pourraient rien contre des mamans adultes affamées. Mais non, cela ne se passe pas ainsi. D'ailleurs, pour que l'abnégation soit totale, ces mères iront même jusqu'à laver les taches qu'ils font avec !

Aimer, c'est aussi conduire, porter, cuisiner, attendre... Aimer, c'est également admirer les actions les plus banales, acclamer les ratages. Il est arrivé dernier, c'est merveilleux ! Elle a soigneusement planté ce que vous avez sacrifié vos soirées à lui faire répéter, c'est un miracle ! Rester éternellement positive et valorisante, quel qu'en soit le prix. C'est en épiant ces femmes que j'ai pris conscience qu'aimer, d'une certaine façon, c'est toujours s'oublier.

Je ne sais pas si j'aurais leur grandeur d'âme. Certes, toutes n'irradiaient pas le bonheur et la joie de vivre en gérant leurs démons miniatures, mais au moins elles avaient un but et une utilité.

J'ai souvent été jalouse de leur statut. Je donnerais beaucoup pour faire partie de ce corps d'élite discret. Un jour peut-être, cela m'arrivera, je suis encore jeune, mais en attendant, j'ai longtemps fait tout mon possible pour m'épargner le spectacle de cet inaccessible modèle de vie. Personne n'aime pleurer seul parce qu'il prend conscience de ce qu'il n'est pas.

Dans un premier temps, bien décidée à réagir, j'ai consacré ces pauses hebdomadaires à « penser ma vie ». Du temps pour moi. « Sacrée veinarde »… ou « espèce de paumée », tout dépend de l'angle d'analyse. Moi qui ne rêve que d'accomplir pour ceux que j'aime… Alors à défaut d'avoir une guerre à mener, je passais les troupes en revue. Je m'y prenais comme un gouvernement de transition qui cherche à reprendre le contrôle d'un pays dévasté par un régime totalitaire à base de glaces au caramel. Tout y est passé. Devais-je me faire refaire la façade ? Relever le bout du nez, agrandir les yeux ? Ou l'inverse ? Fallait-il partir au bout du monde, me dissoudre dans le malheur des autres ? Je n'ai jamais eu envie de mourir, mais je me suis constamment demandé comment vivre. Je cherche encore la réponse. J'ai ensuite envisagé tout ce qu'il était possible de tenter afin de me rendre désirable, ce qui – plan démoniaque ! – devait immanquablement me conduire à la rencontre qui illuminerait ma vie tout en lui conférant un sens. Prête à tout pour atteindre le prétendu graal qui ouvre les portes d'un autre monde, mais qui referme surtout celui de la solitude et vous permet en principe de vivre pour de vrai. Au fond, je n'étais même pas certaine que la vie de couple corresponde à une solution idéale.

Après avoir payé deux abonnements en salle de sport et n'y être allée qu'une seule fois, après avoir tenté de « faire évoluer mon image » à coups de fringues tendance et de coiffures hasardeuses, je me suis calmée. Le problème avec les « fringues tendance », c'est qu'il y a parfois un « effet Dingo », aussi appelé « syndrome Tic et Tac ». Je m'explique : à force de les voir dans les magazines et les devantures, vous finissez par vous convaincre que ces vêtements aux matières innovantes et aux couleurs à faire détaler les suricates pourront vous aller aussi bien qu'à ces mannequins hautains qui se prélassent lascivement en équilibre sur la rambarde des balcons glissants d'hôtels futuristes. Vous avez la faiblesse de croire que ces chiffons vont même vous rendre plus jolie et, bêtement, vous en achetez. Mais lorsque vous vous voyez avec, le résultat n'est *pas exactement* le même que sur la photo. Notez ici l'incommensurable gouffre que la locution « pas exactement » peut cacher. C'est comme pour le chapeau informe de Dingo, celui orange avec les grandes oreilles tombantes que, sous l'emprise d'un enthousiasme savamment orchestré par des génies du marketing, vous vous êtes offert dans un parc d'attractions. Idem pour le joli bonnet tout rond en fourrure marron qui vous fait une tête de gerbille hydrocéphale, avec la truffe rouge en prime. Si vous le portez en dehors dudit parc, privée de cet esprit festif qui a provoqué en vous une interruption temporaire de vigilance, vous avez l'air d'une parfaite abrutie. Vous voilà à votre tour victime du terrible effet Dingo, ou syndrome Tic et Tac – Tac si vous avez le pif rouge parce qu'en plus, vous avez bu pour oublier la tête que vous avez. Notez aussi que pour ce qui est des « matières innovantes », une fois qu'elles vous auront démangée et fait transpirer comme une truie au soleil de midi, vous apprendrez dans la pub qui vantera les mérites de la version d'après que la nouvelle fabrication n'a plus ces inconvénients parfaitement identifiés au moment où on vous les fourguait. Encore merci. Mais je m'égare.

Donc, après avoir été mon sujet d'expérience, mon sujet de déprime et mon sujet d'inquiétude, j'ai pensé qu'il était peut-être plus utile de me consacrer un peu aux autres. Autant vous le dire tout de suite, je ne le regrette pas. Un seul bémol tout de même, vous croisez assez peu d'hommes le mercredi après-midi, car sans doute alertés par leur légendaire instinct de conservation et leur saleté de solidarité masculine, ils sont terrés au travail ou sur la face cachée de la Lune pendant que leur progéniture, escortée de celles qu'ils ont fécondées, s'accapare le monde.

Pour ne pas rester à tourner dans ma vie comme un hamster dans sa roue, je me suis donc proposée à qui en avait envie pour aider, accompagner, soutenir et ne plus être complètement en dehors de la partie qui se jouait jusque-là sans moi. À défaut d'être une reine, j'étais volontaire pour faire le pion. J'ai immédiatement été mise à contribution.

Il est rafraîchissant de constater à quel point ce qui est gratuit et doté d'un peu d'énergie peut avoir du succès. Depuis, je supporte bien mieux les mercredis après-midi.

Ainsi, après avoir aidé les habitants de ma ville à surmonter les épreuves que la vie leur inflige trop souvent, j'aide mes collègues et copines à triompher de celles que leurs enfants leur imposent avec la même fréquence. C'est bien connu : les enfants, c'est la vie.

Je suis devenue experte en poterie, en couture, en gardiennage de garçons supposés jouer de la guitare. Je sais aussi plaquer au sol un poussin qui s'enfuit – je parle du jeune sportif, pas de ce qui sort de l'œuf. En cas d'urgence, j'arrive même à retenir les petites filles par les cheveux – sans laisser de trace, c'est important.

À force d'opérations commando où j'étais balancée sans parachute, après d'innombrables anniversaires pleins de surprises, y compris pour les organisatrices, je suis devenue imbattable en gâteaux à effets secondaires, en cache-cache dans les poubelles toxiques et en arbitrage de compétitions sans même savoir de quel sport il est question.

Bien sûr, je n'ai aucun diplôme pour tous ces talents. Mais j'ai des cicatrices. Coupée au bras, brûlée aux cheveux et à la fesse gauche, mordue au mollet, sourde d'une oreille pendant quatre semaines, et maquillée avec de la peinture pour carrosserie – je vous jure que c'est vrai ! Je peux me vanter d'avoir été belle comme un camion... Ce n'est pas rien, quand même. On en a médaillé pour moins que ça ! Pendant un atelier pour la fête des mères, je ne sais plus comment on en est arrivé là, mais j'ai même avalé des perles qui ne sont jamais ressorties. Je ne suis pas pressée d'avoir un monument pour ça.

Mais je ne vous raconte pas tout cela pour me plaindre ni susciter l'admiration. Vous avez votre vie et tôt ou tard, chacun traverse son lot de situations surréalistes. Je me confie à vous parce que c'est un mercredi après-midi que ma vie a basculé. Et moi avec. Vous allez encore me prendre pour une folle, mais je vous jure que tout est la faute du poney.

4

Nos civilisations ont donné naissance à beaucoup de lieux étranges. Les centres d'épilation, les itinéraires de délestage, ou les bars à chats par exemple. Les clubs d'équitation, aussi. Si vous prenez un peu de recul, c'est quand même un sacré concept. Des hangars immenses avec rien en dessous, des pistes circulaires pour galoper sans aller nulle part, un manège qui ne tourne pas, et un bâtiment rempli de « box » dans lesquels des bestioles qui dorment debout et qui mangent du foin attendent qu'on leur monte dessus. Je précise pour ceux qui l'ignoreraient que ces créatures aux yeux inexpressifs sont plus grosses que le chien des Baskerville, dont personne n'a oublié les dégâts sur cette pauvre famille aux doigts palmés.

Le club situé à la sortie de la ville est assez joli dans son genre, avec un esprit chalet, en bordure de forêt. Dès le parking, on hume le parfum des occupants qui flotte dans l'air. Ce n'est pas grave, il faudra juste tout laver en rentrant. J'ai bien fait de ne pas mettre ma doudoune neuve.

Plus on s'approche, plus on perçoit clairement les hennissements mais aussi des bruits étouffés, des raclements et des sons inhumains. Ça me fait penser à un train fantôme dans un film d'épouvante.

J'ai rendez-vous pour prêter main-forte à une amie dont les deux petites filles de dix et onze ans, assez bonnes cavalières, ont invité des camarades pour une séance d'initiation. C'est ainsi que je me retrouve au seuil de ce « ranch », sans cow-boy apparemment.

J'aime les chevaux, les voir galoper dans l'immensité, s'ébattre libres, fougueux et majestueux. Ce n'est pas pour autant que j'ai envie de grimper dessus. On ne doit pas s'asseoir sur tout ce qu'on admire. Vous imaginez ce que ça donnerait avec un joli tableau au musée, un nageur olympique ou un beau buffet campagnard ? Franchement ?

Je trouve aussi les poneys mignons. Surtout quand ils ont leur poil d'hiver qui les fait ressembler à de grosses peluches – qui puent quand même un peu. Mais bien que tous ces équidés soient très sympathiques, je m'en méfie. Le rapport de force n'est absolument pas en notre faveur. Je n'ai jamais compris pourquoi ces animaux costauds, généralement plus grands que nous, acceptent de nous obéir alors qu'ils constatent sûrement que nous sommes moins véloces, moins puissants et complètement incapables de nous rouler dans une mare de boue. Certes, nous au moins, on peut se gratter l'arrière-train sans avoir besoin d'un arbre. Il est vrai que peu d'espèces ont ce merveilleux pouvoir. Cela me décevrait beaucoup si un scientifique découvrait un jour que cette aptitude est – même partiellement – responsable de notre accession au sommet de la chaîne alimentaire...

Coralie débarque avec sa marmaille.

— Les filles, dites bonjour à Laura. Elle va gentiment rester avec nous pour que tout se passe au mieux.

Les six petites m'embrassent en me bavant plus ou moins sur la joue. Je suis certaine que c'est ainsi qu'ont commencé les pires épidémies de l'Histoire. La grande peste noire, la variole amérindienne, la grippe asiatique, toutes ces calamités ont débuté par un anniversaire dans un poney-club. À Pompéi, il n'y a pas eu de catastrophe sanitaire parce que le gâteau piégé avec les gros pétards a déplacé le problème en réveillant le volcan. Autrement, ils étaient bons pour la gastro sur la moitié du continent.

— En forme ? me demande Coralie.

— Tout va bien. Heureuse de te voir.

— Moi aussi, tu me sauves la vie. Mon boss n'a rien trouvé de mieux que de me caler un rendez-vous téléphonique d'ici une demi-heure. En plein mercredi après-midi, je te jure ! Je te confierai les filles quelques minutes, le temps d'expédier ça.

Ma gorge se serre. Pression.

— Aucune ne souffre d'allergies ou de syndrome suicidaire ?

— Arrête de plaisanter avec tout. Il faut juste jeter un œil à la petite avec le manteau violet. Sa mère dit qu'il lui arrive de manger de la terre ou de ronger du bois...

— Elle n'avait qu'à pas faire d'enfant avec un lombric ou un termite.

On passe à l'accueil pour s'inscrire et récupérer l'équipement nécessaire.

— Tu as l'habitude de monter ?

— Mon escalier oui, les chevaux non.

— As-tu au moins déjà fait de l'équitation ?

— La dernière fois, je devais avoir leur âge...

— Je vois. Peut-être préférerais-tu un poney plutôt qu'un cheval, comme les copines qui découvrent ?

— Un petit labrador serait plus adapté, voire un furet...

Coralie se tourne vers la jeune femme au planning.

— Pourriez-vous lui donner un poney, s'il vous plaît ? Un facile.

C'est quoi, un poney facile ? Au lycée, je connaissais une fille que l'on qualifiait ainsi. Elle couchait avec n'importe qui. Je ne veux pas d'un poney qui couche avec n'importe qui.

L'employée déclare :

— Tartiflette est disponible, elle est adorable.

C'est vrai, quand tu t'appelles Tartiflette, tu ne peux pas être méchante. Et quand bien même, si tu veux envahir les pays voisins, mieux vaut changer de nom parce que Tartiflette, ça ne fait peur à personne. Vous imaginez, les foules épouvantées fuyant devant la menace en hurlant : « Attention, voilà Tartiflette ! »

Je vous passe les détails parce qu'il y en a trop et que certains me font honte. Le casque qui vous écrabouille la tête et vous fait un crâne d'œuf, le gilet de sauvetage avec dos renforcé directement inspiré d'un engin de torture de l'Inquisition espagnole, les interminables lanières qui s'emmêlent alors que des petites de huit ans réussissent à les répartir harmonieusement sur leur monture... Puis arrive l'instant redouté : le premier face-à-face avec Tartiflette. Sa mèche masque en partie ses yeux, ce qui lui donne un air fourbe.

Je tente de l'amadouer :

— Je vais m'asseoir sur toi, mais n'y vois rien de personnel. Je te respecte sincèrement. Je vais essayer d'être légère. Je te propose un marché très clair basé sur une estime réciproque : tu ne rues pas et je ne me sers jamais de ma cravache. Tu verras, à la fin, on sera super copines et je me boucherai le nez pour te faire un bisou.

Elle ne répond pas. Si ça se trouve, elle est sourde. Avec ma veine, je suis tombée sur la dernière réincarnation de Beethoven. De toute façon, même si ce drôle d'animal est honnête, avec sa mèche sur les yeux, il ne voit rien. On va se manger le premier mur venu.

Et nous voilà parties sur le manège. Coralie et ses filles s'éclatent et sont à l'aise. Moi, je ferme le cercle derrière les invitées. La monitrice nous guide. Parfois, elle hurle des instructions d'un ton sec. Jusqu'au troisième tour, j'ai cru que c'était à moi qu'elle s'adressait. J'étais à deux doigts de pleurer.

Tout le monde prend de l'assurance, sauf moi. On va de plus en plus vite. Je vois venir le moment où notre dresseuse va nous faire sauter dans des cercles de feu. Les propos de Coralie me reviennent : je suis là pour que tout se passe bien. Pourtant, très vite, les rôles s'inversent. Même les petites novices se rendent compte que je ne suis pas du tout détendue sur mon plat savoyard. Toutes font preuve d'une adorable attention. On m'explique que je dois nouer un véritable lien avec ma bestiole, mais je n'y arrive pas. Elle fait ce qu'elle veut et je me cramponne en serrant, malgré les conseils, tout ce qu'il est possible de serrer : les dents, les jambes, les fesses... Plus crispé, il ne peut s'agir que d'un crabe au sommet d'un cocotier pendant un typhon. Je suis pourtant de bonne volonté, j'ai même essayé de lui parler en allemand. Mais rien n'y fait. Les poneys, comme les enfants et les marchands de crédits, savent exactement à qui ils ont affaire et ce qu'ils peuvent se permettre. Ça m'arrangerait vachement que Tartiflette me transforme cette séance de torture en petites mensualités pour que je puisse descendre. Mais non.

La monitrice s'est maintenant mis en tête de nous entraîner dehors, pour une balade dans la forêt qui borde les installations. Il ne pleut pas, c'est une chance. Nous trottinons donc en file indienne pour nous engager sur une allée cavalière. Même si le temps est maussade et que les arbres n'ont pas de feuilles, l'ambiance est agréable. Je me dis que je devrais davantage profiter du paysage, mais je suis trop occupée à caresser Tartiflette pour m'attirer ses bonnes grâces. Tant pis, je donnerai mes mains au teinturier pour qu'il les nettoie à sec.

Notre guide multiplie les allers-retours entre la tête de la file vaillamment emmenée par Coralie et moi qui suis à la traîne. Mon amie et la monitrice ont fière allure, cambrées sur leurs superbes animaux. Je ne dois pas leur ressembler. La monitrice, désolée, me glisse :

— Détendez-vous, Laura. Laissez-vous porter. C'est une promenade, pas une épreuve. Ne cherchez pas à garder le contrôle. Laissez venir la sensation, vous devez faire corps avec votre monture.

Ne plus faire qu'une avec Tartiflette... Si encore elle s'appelait Choucroute, j'aurais pu faire la saucisse. Mais là, tout de suite, je n'ai pas envie d'être la patate de Tartiflette.

La monitrice m'abandonne à mon triste sort et remonte à hauteur des filles.

— Très bien les enfants, on va maintenant prendre à droite, c'est une allée plus petite, avec un peu de dénivelé. Vous verrez, ça ressemble à un décor de conte de fées !

Tu parles d'un conte de fées. Si on se perd dans ces bois et qu'il y a un ogre, il va forcément attraper la moins rapide d'entre nous. De toute façon, après des jours à errer dans cette forêt maudite avec ces animaux qui ne comprennent même pas l'allemand, il n'y a que la petite qui mange du bois et de la terre qui pourra survivre.

Malgré mes idées noires, je dois admettre que ce petit chemin est effectivement joli. Des arbres noueux au tronc moussu ; j'aperçois aussi un petit cours d'eau qui serpente sous les fougères brunies par le froid.

Tartiflette semble apprécier aussi, et elle a presque rattrapé son retard. Le fait est qu'à cet instant précis, je touche du doigt la plénitude que peut procurer l'équitation et dont on m'a tant parlé. Je souris, je m'imagine aventurière visitant des contrées inconnues. Je suis saisie d'un vertige de bien-être, une ivresse des profondeurs à dos d'âne.

J'ignore pourquoi, mais notre petite troupe accélère. Comme ses collègues, Tartiflette passe au trot. Ça me défonce les fesses. J'aurais bien demandé la raison de cette hâte à la monitrice, mais l'étroitesse du chemin la bloque en tête de cortège. Il existe sans doute un mode « pilotage automatique » sur les poneys, et il vient d'être enclenché. Tartiflette accélère encore, et contre toute attente, je lui fais confiance. La suite sera enseignée dans les cours d'histoire au chapitre « C'est ce jour-là que les poneys prirent le contrôle de l'univers, et leur chef était Tartiflette ».

Tout à coup, sans aucune raison apparente, elle part comme une folle sur la gauche, à travers bois. A-t-elle eu peur de quelque chose ? Son médicament pour la tension vient-il seulement de faire effet ? A-t-elle repéré une botte de foin en solde ? S'est-elle brutalement souvenue qu'elle avait oublié son porridge sur le feu ? Toujours est-il qu'elle cavale comme une dingue. Tenir les rênes n'est plus suffisant. Je l'enlace, je me cramponne à sa crinière. Je ne fais pas corps avec ma monture, je suis soudée dessus. Elle saute, se faufile entre les troncs. Au loin derrière, j'entends les petites qui rient. Il faut que je me redresse pour faire signe à Coralie et à la monitrice. Je tente le coup, mais ce n'est pas une bonne idée. Ma tête heurte quelque chose de beaucoup plus dur qu'elle. Le choc est violent.

Tartiflette continue sur sa lancée et je tombe à plat sur le dos, comme un sac. C'est étrange. Aucune sensation de douleur. Les bruits ambiants me parviennent lointains, avec de l'écho et un sifflement dans les oreilles. Les yeux dans le vague, je distingue l'écorce de l'arbre qui m'a désarçonnée. Il ne perd rien pour attendre. Je vais demander à la petite au manteau violet de le manger.

Je me sens étrangement bien. J'ai envie de faire une sieste, pourquoi pas avec mon fidèle poney qui ronronnerait contre moi.

Ensuite, quelqu'un éteint la lumière et coupe le son.

5

J'ouvre les yeux. Un fabuleux déluge de lumière m'inonde. C'est un pur enchantement. Des myriades de rayons dorés dansent dans la pièce où je m'éveille. Puisque je m'y trouve sans personne d'autre, il est évident que ces flèches de lumière divine accomplissent ce miracle pour moi seule. Quel cadeau ! C'est merveilleux !

Je me sens faible. Pourtant, grâce à ma grande volonté, je réussis à prendre appui sur mes coudes pour me redresser.

Je me tiens à présent assise sur un lit très haut, le dos calé par mon oreiller. C'est inconfortable, mais je suis trop absorbée par ce que je découvre pour me décider à y changer quoi que ce soit. Je préfère m'en accommoder, car tous mes sens sont en éveil. Mes yeux éblouis, le calme, un parfum inconnu qui flotte dans l'air. J'aime le contact des tissus que j'effleure.

Je porte une robe dont l'étoffe est fine sous mes doigts, toute simple mais d'une jolie teinte pâle. Je crois que cette couleur est connue sous le nom de « vert ». Elle est parfaitement assortie aux draps clairs dont les bords sont délicatement ornés de symboles que je n'arrive pas à déchiffrer. Peut-être s'agit-il de mon nom. Mais quel est-il, d'ailleurs ?

Sur le côté, en surplomb, une poche souple remplie d'un liquide translucide aussi cristallin que de l'eau de roche est accrochée à un grand mât d'argent qui brille de mille feux. Je suis impressionnée par l'élégante forme de cet objet extraordinaire. Ce trésor doit m'appartenir également, et c'est sa grande valeur qui justifie sans doute que j'y sois reliée par un tube qui aboutit dans mon bras où il disparaît comme par magie. Quel prodige !

Je gazouille. Suis-je un bébé ? Ce tube est-il mon cordon ombilical ? J'éclate de rire. Impossible que je sois un nouveau-né, car les tout-petits ne chantent pas avec une élégante voix de rossignol comme je suis en train de le faire. Je suis tellement heureuse des bienfaits dont la vie me comble dès mon réveil !

Mes mains caressent mon visage. Je n'en reconnais pas les contours mais peu importe, car ce que je découvre me plaît. J'adore mon petit bout de nez, et mes lèvres sont si douces ! Sur ma tête, je devine une sorte de turban. Il est solidement enroulé et descend jusqu'au milieu de mon front. Comme je dois être belle ! Tout à coup, un éclair traverse mon esprit. Je sais ! Je suis une princesse orientale qui s'éveille dans l'aube bienveillante de l'astre solaire. Cette salle doit être l'une des chambres de mon palais. Mon rang explique à la fois ma robe si élégante et ce trésor sur roulettes dressé auprès de moi supportant ce liquide précieux.

Ma chambre est assez rudimentaire, mais l'harmonie des couleurs y est sublime. Je remarque d'étranges machineries dont j'ignore l'usage. Certaines clignotent frénétiquement, se parant de lucioles rouges et vertes qui se répondent. Une sensation me revient, me projetant par la pensée au pied d'un arbre décoré, un sapin, je crois. Mais il y a tant à voir que je ne m'attarde pas sur cette réminiscence imprécise. La fenêtre est striée de fins barreaux horizontaux. Je dois vraiment être une personnalité importante pour que l'on me protège ainsi. Ce local n'est pas immense – quasiment un réduit –, mais c'est probablement parce que je suis encore une jeune princesse. Comme pour le bocal des poissons rouges, le contenant grandira avec moi et au fil du temps, ses murs se pareront alors de merveilles qui refléteront mon aura. Cette perspective m'enthousiasme au point que je tape dans mes mains de joie ! Tellement impatiente d'être grande ! Je chante de plus belle. Je ne comprends même pas ce que j'interprète, mais mes vocalises s'envolent jusqu'aux confins du palais.

La porte s'ouvre et quelqu'un apparaît. Une femme vêtue d'une blouse blanche sans éclat et portant des chaussures de mendiant. Certainement l'une de mes nombreuses domestiques. Elle avance vers moi directement, sans même s'incliner, et m'adresse la parole :

— Vous voilà enfin réveillée ? J'en connais qui vont être soulagés. Ne vous agitez pas comme ça, c'est une phase délicate. Vous devez vous ménager. Laissez-moi vous aider.

Bien sûr qu'elle va m'aider ! Elle est née pour cela. Elle s'approche et m'observe de très près. Ni révérence, ni formule de politesse. Est-ce ainsi que l'on s'adresse à sa souveraine ?

Elle se permet même de tripoter le lien tubulaire qui me relie à mon trésor. Vilaine gueuse. Elle profite de ma jeunesse et de mon inexpérience pour tenter de me chaparder mon bien. Mais comme l'a dit un labrador plein de sagesse : la valeur n'attend pas le nombre des tannées ! Cette pauvre créature va vite comprendre que je ne suis pas du genre à me laisser faire. Pour lui signifier ma grande désapprobation, je lui flanque une bonne tape sur la main. Elle se fige.

— Qu'est-ce qui vous prend ? me demande-t-elle avec une incroyable audace.

— Je veux bien vous pardonner votre entrée fort peu protocolaire, mais de grâce, ne me volez pas.

— Vous voler ?

— Vous pouvez encore échapper à la douloureuse humiliation d'une punition en place publique mais pour cela, je vous prie de recommencer votre entrée et de me témoigner le respect dû à mon rang.

Elle ouvre des yeux ronds. Elle jette un œil à la poche translucide remplie de liquide magique.

— Qu'y a-t-il dans votre perf ? Vous êtes shootée ? Ils ont dû mettre la dose éléphant...

Elle parle un étrange dialecte. Sa diction est rustre et sa coiffure multicolore atteste de sa basse extraction. Il est de mon devoir d'éclairer sa vie en lui donnant une bonne leçon.

— Soigne tes manières, pauvre lépreuse, sinon tu auras raison de ma patience, et en dépit de ma bonté tu retourneras à la rue où je te ferai jeter, te condamnant à une vie de misère et d'infamie au milieu de tes semblables qui passent leurs journées à se gratter.

Elle me dévisage, interloquée. Hors de question de lui faire l'honneur de croiser son regard. Je ne lui accorderai pas cette aumône. Je me tiens bien droite, fixant le mur comme s'il s'agissait d'un horizon. Je la sens toute proche. Son souffle infesté de microbes ramassés dans son affreuse maison en torchis court sur mes joues, au risque de me contaminer. Je bloque ma respiration pour ne pas finir tel un zombie avec des chaussures moches.

Il ne faudrait pas que cela dure trop longtemps, car je suffoque déjà.

Un large sourire éclaire son misérable visage de pécheresse. Non seulement elle ne semble pas impressionnée, mais la petite effrontée se permet même de rire. Pire, mon infaillible instinct me souffle qu'elle se moque de moi ! Cette fois c'est certain, je la ferai bastonner et jeter aux hamsters. Rira bien celle qui rira le dernier lundi du mois ! Crime suprême, l'air de rien, elle confisque en plus certains de mes plus beaux rayons de soleil qui illuminent son profil. Dans cette lumière qu'elle chaparde, elle serait presque belle ! Les dieux sont décidément trop bons, il faudra que dès le prochain bal des facteurs, je leur parle personnellement de l'abus que les mécréants font ici-bas de leur prodigalité.

Voilà l'impudente qui s'intéresse encore à ma réserve personnelle d'eau de roche.

— À la garde ! À la garde ! On pille mon sang, on barbote ma vie !

L'infâme gourgandine rit de plus belle :

— J'ai déjà vu des trucs bizarres, surtout avec des gens ayant reçu un coup sur la tête, mais vous battez tous les records. Pardon, je sais qu'il n'est pas convenable de rire des patients, mais quand même...

— Qu'ai-je donc de si drôle ?

— Rien du tout. Je suis même sincèrement rassurée de vous voir réveillée. Vous me faisiez de la peine, dans le coma, comme ça, avec tous ces gens qui venaient vous rendre visite et qui s'inquiétaient de votre sort. Vos proches tiennent vraiment à vous. Certains sont restés des journées entières.

Il est évident qu'elle fait allusion à ma cour. Même pendant mon absence, mes admirateurs se pressaient sans doute pour déposer des offrandes dans mes appartements. J'ai hâte d'admirer les pierres précieuses et les soieries qu'ils m'auront rapportées des confins du monde.

— Vous dites que j'étais dans le Coma ? Est-ce une contrée lointaine où je m'étais aventurée ?

— On peut l'envisager comme ça...

Elle continue de m'observer sans vergogne, me braquant même un étrange rayon lumineux dans les yeux. Je la repousse.

— Cesse tes sortilèges, sorcière ! Je suis de retour du Coma et si les montagnes et périls de ces terres inhospitalières n'ont pas eu raison de moi, ta maudite lumière ne me contrôlera pas !

Poursuivant son examen comme si je n'avais rien dit, la femme en blanc murmure :

— Il va sans doute falloir gérer l'aspect psychologique, mais le réveil est prometteur. Vos fonctions cognitives semblent intactes.

— Est-ce un prince qui m'a tirée de mon sommeil ?

Elle éclate derechef de rire. Ce nouvel affront lui coûtera trente coups de bâton de plus ! Ma grandeur d'âme a ses limites. Mon peuple sait à quel point j'aime les enfants sages, les pangolins, les fraises et les beaux chapeaux. J'ai d'ailleurs l'intention de créer des œuvres de bienfaisance pour les protéger, surtout les chapeaux qui sont si fragiles hors de leur boîte. Mais ma légendaire mansuétude ne pourra pardonner un comportement aussi irrespectueux. Nous n'avons pas gardé les dés à coudre ensemble, parbleu !

Elle m'étudie toujours. Elle me chatouille les doigts, déplace un petit objet en forme d'insecte, assez rigolo d'ailleurs, pour attirer mon regard. À présent, elle écrit, sans même demander la permission ! Elle trace d'étranges signes sur une feuille. Sans doute des poèmes à ma gloire. Elle tourne autour de moi comme un animal qui prend conscience de sa vile bestialité face à une merveille de la nature.

— Êtes-vous subjuguée par ma grâce ?

— Il y a de ça...

— Je peux vous comprendre.

— Votre réveil vaut vraiment le coup... Un formidable cas d'école. Je suis contente d'avoir fait cinq ans d'études pour assister à cet instant-là.

Cinq ans d'études, fichtre. N'entre pas à mon service qui veut. Cela se mérite. C'est d'ailleurs bien naturel. Pourtant, après tant d'instruction, je fais tout de même le navrant constat de la piètre qualité de ses chaussures et de sa coiffure... Sans parler de ce pendentif en forme de cœur coupé en deux parce qu'elle n'a sans doute pas eu les moyens de s'en offrir un entier. Quelle durée d'apprentissage faut-il donc pour maîtriser l'art du beau, l'usage de la barrette et du talon aiguille ? Un siècle d'université avec les plus grands maîtres ? Plusieurs vies ?

Elle tente de réprimer une émotion que j'analyse mal. J'envisage qu'il puisse s'agir d'un début de repentir, ce qui serait assez logique. Mais il n'en est rien. La voilà emportée dans un fou rire. Immonde traîtresse ! C'est décidé, je vais faire d'elle un exemple aux yeux de mon empire. Que l'on m'apporte un papyrus et des crayons de couleur, et je vais moi-même dessiner la sentence qui la punira lors de prochaines festivités. Je vois déjà le tableau : elle sera enduite de chantilly, coiffée d'un bonnet qui démange, enfermée dans un tonneau qui dévalera une pente au bas de laquelle l'attendront des poules carnivores ! Tout le monde constatera combien je suis magnanime !

Mon ultime cadeau sera de la faire entrer dans la légende.

Elle s'en fout. Mes menaces ne produisent aucun effet. Elle s'étouffe tellement elle rigole. Je comprends à peine ses paroles.

— Six jours dans le gaz et vous vous réveillez comme un bébé... D'abord vous chantez à tue-tête, on ne sait même pas dans quelle langue, et puis vous me traitez de lépreuse...

Elle pleure carrément en hoquetant de rire. Elle recule vers la sortie, toujours sans la moindre révérence, mais sans oser me tourner le dos non plus.

— Ne vous inquiétez pas, articule-t-elle néanmoins. Je reviens immédiatement. Il faut que j'aille chercher Maria. C'est la doyenne du service. Quarante ans de métier, et je parie mon salaire qu'elle n'a jamais vu ça.

— Allez aussi prévenir mes cuisiniers que j'ai faim. Faites préparer un grand bal pour fêter mon retour du Coma ! N'oubliez pas d'inviter des chats et des danseurs mondains.

— À vos ordres, Votre Altesse !

Cette réponse me convient nettement mieux. Il était temps que je me réveille. Le royaume se barrait en sucette.

6

— J'ignore comment vous nommez ces molles tiges vertes, mais il est hors de question que je les ingurgite.

— Ce sont des haricots verts. C'est vrai qu'ils ne sont pas idéalement cuits, mais tout de même...

Je recrache tout, en regardant droit dans les yeux la jeune femme qui me fait manger.

— Laura, qu'est-ce que tu fais ? s'exclame celle-ci. Je veux bien être gentille, mais si je dois passer du temps avec des gamines capricieuses, je n'ai qu'à garder mes nièces.

Ces remarques scandaleuses ne m'atteignent pas. Je tourne la tête avec mépris.

— Laura, s'il te plaît... Soit tu manges, soit ils te remettent la perfusion.

— Que ces voleurs me rendent donc mon trésor brillant et son outre de cristal liquide.

La jeune femme assise sur le bord de mon lit semble désemparée.

— D'habitude, de nous deux, c'est moi la dingue, mais là, sérieusement, tu dépasses les bornes.

— En tant que guide suprême, il est naturel que j'ouvre de nouvelles voies.

— Waouh ! Il faut que je la note, celle-là. On va faire un malheur au boulot avec ce genre de formule.

Je daigne la regarder. Elle ne me fuit pas, bien au contraire.

— Tu ne me reconnais vraiment pas ?

— Le devrais-je ?

— Je suis Lucie. On est comme des sœurs toi et moi, depuis presque quinze ans.

Cela n'éveille rien dans mon esprit. Elle poursuit :

— On s'est connues au lycée... Pendant les épreuves d'endurance, on s'aidait à tenir le coup, c'est même comme ça qu'on est devenues copines. Je copiais les maths sur toi. Mais c'est moi qui t'ai appris à faire du vélo pour que tu puisses aller flirter avec Michael dans les bois. Tu ne te souviens pas ?

— Ces coutumes m'évoquent vaguement quelque chose, mais j'ai du mal à nous imaginer sœurs.

— Pourtant c'est ainsi que tout le monde nous considère... Ça me fait de la peine que tu ne te rappelles rien. Après tout ce qu'on a vécu... La toubib m'a avertie qu'au début, ta mémoire serait un gruyère. Je dois être dans les trous. Elle a dit que c'était normal après un pet au casque aussi violent. Ayant subi un trauma pareil, le cerveau peut avoir besoin de se réinitialiser complètement. T'as le disque dur qu'a sauté ! Les infirmières ont bien prévenu qu'on devait s'attendre à tout, y compris à des comportements « étranges ».

Lucie s'assombrit tout à coup.

— Laura, je te jure, ça fout la trouille. C'est tellement bizarre de te voir avec la même apparence mais sans ton esprit habituel... Trop perturbant... Les docteurs ignorent combien de temps tu seras dans cet état-là. Quelle angoisse ! Ils ne savent même pas si tu récupéreras toute ta tête. Tu imagines ? Si ça se trouve, ils se plantent complètement. En fait, t'es possédée. C'est ça ! L'âme pourrie de ce poney pervers a pris le contrôle de ton moi profond. Il va falloir qu'on se cotise pour t'offrir un exorcisme. Je ne sais même pas si ça existe dans les coffrets-cadeaux d'activités. J'espère bien qu'on trouvera un moyen parce que sinon, ma pauvre Laura, tu seras maudite pour l'éternité. Tu ne te déplaceras plus qu'au trot ou au galop. Tu ne mangeras que des pommes et des carottes. Tu vas puer grave. Mais je m'en fous. Je vais m'acheter une cravache et tu m'obéiras au doigt et à l'œil. On se fera embaucher dans un cirque ! Tu seras mon poney magique et je te coifferai la crinière avec un peigne à paillettes !

Elle rit de bon cœur. Pas moi. Je me demande bien pourquoi tout le monde se moque de moi. Je réagis :

— Je n'ai plus envie qu'on parle de ça. J'en ai assez que tout le monde se paye ma tête. Il n'y a que celui qui refait mon turban chaque matin qui me respecte. Il est gentil, lui. Tous les autres, vous riez de moi. Je suis à deux doigts de décider par décret que t'es plus ma copine.

Elle lève un sourcil.

— Plus ta copine ? N'importe quoi. La doctoresse m'a aussi expliqué que tu allais probablement te comporter comme une enfant dans les premiers temps et qu'il allait peut-être même falloir te réapprendre des trucs élémentaires. J'espère que tu sais toujours aller sur le pot et que tu ne vas pas faire partout comme les poneys.

Je la regarde. Elle semble sincèrement inquiète. Mais qui donc est cette jeune femme ? Elle n'a pas l'air méchante. Je la devine émue et heureuse d'être auprès de moi. Je la comprends. Rencontrer une de ses idoles est toujours impressionnant.

— Il faut au moins que tu te souviennes vite de tes frères, parce qu'ils étaient dévastés de te voir inconsciente. Sans parler de ton père. Le pauvre, il est venu tous les jours…

— Le roi est venu ici et l'on ne m'a rien dit ?

— La vache, il a dû être costaud le choc, parce que t'es intégralement barrée. Pourvu que tu récupères vite !

Son expression change à nouveau radicalement. Elle semble avoir avalé une capsule de poison violent, ou alors c'est la tête qu'elle fait lorsqu'elle réfléchit.

— Et si tu ne récupérais jamais ? s'effraie-t-elle. Mon Dieu, rien que d'y penser, je crois que je vais pleurer. Que peut-on faire pour t'aider ? Hier soir, je me suis dit qu'une solution pourrait consister à te ligoter sur la même bestiole, dans la même forêt, pour que tu te prennes le même choc à la caboche. Peut-être qu'un autre accident en sens inverse remettrait tout en place ?

— Je ne comprends rien à vos propos.

— Tu ne te rappelles pas dans quel cirage tu étais ? Rien du tout ?

— Bien sûr que si, je visitais le Coma. C'est loin et c'est d'ailleurs très joli. On y trouve des rivières, des arbres durs que les enfants peuvent manger s'ils ont faim, et de charmants animaux dont j'ai oublié le nom, qui font tagada quand ils courent.

— C'est terrible. Ta mémoire est effacée. Quel drame ! Ma meilleure amie est une clé USB qui a pris la foudre…

Je ne sais quoi répondre. Lucie paraît perdue. Tout à coup, elle me sourit avec une grande douceur.

— Ne t'en fais pas, Laura. Nous deux, c'est à la vie à la mort et même si t'as le cerveau aussi vide

47

que le slip de Marcello, je ne te laisserai jamais tomber. Pour mes problèmes perso, il va juste falloir que je demande conseil à quelqu'un d'autre, mais pour ce qui est de tout te réapprendre, tu peux compter sur moi. Il faut considérer les épreuves comme des chances, et une mémoire effacée, c'est l'occasion de la réécrire en mieux. Je suis avec toi à 10 000 % ! Déjà à fond !

Elle soupire d'aise et semble maintenant heureuse. Elle me prend la main et je la laisse faire.

— Autant ne pas perdre de temps, s'enthousiasme-t-elle soudain. Tout à t'enseigner de nouveau, ça fait du travail ! Commençons par les basiques : les légumes que tu as recrachés, ce sont des ha-ri-cots verts. C'est dégueulasse, mais tu as mis dix ans à comprendre que ce sont tes amis parce que tu peux t'en gaver sans qu'ils te fassent un cul de vache.

J'opine.

— D'accord.

Elle m'exhibe son poignet.

— Voici une montre. Ça sert à donner l'heure, mais on ne la regarde plus tellement parce qu'on a les téléphones. Les téléphones, ce sont ces petites machines qui servent à parler à des gens qui sont loin. On regarde aussi des vidéos dessus. Mais restons concentrées sur la montre. Moi, la mienne ne marche plus mais je la garde quand même parce qu'elle me vient de ma grand-mère et que si tu n'avais pas le cerveau d'une chouquette crevée, tu te souviendrais que c'est elle qui m'a élevée et que c'est tout ce qu'il me reste d'elle.

— D'accord.

— Le matin, quand tu te lèves, tu dois d'abord prendre une douche. En général, notre espèce vit le jour et dort la nuit. Sauf si tu fais la fête ou que tu es gardien de phare, ou que tu es une chauve-souris, mais on verra ça plus tard. Donc, quand tu te réveilles, tu te nettoies pour être avenante vis-à-vis du monde et ne pas schlinguer comme Herbert.

— Herbert ?

— Le type de la mairie qui nous apporte le courrier et change les ampoules.

— C'est quoi les ampoules ?

Sa mâchoire se décroche.

— Bordel, ça va pas être simple... Je vois le moment où je vais être obligée de te raconter des histoires pour que tu t'endormes. En plus j'en connais pas. Mais si ! J'en connais au moins une ! La cigale, la fourmi et les trois ours ! Ils cherchent un camembert, tu verras c'est super bien.

— C'est quoi un camembert ?

— S'il te plaît, ne complique pas tout. Prenons les choses dans l'ordre. Nous en étions à ta douche du matin.

J'acquiesce, tout ouïe.

— Le principe est très simple, reprend Lucie. De l'eau coule du plafond et tu te laves avec du savon qui mousse et qui sent bon. Toi tu adores le parfum mangue. Moi je ne le supporte pas, rapport au fait que j'en ai bu quand j'étais petite. Du gel douche, pas le fruit, parce que le fruit ça se mange. Tu me suis toujours ?

— Bien sûr : je me lève, je me lave avec une mangue qui tombe du plafond d'Herbert.

Elle lève un sourcil.

— On va se contenter de ça pour un début. Ensuite, une fois que tu as pris ta douche, tu mets ta culotte et tu files au boulot.

— D'accord.

— Je vais me débrouiller pour te trouver un imagier et dès demain, on verra ensemble les objets du quotidien et les animaux. Histoire que tu fasses la différence entre une fourchette et une girafe. L'une sert à manger et l'autre a un grand cou et vit dans la savane.

— On mange avec une girafe ?

— C'est possible, mais au zoo, et il faut alors apporter ton sandwich tout en prenant soin de rester chacun de votre côté de la barrière. Par contre, je dois te préciser un truc important : tu ne dois jamais, mais alors jamais, te servir d'une girafe à table. Ce n'est pas respectueux de la nature.

— Compris.

Elle se lève et va jusqu'à un petit trou aménagé au bas du mur dont sort un serpent très fin relié à un objet rectangulaire et plat.

— J'avais mis mon téléphone à charger. Tu vois, c'est ça un téléphone. Regarde, il y a des photos de nous dedans.

Elle bouge son doigt dessus en dessinant des symboles ésotériques qui font apparaître une image magique luminescente, qu'elle me présente. Je la reconnais parfaitement, elle, mais qui est la femme juste à côté ? Il ne peut s'agir de moi : elle semble légèrement plus âgée, n'a ni turban, ni élégante robe fine. Je demande :

— C'est nous ?

— Oui, l'été dernier. On revenait d'une randonnée. Je ne souris pas beaucoup parce que je m'étais assise sur un scorpion.

— Pourquoi je n'ai ni ma robe ni mon turban ?

— Laura, réfléchis un peu : tu ne portes pas toujours les mêmes vêtements. Tu en as des différents, suivant ton envie, la météo, l'occasion. On appelle cela « se changer ».

— Je comprends. Et pour le turban ?

— Ce n'est pas un turban, c'est un pansement. Tu n'en avais pas l'été dernier parce que tu ne t'étais pas encore fracassé la tronche. Pour le moment, ce pansement retient ta cervelle ramollie à l'intérieur de ta boîte crânienne, ça évite qu'elle se répande par terre en coulant par ta cicatrice de Frankenstein qui épouvante tout le monde.

— Je comprends.

Lucie me désigne le mur :

— Tant qu'on en est aux explications de base, pour recharger les téléphones, on les branche sur ces « prises électriques ». Mais attention : tu ne dois jamais les lécher ou leur donner à boire, sinon elles meurent et ça fait tout péter dans la baraque.

— C'est noté.

Elle enroule le fil-serpent qui reliait son « téléphone » à la « prise » en le secouant vigoureusement. Ce geste réveille une vague sensation enfouie en moi.

— Pourquoi agites-tu le fil ainsi ?

— Pour vider le courant qui pourrait rester dans le câble. Rapport au fait qu'une de mes tantes s'est électrocutée avec un fond d'électricité pas fraîche qui stagnait dans une rallonge.

— D'accord.

Elle s'interrompt et m'observe.

— D'habitude tu te moques de moi quand je fais ça. Tu dis que c'est un TOC.

— Un TOC ?

— Oui, les pendules font tic-tac et moi j'ai des TOC.

— D'accord.

Je crois que j'aime bien apprendre les basiques. Lucie s'approche de moi et prend délicatement mon visage entre ses mains. Ses paumes sont douces et tièdes. Je suis incapable de m'offusquer parce que ce contact me submerge de bien-être au point que j'en ferme les yeux. Elle prononce quelques mots et en mon for intérieur, je constate finalement que sa voix m'est étrangement familière.

— Laura, je suis tellement heureuse de te voir réveillée. Même si tu n'es pas tout à fait toi-même, ça me fait du bien de te voir bouger, de croiser tes yeux et de t'entendre t'exprimer, bien que tes propos soient complètement incohérents. À ce sujet, sais-tu que tu es en train de devenir une légende dans tout le groupe hospitalier ? Même les mecs de l'entretien des bâtiments les plus éloignés sont venus voir ton petit numéro de princesse.

Elle marque une pause.

— S'il te plaît, dis-moi que tu n'as pas perdu la boule. Qu'est-ce que je deviendrais sans toi ? Je serais foutue, le service social partirait en quenouille. Quand je pense que le mariage de ton frère a lieu la semaine prochaine…

7

C'est une machine formidable. Une fois installé à l'intérieur, on peut se déplacer très confortablement, à des vitesses variables mais beaucoup plus vite qu'à pied. Cela s'appelle une « voiture ». On peut aller tout droit, mais aussi tourner à gauche ou à droite, et ainsi choisir sa destination. N'importe où ! Librement ! D'après ce que l'on m'a expliqué, il faut juste se méfier des fleuves, des océans et des failles tectoniques parce que cet engin refuse de fonctionner dedans. Ce n'est pas si grave car cette invention exceptionnelle remplit parfaitement son office partout ailleurs, de jour comme de nuit, quelle que soit l'heure ! C'est extraordinaire ! Celui qui tient le volant doit regarder devant en faisant bien attention aux lumières qui envoient des signaux et aux obstacles qui apparaissent comme dans des jeux vidéo, mais tous les autres – que l'on nomme « passagers » – peuvent admirer le paysage à travers des vitres. Même s'il pleut, même s'il fait froid, vous êtes à l'abri en observant le monde qui défile autour de vous.

Lorsque nous étions sur l'« autoroute », j'ai eu un peu peur car nous allions plus vite que le vent. Heureusement que cela n'a pas duré trop longtemps parce que sinon, je me serais noyée.

Lucie m'a expliqué que dans le futur, ces véhicules pourront certainement voler. Elle affirme qu'il n'y aura plus de problème de stationnement parce que l'on pourra se garer sur les nuages ! Elle dit aussi qu'il faudra faire attention en descendant pour aller chercher le pain parce que la marche sera haute.

Notre voiture s'engage à présent dans une allée bordée de grands arbres. Il fait très beau mais depuis quelques jours, j'ai compris que le soleil ne brille pas que pour moi. Je m'en suis remise. L'essentiel n'est-il pas d'avoir un jour d'anniversaire rien que pour soi ?

Au loin, entre les arbres, apparaît un véritable château. Il est magnifique ! Je sais comment on ouvre les fenêtres de la voiture. Il suffit d'appuyer sur le bouton, là. Je le fais toute seule comme une grande et lorsque la vitre est baissée, je me penche à l'extérieur pour mieux voir. L'air frais me fait du bien, j'ouvre la bouche pour gober le vent. J'adore.

La voiture ralentit aussitôt. Si j'ai bien compris, cela signifie que Mélanie a freiné. Mélanie est celle qui nous conduit. On est super copines, d'après ce qu'on m'a dit. Alors pourquoi me gronde-t-elle ?

— Laura, ne te penche pas comme ça. Tu vas avaler une mouche ou te recasser la figure.

— Ça lui remettrait peut-être les idées à l'endroit.

Sans la voir, j'ai reconnu la voix de Lucie, assise à l'avant à côté de Mélanie. Je parviens à faire des choses de plus en plus complexes. Lucie se contorsionne et m'attrape par mes vêtements pour me ramener à l'intérieur.

— Attends d'être réincarnée en chien pour faire ce genre de truc, tu pourras même laisser pendre ta langue.

Il me tarde de me réincarner en chien, je crois que c'est ce qui arrive fin février aux années bissextiles.

La voiture décrit une large courbe qui me donne le tournis et s'immobilise au pied du château. Il y a du monde partout, et d'autres voitures. J'aperçois une dame qui doit être très allergique aux insectes parce qu'elle porte une grosse moustiquaire blanche sur la tête.

Lucie se penche vers moi et me regarde droit dans les yeux.

— Tu ne me lâches pas d'une semelle, je suis ton garde du corps. Ne t'avise pas de t'enfuir comme au supermarché, j'ai failli crever de honte en entendant l'appel dans les haut-parleurs : « Laura attend Lucie au poste de sécurité. » Heureusement qu'ils n'ont pas précisé à tout le magasin que tu avais la bouche pleine de biscuits impayés...

— J'avais faim.

— Ce n'est pas une raison. On ne se sert pas comme ça. On achète la nourriture.

— Sacrée Lucie, s'amuse Mélanie, je suis certaine que tu es la personne idéale pour remettre notre Laura sur les rails. Te confier le rôle de nounou et de bonne conscience, c'est vraiment du grand n'importe quoi. Avant, elle avait peut-être une chance de s'en sortir, mais maintenant...

— J'aimerais bien t'y voir ! réplique Lucie. Je fais ce que je peux.

— Nous t'en sommes très reconnaissantes et nous admirons toutes ta patience !

Lucie bondit hors de la voiture et la contourne pour venir m'ouvrir. Déjà des gens se pressent vers moi. Le mouvement de foule est spectaculaire. Depuis mon retour du Coma, on m'explique sur tous les tons que je ne suis pas une princesse.

Pourtant, lorsque je constate le nombre de sujets qui rappliquent pour me saluer, m'embrasser et me prendre dans leurs bras, je me demande quand même si on ne me raconte pas du mytho. Car soyons objectifs : lorsque je vois ce beau château, ces immenses gerbes de fleurs disposées un peu partout, ces guirlandes multicolores tendues entre les arbres, ces belles robes et ces hommes en costume classe, et si on ajoute à ce tableau tous ces inconnus qui me présentent leurs hommages, ça ressemble bien malgré tout à la vie d'une jeune souveraine ! Faudrait quand même pas me prendre pour un pruneau fourré !

La dame allergique aux moustiques s'approche. La foule s'écarte sur son passage, sans doute par peur de la contagion. La pauvre. Elle me serre contre elle avec une telle ferveur que je me demande si ce n'est pas moi qui ai inventé le vaccin contre le paludisme.

— J'ai eu si peur que tu ne te remettes pas...

Je perçois son émotion, elle en a quasiment les larmes aux yeux. Je perçois aussi son parfum, j'en ai presque la nausée.

— Avec Théo, on était prêts à reporter notre mariage. Rien que pour toi. Mais heureusement, tu es là, en pleine forme...

Découvrant mes vêtements, elle se tait. Certainement l'émotion, à nouveau.

Une voix masculine nous interrompt :

— En forme, en forme, il faut le dire vite parce que si j'ai bien compris, côté mémoire et comportement, il va te falloir un peu de temps.

Un homme au bel habit bleu comme l'eau des toilettes de la station-service s'avance vers moi. Il m'adresse un sourire merveilleux. Je le trouve beau même si j'ignore qui il est.

Lucie me glisse :

— Ton frère, Théo. C'est lui qui se marie aujourd'hui, avec Vanessa, celle en robe blanche avec un voile en tulle.

Il me prend lui aussi dans ses bras. Ça devient une manie. Je ne suis pas un doudou ! Le voilà qui me soulève.

— Vérifions, petite sœur, si nos jeux idiots rafraîchissent ta mémoire défaillante...

Je me débats, mais il est trop fort. Je commence à hurler. Il me repose, hilare.

— Comme au bon vieux temps, tu brailles !

Lucie intervient fermement :

— Sois gentil avec elle, ce qu'elle traverse n'est pas évident. Elle est fragile. C'est ta grande sœur, ne l'oublie pas.

Il s'approche à nouveau de moi et se penche pour mieux me regarder. Le fait est que mon petit frère me domine d'une bonne tête. Alors il est à la fois mon grand et mon petit, suivant le critère.

— Heureux de te récupérer, Laura. Tu nous as fichu la trouille. Résultat : la moitié de nos invités sont plus heureux de te voir en vie que de nous voir mariés. Bah, c'est comme ça... Le principal est que nous soyons tous réunis aujourd'hui.

Il recule d'un pas et observe ma tenue.

— J'aime beaucoup. Très avant-gardiste, mais d'une imparable efficacité. Pantalon de ski et veste d'homme sur un tee-shirt qui doit d'ailleurs être une chemise de nuit... Et cette doudoune ! C'est plutôt novateur.

Lucie – qui est décidément un excellent garde du corps – prend une fois encore ma défense.

— Ben quoi ? Pour cette grande occasion, je lui ai dit de choisir les habits qu'elle préférait. C'est elle qui a décidé.

— C'est vrai, ce sont les vêtements que j'aime le plus, dis-je en relevant le menton. Tu t'es vu, toi, avec ton hélice d'avion accrochée au cou ?

Vanessa semble inquiète. Mon frangin s'amuse franchement.

— On va pouvoir annuler le clown, les danseurs et le feu d'artifice, parce que je crois que ce sera toi notre meilleure attraction aujourd'hui...

8

— Laura, il faut que tu arrêtes de piller le buffet des enfants. Tout le monde t'a remarquée et tu commences à faire peur aux petits.

Pas question qu'elle m'empêche de reprendre de ce délicieux gâteau chimique transparent qui vibre sur l'assiette quand on marche.

Elle fronce les sourcils.

— Combien de fois as-tu repris du Jell-O ?

Je compte sur mes doigts. Je ne maîtrise que jusqu'à dix. De toute façon, même en incluant les doigts des pieds, ça fait plus. Lucie m'a dit qu'il ne fallait pas mentir, alors je décide de dire la vérité :

— Plein.

— C'est la dernière fois, d'accord ?

— Promis.

Je fais discrètement signe au serveur de charger mon assiette à mort.

Lucie s'étrangle :

— Mais qu'est-ce que tu fais ? Pourquoi tu lui donnes de l'argent ? Un gros billet en plus ?

— Mais c'est toi qui m'as dit ! On ne se sert pas ! On achète la nourriture ! Ce sont tes propres mots !

— Au supermarché on doit payer ce que l'on prend, mais pas à un mariage, surtout celui de ton frère. C'est un cas particulier !

— C'est toujours pareil ! D'abord, tu me donnes des règles simples que je comprends parfaitement, et puis tout se complique parce qu'il n'y a que des cas particuliers ! Faudrait savoir...

Le serveur ne sait plus où se mettre.

— Où as-tu trouvé cet argent ? m'interroge Lucie.

— Je l'ai demandé à la gentille dame, là-bas.

Je lui désigne une adorable mamie qui me surveille de loin avec un regard où se mêlent la fascination et l'effroi. Il est clair qu'elle prend soin de se tenir à bonne distance. Lucie est énervée. Depuis quelques jours, je sais que cet état d'excitation combiné à cette grimace particulière porte un nom : elle est outrée.

— Pétard, mais tu es pire qu'une gamine !

— Le docteur t'avait prévenue. Je suis comme une enfant. Je suis donc mignonne et ingérable. Mais je te jure, je fais des efforts. D'ailleurs, je mesure déjà des progrès. Par exemple, j'ai pas dit à Vanessa que son parfum sent mauvais et que des enfants jouent sous sa jupe.

— Bravo, tu viens brillamment de franchir le cap des cinq ans. Maintenant, reviens te servir au buffet des adultes et laisse les enfants entre eux, tu les perturbes.

— C'est pas bon, le buffet des grands. Il n'y a que des bêtes crevées en tranches et des légumes laids qui collent.

— Tu as goûté le homard ? Il est excellent. D'habitude, tu raffoles du homard !

— N'importe quoi. J'ai tout goûté et j'ai rien aimé, sauf la sauce jaune avec un nom bizarre.

— La mayonnaise ?

— C'est ça.

— Mais tu vas prendre dix kilos si tu goûtes tout et que tu te goinfres de mayo…

— J'ai plein de place dans mon pantalon de ski, et puis de toute façon, c'était tellement pas bon que j'ai presque tout vomi.

— T'as vomi ?

— Cinq fois.

Je lui affiche le score avec mes doigts pour être certaine qu'elle comprend bien.

— Bon sang, mais je ne t'ai même pas vue aller aux toilettes !

— Pas le temps, c'était vraiment horrible sur mes papilles, il y a même un pâté de je ne sais quoi qui m'a déclenché des sifflements dans les oreilles.

— Alors t'as vomi où ?

— Là-bas, derrière les gros bouquets, et sous la grande table aussi. Mais avec la nappe, on voit pas.

— Laura, c'est pas possible. Ne me dis pas que t'es allée dégueuler sous la table des mariés ?

— T'es fâchée ?

9

J'aime vraiment l'ambiance du mariage. Je m'y sens bien. Il y a du monde, ça grouille de vie, de sourires, de paroles échangées de mille façons différentes. J'adore les façons différentes.

Les invités ont l'air contents. Certains se retrouvent, d'autres se découvrent. J'en ai d'ailleurs vu deux qui se découvraient de très près derrière l'annexe... À un moment, j'ai cru que chacun avait quatre mains tellement ils se les baladaient partout en s'embrassant comme des affamés. Ça m'a fait drôle d'ailleurs. Je ne me rappelle pas avoir vécu ce genre de situation. Est-ce parce que l'info est perdue dans mon disque dur défaillant, ou parce que je n'ai pas encore rencontré quelqu'un qui ait vraiment faim de moi ?

Sinon, les gens ne manquent de rien. Personne ne travaille avec une pelle ou des choses lourdes, il y a de quoi manger et boire, et plus de chaises que de derrières. Mon frère est beau et je le trouve très courageux d'épouser une allergique aux moustiques.

Les gens semblent déstabilisés lorsqu'ils me croisent. Ils évitent d'avoir affaire à une personne avec un corps d'adulte qui se comporte comme une enfant. Parce que j'ai compris que je suis une adulte, mais qu'à cause de ma mémoire abîmée, j'ai des réflexes « infantiles » – c'est le terme officiel, même si les gens le prononcent comme un secret quand je risque d'entendre. À moins que ce ne soient mes vêtements qui provoquent leur réaction. Pourtant franchement, je ne vois pas qui peut me donner des leçons étant donné ce que d'autres portent. J'ai vu des tenues épouvantables. Il y a notamment une dame avec une robe couverte de taches de couleur informes. C'est pas de la haute couture, c'est de la basse peinture. Ou alors elle a pris la raclée de sa vie au paintball. Les motifs de sa robe m'attirent autant qu'ils me repoussent. Je suis incapable d'en détacher mon regard. J'y vois une tête de mort, un chat qui fait pipi debout et des chaussures en feu. Ça me fait peur.

Je m'amuse beaucoup, davantage avec les invités de mon âge mental qu'avec ceux de mon âge biologique. On a joué à cache-cache, mais ça s'est mal fini parce que Mélanie s'est aperçue que j'avais vidé les deux saladiers de bonbons réservés aux enfants dans mes jambes de pantalon de ski. Elle m'a accusée d'être une égoïste. C'est faux, j'en avais laissé six au fond. Quand j'ai compris que j'allais encore me faire gronder, je me suis enfuie, en zigzaguant pour que les adultes ne puissent pas m'attraper. Ce qu'ils ont d'ailleurs essayé de faire. Ils sont tellement prévisibles ! Mais ils n'ont pas réussi, parce qu'ils courent moins vite que nous, les petits. Forcément, dans ma cavale j'ai perdu pas mal de bonbons, mais c'était le prix à payer pour garder ma liberté. Je suis jeune dans ma tête, mais je sais déjà qu'il faut se battre pour préserver les grands idéaux. Les bonbons en font partie.

Maintenant que la nuit est tombée, logiquement, je suis un peu fatiguée. C'est normal, je ne suis pas une chauve-souris gardienne de phare. Je me suis installée dans un endroit en retrait de l'agitation, assise sur la balustrade de pierre qui borde la terrasse. Je balance mes jambes. J'adore. À côté de moi, il y a une petite fille qui fait exactement pareil. Je déteste. Depuis le début de l'après-midi, elle me suit partout et copie tout ce que je fais. Elle ressemble plus à un animal de compagnie qu'à une copine, mais ce n'est pas sa faute. C'est vrai que je suis super grande pour mon âge mental.

À travers les hautes fenêtres de la salle de bal, je vois les gens qui dansent dans des lumières colorées qui font mal aux yeux. Ils se dandinent et s'amusent, mais pas uniquement. J'ai constaté un phénomène étrange : lorsque la musique est vive, les individus mâles ou femelles gesticulent et se tiennent à l'écart les uns des autres, sans doute pour ne pas risquer de se prendre un coup tant leurs mouvements sont énergiques. Par contre, quand la musique est lente et que la lumière baisse, ils se collent à leur partenaire, peut-être parce qu'ils ont peur de se perdre dans le noir ou de tomber. Ils s'accrochent alors les uns aux autres par tous les bouts, un peu comme les extraterrestres à plusieurs mains derrière l'annexe. Pour vous dire, j'ai vu une jeune femme qui tenait carrément les fesses de son compagnon. Pourtant elles n'avaient pas l'air de vouloir se sauver.

Au cours de la journée, j'ai appris à identifier quelques personnes : mon frère qui s'est marié, sa femme, et puis un autre frère, Antonin, encore plus jeune, que j'ai découvert voilà trois heures. C'est fou ce que j'ai comme frères et sœurs ! Quand j'ai posé la question à Lucie, elle m'a expliqué que j'avais des frères et sœurs « de cœur », comme elle, Mélanie et pas mal d'autres, et deux frères « de sang ». C'est terrible, j'espère qu'il n'y a pas eu de meurtres parce que ça fait quand même terriblement boucherie tout ça. Frère de sang ! Sœur de cœur ! Ça sent le carnage à la hache ! Quand j'ai demandé à Lucie pourquoi on les nommait ainsi, elle m'a juste répondu que l'on n'avait pas encore inventé les frères « de poumons », mais qu'en revanche il existait des « têtes de cul ». Je sens que ça va bien m'aider à me reconstruire. N'empêche, je suis contente d'avoir des frères. Ils sont gentils avec moi et je les trouve grands et forts. Tous les autres invités ou presque sont des inconnus. Je ne sais rien d'eux. Je les observe donc sans *a priori*. En fait, ils ne se définissent qu'à travers leur apparence ou leur comportement. J'observe les liens qu'ils entretiennent entre eux ou avec moi. Certains s'approchent très près pour me parler et souvent m'embrassent ; je présume alors qu'ils me connaissent. D'autres respectent une certaine distance. Et puis il y a bien sûr la gentille mamie qui me fuit carrément depuis que je lui ai demandé de l'argent. Pourtant j'avais dit : « S'il te plaît. »

Lucie dit que la vraie vie ne ressemble pas à ce qui se passe pendant un mariage. Dommage. Elle m'a raconté qu'il y a même des gens qui se sont juré de vivre toute leur vie ensemble et qui ne le font pas. Ils arrêtent, se quittent, parfois brutalement, en se disant des choses très méchantes qui ne correspondent pas toujours à ce qu'ils pensent au fond d'eux. Je trouve ça triste. Elle n'a pas voulu m'en dire plus parce que je suis trop petite. En tout cas, aujourd'hui, les gens s'aiment et sont ensemble pour un événement heureux.

Mélanie m'a confié qu'elle trouvait le mariage très réussi. Elle m'a longuement raconté que parfois, les mecs se marient parce qu'ils considèrent qu'une femme – la plus belle possible selon ce qu'ils ont les moyens d'attraper – fait partie de la liste des symboles de réussite dont ils estiment avoir besoin pour se sentir fiers d'eux. Ces hommes-là achètent également des grosses voitures qu'ils ne savent pas conduire, s'endettent pour des maisons dans lesquelles ils ne rangent rien, et font aussi des enfants dont ils ne s'occupent jamais. Mais tous ces « éléments » leur renvoient une image d'eux-mêmes qui les valorise. Ils peuvent ensuite se pavaner, même s'ils n'assument rien. Ils se fichent éperdument de savoir si leur femme, leur maison ou leurs enfants sont heureux ou malheureux. Parfois, les hommes sont bizarres. Mélanie dit que ce n'est pas le cas de Théo. Lui et Vanessa s'entendent vraiment bien. Ils ne se marient pas pour faire croire aux autres, mais pour le vivre à deux. J'aime bien l'idée. Je regrette d'autant plus qu'elle risque de crever à la première piqûre de bestiole. Ou alors il faut qu'elle garde son filet de protection même sous la douche ou quand elle fait de la plongée.

J'aperçois Antonin qui vient du parc et monte rapidement les marches. Il porte une fleur sur sa veste. C'est une bonne idée pour se dissimuler dans les plates-bandes, mais il devrait en mettre vraiment beaucoup plus pour que ce soit efficace.

— Laura, tu es là ! Je te cherche partout. Les mariés vont dire un petit mot et ils voudraient t'avoir à leurs côtés.

Il me tend la main. Je la saisis pour sauter au bas de ma balustrade. J'aide la petite sangsue qui copie tout à descendre à son tour. Ses jolies tresses sont à moitié défaites et sa robe est couverte de terre. Vous allez voir qu'on va encore me coller ça sur le dos. Ce n'est pas juste. Personne ne l'obligeait à me suivre lorsque j'ai rampé dans les buissons pour aller enterrer mes bonbons comme un écureuil. J'espère que je ne vais pas oublier l'emplacement, sinon je vais mourir de faim dès que l'hiver reviendra. On ne se rend pas compte à quel point la mémoire est essentielle avant de la perdre.

Vanessa et Théo se tiennent debout face à l'assemblée, une flûte de champagne à la main. Moi, je n'ai pas le droit au champagne, d'abord parce que je croyais qu'une flûte était un instrument de musique, et puis parce que tout le monde est tombé d'accord sur le fait que l'alcool me rend incontrôlable, ce qui semble les terrifier. Tant pis, je vais trinquer avec un morceau de biscotte. D'ailleurs, ça s'appelle porter un toast, pas grave s'il est beurré.

Mon frère et ma très belle-sœur forment un couple qui a de l'allure. Je veux bien que ce château soit le leur pour qu'ils y vivent heureux. Je dois pouvoir les y aider, même si j'ai fini par accepter l'idée que je ne parlais pas aux dieux puisqu'il n'existe pas de bal des facteurs. Lucie dit que si Théo et Vanessa font des petits, elle aimerait bien qu'ils lui en gardent un. Moi aussi. Je l'appellerai Philibert et je lui donnerai toute la salade qu'il voudra.

On me fait signe de me placer en bout de table, mais je ne veux pas. Je sais ce qu'il y a sous la nappe. On ne me la fait pas. Je ne suis peut-être pas la fille de Zeus, mais je ne suis pas non plus un boulon de chaudière.

Théo lève la main doucement et tout le monde se tait. J'aimerais bien avoir ce superpouvoir-là.

— Bonsoir. La fête est loin d'être terminée, mais nous tenons déjà à vous témoigner notre gratitude.

À vous toutes et vous tous, un immense merci pour votre présence et votre amour. Notre bonheur ne serait pas complet si vous n'étiez pas là. Nos deux familles se mélangent enfin et Vanessa et moi sommes heureux d'en être le trait d'union.

Les gens applaudissent. Il y en a même qui pleurent. Ce sont les bébés. Théo continue à parler, Vanessa s'exprime aussi. J'ai du mal à saisir le sens de tous leurs propos, mais je les observe avec attention. Leur poitrine se gonfle de spasmes comme lorsqu'on reçoit un beau cadeau ou que l'on est tombé en se faisant mal aux genoux. Ils sourient, ils rient, leurs yeux brillent. Les invités réagissent, ils rient aussi. Certains sifflent et commentent. Même si je ne comprends pas tout, je perçois précisément ce que ces gens ressentent. Il est probable que, bien que ne m'en souvenant plus, j'aie déjà assisté à d'autres mariages. Peu importe, celui-là me fait un effet particulier. Quelque chose de très important m'apparaît clairement : les gens aiment ressentir ensemble. Ils sont bien quand ils se disent qu'ils s'aiment, surtout en présence de jeunes qui s'unissent pour s'aimer aussi. Ce sentiment-là me plaît. Je n'ai pas toute ma tête mais je sais que me sentir proche des autres, les voir heureux, est ce qui me tente le plus dans cette vie – avec les bonbons, bien évidemment.

Je n'ai pas encore récupéré une perception globale de ma vie, mais si je fais un bilan immédiat, je m'aperçois que j'ai déjà deux frères, plus Vanessa, plus Mélanie qui a un rire de chèvre. J'ai aussi un animal de compagnie qui s'appelle Pépita et qui a peur des poissons morts empilés sur le buffet des grands. J'ai également une garde du corps qui gronde les objets quand ils ne s'allument pas. Il faudrait être cinglée pour désirer davantage. J'ai tout pour être heureuse.

Théo poursuit :

— C'est avec une émotion particulière que je me réjouis de la présence de mon papa, accompagné de Viviane que j'embrasse. J'embrasse même mon épouvantable frangin qui a scandaleusement soudoyé tout le monde pour découvrir où nous allions dormir afin de s'incruster lors de notre premier matin de couple. Et que dire de ma sœur adorée, infatigable protectrice et alliée – sauf depuis quelques semaines ! Ses récentes mésaventures, après nous avoir fait très peur, auront émaillé cette journée de souvenirs inoubliables dans lesquels plusieurs d'entre nous ont marché...

La foule explose d'un rire qui fait le bruit d'une avalanche. Ils se moquent encore de moi. Ils vont me le payer. Je sais où trouver les poules. Tant pis si je dois m'endetter pour acheter des tonnes de chantilly, des dizaines de bonnets qui grattent et des tonneaux. J'irai à la banque pour demander un crédit.

Théo se tourne vers moi :

— À toi, chère Laura, sans qui notre famille n'en serait pas une, sans qui je n'aurais pas rencontré Vanessa, sans qui aujourd'hui, nous n'aurions pas cette vie.

Il m'ouvre ses bras, Vanessa aussi. Je me glisse entre les convives qui applaudissent. Si je n'étais pas aussi émue, je m'apercevrais sans doute qu'il s'agit d'une ovation royale. Je rejoins ceux qui constituent ma famille de cœur ensanglanté, ou de sang écœuré, je ne sais plus. La salle applaudit et hurle à tout rompre. C'est une longue étreinte qui me fait un bien fou. Ce genre d'émotion vous rend meilleure. Emportée par ce torrent d'affection, je me précipite ensuite au cou de ceux que je pense être mes parents. Même s'ils m'accueillent chaleureusement, je les sens quand même un peu gênés. C'est supposé être un beau moment, et pourtant quelque chose cloche. Alors que j'enlace celui que j'ai imaginé comme mon papa, par-dessus son épaule, je capte le regard d'un autre homme, plus petit, plus âgé et que j'ai eu de nombreuses occasions de remarquer aujourd'hui parce qu'il ne me lâchait pas des yeux. Au milieu de cet océan de joie et d'amour qui emplit la salle, il me fixe avec une profonde tristesse.

Son regard me bouleverse et fait exploser les tonnes d'éboulis qui obstruaient l'une des grottes de ma mémoire. Tellement de choses me reviennent tout à coup. Papa.

La semaine dernière, on m'a déjà dit que grandir n'était pas simple. Le fait est que se souvenir non plus.

10

Depuis une semaine, pour ne pas rester seule, j'habite chez Lucie. Elle a lancé un ambitieux programme dont je suis l'unique bénéficiaire, sobrement baptisé TARTE – Tentative Acharnée de Reconnexion à Ton Esprit.

Elle me montre des centaines de photos, m'oblige à relire des passages de mes bouquins préférés. On visionne aussi des « films ». C'est une invention géniale. Des gens payés qui ne s'appellent pas comme leurs personnages jouent une histoire qui n'est pas vraie pour nous faire croire qu'on la vit avec eux. Dément !

Il existe toutes sortes de « films ». Certains font rire, ou pleurer ; avec d'autres on ne sait pas trop. Je me suis même grattée en regardant un machin suédois. Parfois les hommes et les femmes qui interprètent ces « fictions » sont déguisés et évoluent dans d'impressionnants décors, si bien que l'on peut croire qu'ils ont été filmés dans l'Antiquité romaine ou dans le futur, alors qu'ils étaient en réalité sur des parkings ou dans des grands hangars faits exprès. J'hallucine ! Les « actrices » ou « acteurs » les plus connus peuvent même jouer des rôles différents. J'ai vu un soldat qui était un trapéziste dans un autre film ! C'est délirant ! Quand

le comédien est bon, chaque fois, j'y ai cru. J'étais
même contente de voir que c'était lui qui jouait. Et
puis d'autres fois, même si le type n'interprétera
qu'un seul personnage dans sa carrière, on n'y croit
pas. Lucie me montre surtout des grands films,
des « classiques » comme elle dit. Je fonctionne
à mort. Du coup, en quelques jours, j'ai fait la
guerre, j'ai visité des galaxies lointaines, j'ai volé
des bijoux, j'ai été internée dans un asile, j'ai été
grand-mère, j'ai tout quitté par amour, j'ai chanté
ma solitude, j'ai conduit des bolides pour échapper
aux méchants, j'ai voulu épouser dix-sept mecs, j'ai
aussi voulu en tuer trente-quatre. J'ai vécu toutes
sortes de vies rien qu'en les regardant ! Savez-vous
comment je me suis aperçue que tout était faux ?
J'ai touché l'écran alors qu'un immeuble était en
feu, et ce n'était même pas chaud. C'est là que
Lucie m'a expliqué le grand secret des films. Les
acteurs, les hangars, la drogue et les vieux libidi-
neux obsédés par les starlettes. Son exposé était un
peu embrouillé, mais j'étais satisfaite de savoir que
les morts sont vivants et que même les pires enne-
mis à l'écran vont manger ensemble à la cantine
une fois le tournage terminé. J'étais encore plus
soulagée d'apprendre que les petits animaux que je
croyais perdus dans la forêt ont en réalité un foyer
et des maîtres qui les aiment. Je préfère vraiment
que Rox reste copain avec Rouky pour toujours.
Le cinéma, c'est de la pure magie. Sauf hier.

Je n'ai pas dormi de la nuit parce que Lucie m'a
obligée à regarder une histoire atroce dans laquelle
des jeunes gens en vacances dans un chalet isolé
se font déchiqueter par un mec complètement taré
qui les attaque uniquement quand ils sont nus
sous la douche – surtout les filles –, qu'ils sont en
train de s'embrasser comme des animaux ou en

train de nager dans la rivière avec leurs vêtements posés trop loin pour pouvoir s'enfuir habillés. Les gens ne réfléchissent pas. Quant à ce type horrible avec son masque ridicule et sa hache mal affûtée, cette excuse de malédiction ne tient vraiment pas la route. Ce n'est pas parce que des Incas vengeurs vous enterrent un crâne maudit dans le jardin qu'il faut zigouiller tout le monde ! Les chiens enterrent tout le temps des os, ce n'est pas pour autant qu'ils s'entretuent !

Ma théorie concernant ce psychopathe est bien plus simple : il est juste fou et méchant, c'est tout. J'étais révoltée et terrifiée par ses agissements. Le grand baraqué que j'ai vu dans le film policier d'avant aurait dû débarquer dans cette forêt-là et lui régler son compte. Mais personne n'est venu d'un autre film, ni d'une autre galaxie, ni des services secrets. C'est pourtant leur boulot. Du coup, les petits jeunes ont pris cher. J'étais tellement mal pour eux que j'en ai mordu mon bol de pop-corn. Lucie était très satisfaite, elle a dit que j'avais réagi exactement comme la première fois que j'avais découvert le film. Elle en a déduit que quelque part dans ma tête, j'étais encore là. Ensuite, elle s'est endormie paisiblement. Pas moi. Vilaine ratasse.

Hormis cet épisode traumatisant, me plonger dans ces différentes œuvres représente un incroyable voyage sur les sentiers sinueux de ma mémoire. Face aux sentiments que j'éprouve, aux photos que je revois, certains éléments me reviennent par fragments. Découvrir qui l'on est constitue une sacrée odyssée.

Hier, pour mieux m'aider à cerner qui je suis, Lucie m'a fait manger tout ce que je détestais avant mon accident : de la cervelle, des tripes, des endives cuites à la cannelle. Je me demande si elle ne profite pas un peu de la situation pour s'amuser à mes dépens.

Je ne peux pas lui en vouloir parce qu'elle a liquidé quasiment tous ses jours de congé afin de m'aider. Je sais que je ne suis pas l'héritière d'un monarque, mais rien que pour tout le temps dont elle me fait cadeau, j'aimerais pouvoir lui offrir au moins une province de mon royaume. Celle infestée de bestioles qui poussent des cris atroces la nuit et où on trouve aussi les petites framboises pourpres qui font roter chaque fois que l'on prononce le mot « bonjour ».

Lorsque Lucie débranche une prise, elle secoue le fil. Quand je la vois faire, j'incline la tête comme un chien qui se pose des questions. Je commence effectivement à penser qu'elle a un comportement étrange. Je suppose que cela marque une étape de ma guérison progressive. Pourtant, paradoxalement, je n'aime pas l'idée que trouver les gens bizarres puisse être signe que l'on va mieux. Après tout, quelle importance si elle croit que le courant est liquide ? On devrait toujours accepter les autres tels qu'ils sont. Par contre, qu'elle cherche son chemin en s'orientant grâce à la mousse sur les arbres, y compris quand ils sont en plastique dans les toilettes des gares, m'inquiète davantage.

Aujourd'hui, on tente une nouvelle expérience. Elle n'a pas voulu me dire quoi, mais elle prétend que je suis prête.

11

Lucie me pousse délicatement, comme une maman qui aide son petit à faire ses premiers pas.

— Allez, entre donc.

Je reste immobile, sans oser franchir le seuil de ma porte.

— Ce n'est pas une blague ? J'habite vraiment ici ? Tout ce qui s'y trouve m'appartient ?

— Bien sûr. Tu as emménagé voilà trois ans. On avait refait papiers et peintures avec la bande. En un week-end ! Ce qui explique certaines imperfections... Le jour de ton emménagement, l'ascenseur était en panne. Ça ne te rappelle rien ?

— Je suis désolée, non.

— Il faut vraiment que ce poney t'ait fait de l'effet pour que tu parviennes à effacer cet épisode-là... Sinon, le quartier est excellent, tu as tout sous la main.

Je reste pensive.

— Chez moi...

— Exact. Tu t'es endettée pour mille ans, mais c'est ton terrier.

J'avance un pied. Quelle étrange sensation de pénétrer dans un endroit où vous êtes supposée vivre depuis longtemps et dont vous ne vous souvenez absolument pas...

Dans l'étroit couloir, je découvre mes affaires qui traînent, mes chaussures, mes revues empilées sur la commode, une boule de bowling au pied d'une penderie bancale. Sur les murs, les clichés que j'ai probablement choisi d'exposer. Maintenant, j'arrive parfaitement à me reconnaître sur les photos, quelle que soit ma tenue. Sur celles que j'ai sous les yeux, je m'affiche souvent dans des paysages très spectaculaires, en compagnie d'autres personnes. J'identifie certains visages présents au mariage.

Il y a tant à voir dans mon entrée que je progresse comme une tortue. Chaque objet m'interpelle, point de départ d'un fil interrompu vers mon passé. Chaque fois, je tente d'imaginer ce que raconte tout ce que j'entrevois, comme si je visitais l'intimité d'une inconnue dont je voudrais tout apprendre. Je suis en train de mener une enquête sur moi-même. Je sais déjà que je suis la victime, et je connais le coupable ! C'est le poney qui a fait le coup, avec sa complice la branche.

Lucie referme la porte d'entrée derrière nous. Je sursaute.

— On se calme, Laura, tout va bien. Prends le temps de musarder dans ton univers.

En arrivant près d'une porte, je me crispe. Je redoute de voir surgir quelqu'un qui hurlerait que je n'ai rien à faire ici. Je le croirais.

Sur une étagère, je désigne une figurine en costume folklorique. Son visage mal moulé grimace. Je la trouve horrible.

— J'aime ce genre de choses ?

— Pas vraiment. Je crois savoir que c'est un souvenir que ta tante t'a rapporté de Malaisie. En général, tu les gardes quelque temps avant de les « ranger ».

Elle me désigne une boîte à ordures. Je range donc des choses dans la boîte à ordures ? Bon à savoir.

J'arrive au salon. Il n'est pas très grand et j'ai bien compris qu'il ne grandirait pas avec moi. J'aperçois d'autres photos, mes livres, mes bibelots, et même l'empreinte de mes fesses dans les coussins. Tant mieux pour moi, j'aime bien ma déco.

— Je possède une télé ?

— Depuis cette nuit. C'est la petite souris qui te l'a livrée pour fêter ton retour. De plus, comme tu es une princesse, si tu craques ton chemisier, tu n'as qu'à ouvrir la fenêtre et appeler les oiseaux à la rescousse, ils viendront te le recoudre en chantant.

— C'est drôlement gentil. J'ai toujours pensé que les oiseaux étaient très utiles.

Lucie lève les yeux au ciel.

— Pétard, t'as pas seulement des trous de mémoire, t'as aussi des neurones qu'ont fondu ! Évidemment que tu as une télé ! Mais tu ne la regardes pas beaucoup. Par contre, de temps en temps, en cas de petit moral, tu te fais une comédie romantique du genre de celles qu'on a vues ces derniers jours. Et tu pleures.

— Parce que ça fait mal ?

— Parce que c'est beau. J'imagine que cela trouve un écho en toi. Mais ta remarque est pertinente, on pleure aussi bien quand ça fait trop mal que quand ça fait trop de bien. Ils devraient mettre au point un truc pour différencier. Je ne sais pas moi, des couleurs de larmes variées selon la cause. Ou alors, mieux encore, on pleurerait vers le haut quand ça irait bien et vers le bas en cas de désespoir…

Je sais que c'est moi qui suis malade, mais parfois, Lucie me fout un peu la trouille avec ses délires. Hier, elle m'a parlé d'une femme qui s'est fait manger par son sac à main en crocodile. Une vengeance de la nature, à ce qu'il paraît. Franchement, j'ai des doutes.

Je poursuis ma visite. J'ai du mal à réaliser que tout ce qui m'entoure est à moi. Je possède de nombreuses prises de courant, des lumières dans chaque pièce, un tapis tout doux devant les toilettes, des assiettes, des verres, et même un parapluie que Lucie m'a empêchée d'ouvrir en se jetant sur moi sous prétexte que ça porte malheur.

Dans la salle de bains, je tombe en arrêt devant un étrange petit objet aux formes parfaites, un disque translucide posé à la verticale sur un socle sombre. Il est incrusté d'élégantes vagues orangées. Un trophée ? Un talisman sacré ? Il s'en dégage un puissant parfum fruité.

— Ceci m'appartient également ?

— Comme le reste.

— Ça sent drôlement bon. Du citron, n'est-ce pas ?

Je n'ose pas l'effleurer tellement il m'impressionne.

— C'est merveilleux. Puis-je le prendre et le serrer contre mon cœur ?

— Il faut vraiment te détendre, Laura, sinon nous allons au-devant de graves ennuis. C'est un désodorisant de synthèse, ça file le cancer quand tu en respires trop et si tu le serres contre toi, tu vas te tacher partout.

Je reste fascinée par ce dispositif olfactif de couleur vive.

— Donc si j'en ai envie, je peux le prendre et l'emmener chez moi ?

— Complètement, sauf que chez toi, c'est ici.

— Bien sûr, je comprends. Pardon. J'avais oublié.

Je m'aventure dans ma chambre. Obligée de me raisonner pour me convaincre que j'ai le droit d'ouvrir le placard.

— Tous ces vêtements !

— Attends de voir le dressing de Sabrina...

Je m'installe au petit bureau encombré de papiers. « Facture », « Chère Madame », « Abonnez-vous », « – 20 % sur la lingerie dans votre boutique »... Tout cela ne veut rien dire, il doit sans doute s'agir d'erreurs.

Le beau stylo noir laqué me dit vaguement quelque chose. Je le fais tournoyer entre mes doigts et bien malgré moi, comme par automatisme, je finis par jongler littéralement avec. J'ignorais posséder ce talent. Si ça se trouve, je suis une tueuse à gages et je l'ai oublié. On a effacé ma mémoire dans un centre secret gouvernemental parce que j'en savais trop. Si je mettais la main sur une arme, je m'apercevrais sans doute que je suis une experte de son maniement, comme le flic d'élite brisé au passé douloureux du film. Vivement que je trouve un flingue pour enfin découvrir qui je suis vraiment !

J'ouvre le tiroir de mon petit bureau. Pas d'arme, mais le choc n'en est pas moins violent. À l'instant où j'en entrevois le contenu, c'est tout un univers qui me saute au visage. Des trombones tordus en forme d'animaux, une mini-lampe électrique, une toupie, un double-décimètre avec des chatons dessus, un portemine à l'extrémité mâchonnée, un porte-clés bouteille de soda, une minuscule boîte contenant un pendentif doré en forme de trèfle, deux gadgets à demi disloqués et une petite voiture verte. Je la saisis. Son contact provoque quelque chose en moi. Mes doigts parcourent ses contours. Je ferme les yeux pour mieux me concentrer sur cette perception. Je ne sais plus d'où elle provient, mais je m'en souvenais plus grande. Quelques images associées s'ébauchent dans ma mémoire embrumée. Lucie se penche par-dessus mon épaule.

— Tu as trouvé tes trésors...

— Ce sont des trésors ?

— Pour toi, oui. Des petits souvenirs de ton enfance que tu trimbales d'adresse en adresse. Ils ne sont jamais loin de toi.

— Sais-tu d'où ils viennent ?

— La petite voiture était à Théo, les deux surprises à Antonin, et la toupie, je crois...

Elle s'interrompt soudain. Elle ne semble pas vouloir terminer sa phrase.

— Que sais-tu de son histoire, Lucie ?

— On en parlera plus tard, tu as tant de choses à retrouver.

— S'il te plaît, dis-le-moi. C'est déjà tellement frustrant de ne pas avoir accès par moi-même à ma propre mémoire... Si tu sais quelque chose, tu dois me le dire. De quoi as-tu peur ? Je ne suis pas si petite...

— Non, bien au contraire...

Elle hésite.

— D'après ce que tu m'as dit, ce serait l'unique jouet que tu te souviennes d'avoir reçu de ta maman.

— La dame avec papa au mariage de Théo ?

— Non, ta vraie maman.

— L'autre est une fausse maman ?

Elle est très ennuyée.

— Fais-moi confiance, Laura, ce n'est pas le bon moment pour parler de ça.

Je n'ai jamais vu Lucie dans cet état. Je n'en connais pas le nom. Je brûle de savoir, mais je devine que le sujet est porteur de souffrance. Pour ne pas embarrasser mon amie, je renonce.

— D'accord. Nous verrons plus tard.

Soulagée, elle scrute autour de nous pour dénicher en urgence ce qui lui permettrait de changer de sujet.

— Mais j'y pense, s'exclame-t-elle, puisque c'est un peu la première fois que tu viens ici, il faut respecter la tradition !

— Laquelle ?

— Chaque fois que tu emménages quelque part, comme un rituel, la première chanson que tu écoutes est toujours la même...

— J'aime bien l'idée. C'est quelle chanson ?

— *Feel.*

— Cela ne me dit rien.

— Essayons.

Elle allume un appareil et pianote sur son téléphone, qui en plus de permettre de parler aux gens qui sont loin, de lire l'heure, de montrer des photos, d'envoyer des petits messages affectueux ou rageurs, est aussi rempli de musique.

Dès les premières notes, des émotions acidulées font irruption en moi. J'aime bien la voix de cet artiste, il est heureux de chanter, cela s'entend tout de suite. Je comprends ce qu'il dit, même si ce n'est pas ma langue. La chanson produit sur moi un effet quasi physique. Écouter ce morceau réveille beaucoup de sensations. Au fil de la mélodie, des images remontent. Elles se précisent, comme émergeant d'un brouillard. Cette chanson provoque un effet de plus en plus puissant. Elle déclenche un feu d'artifice dont les fusées seraient des instantanés de mon passé explosant dans l'obscurité de ma mémoire. En l'entendant, je me retrouve transportée dans une rue devant ce que j'identifie comme notre lycée. Nous sommes plusieurs amies assises sur le trottoir, assistant au défilé de mode improvisé d'une copine qui a tailladé son jean pendant le cours d'histoire-géo. Un couplet plus loin, je me souviens d'une soirée où tout le monde avait bu alors que nous étions les dernières sobres, réunies dans la cuisine à brailler les paroles. Les moins ivres étaient de loin les moins raisonnables ! Beaucoup de petits moments resurgissent, émaillant mon vécu oublié comme les pièces d'un puzzle. Je me revois assise à un autre bureau, condamnée à terminer mes devoirs – que je ne faisais pas puisque j'écoutais ce morceau en boucle ! Je souris en me remémorant une visite dans un centre commercial, essayant de calmer mes frères qui chahutent pendant que je tente d'écouter ce tube que les haut-parleurs diffusent. Je vis la scène presque comme un film, sauf que j'ai joué dedans. J'en ai les larmes aux yeux.

La chanson se termine, Lucie place son téléphone en pause.

— Elle te fait toujours autant d'effet, pas vrai ?

Je hoche la tête doucement.

— Tu n'es donc pas complètement perdue. J'en suis heureuse. J'étais certaine que cette chanson-là réussirait à t'ouvrir les chakras. Qu'est-ce qu'on a pu l'écouter...

Nous restons un instant silencieuses.

— Lucie, tu crois que j'ai une chance de redevenir moi-même ?

— J'espère bien, parce que si tu t'avises de devenir quelqu'un d'autre, j'appelle le mec avec le masque et la hache et on te zigouille.

12

Je retourne régulièrement à l'hôpital, pour des rendez-vous de suivi avec la chef du département neurologie qui s'occupe de mon cas.

Dans le service, tout le monde me salue gentiment, avec néanmoins un petit sourire en coin. Il y a même des infirmières qui m'appellent encore « Altesse ». Je me contrôle désormais assez pour ne plus les bannir hors de la ville à coups de tong. Théo m'a expliqué qu'il n'y a d'ailleurs aucune raison de me vexer. Je dois même me montrer reconnaissante qu'elles ne se soient pas offusquées d'avoir été considérées comme des domestiques que j'ai voulu fouetter. J'en suis mortifiée et elles en rigolent encore. C'est parfait ainsi. Si j'avais été la fille du maharadjah, il se serait produit exactement l'inverse : elles auraient été mortifiées et j'aurais bien ri ! Quelle horreur de constater de quoi un humain est capable simplement parce qu'il s'y croit...

Avant de frapper à la porte du docteur Lamart, je prends le temps de respirer. Étrange sentiment. De fait, je suis intimidée. À ce jour, aussi loin que je m'en souvienne – c'est-à-dire pas très loin –, c'est la personne qui m'impressionne le plus. Elle utilise des termes scientifiques, s'exprime avec précision.

J'apprécie sa façon franche de me regarder dans les yeux. Elle n'a pas peur, ni de moi, ni de mes prétendus « comportements infantiles ». Mélanie dit que c'est parce qu'elle ne fréquente que des zinzins et des frapatocs et qu'elle est habituée. Peut-être, mais je l'aime bien quand même. Elle n'essaie pas de me faire croire qu'elle sait quand ce n'est pas le cas. Elle me parle comme à quelqu'un qui peut comprendre et même lorsqu'on est enfant, il est appréciable de ne pas être pris pour un simplet.

— Entrez !

— Bonjour docteur.

— Bonjour Laura. Comment allez-vous aujourd'hui ?

— Plutôt bien, je vous remercie. Et vous-même ?

— Tout va bien. Merci.

Je ne sais pas exactement pourquoi mais chaque fois que vous rencontrez quelqu'un, il faut dire ces phrases. Une sorte de rituel d'échange en vigueur au sein de notre espèce. Parfois, les gens se soucient réellement de votre état, mais le plus souvent, ils prononcent ces formules machinalement en se moquant complètement de votre réponse. Je le sais parce que la semaine dernière, à quelqu'un qui me demandait comment j'allais, j'ai répondu pour vérifier que j'allais hyper mal et que j'allais crever. Il m'a quand même souhaité une bonne journée et m'a tenu la porte pour que je sorte. Il voulait peut-être que j'aille claquer dehors.

— Installez-vous.

Elle m'observe.

— Votre cicatrice ne se voit presque plus, c'est excellent.

— Je mets de la pommade comme vous me l'avez prescrit.

— Très bien, n'arrêtez surtout pas et vous serez toute belle pour l'été. Votre sommeil est-il bon ? Aucun cauchemar ? Pas de suée ?

— Je dors comme un bébé. Mais je me suis quand même aperçue que lorsque je suis impatiente de faire quelque chose le lendemain, je dors moins bien et je me réveille plus tôt.

Elle griffonne quelques mots sur son bloc. J'aimerais bien savoir ce qu'elle écrit, surtout maintenant que je sais lire sans suivre les mots avec le doigt.

— Je vais vous poser la même question qu'à chacune de nos rencontres. Ne vous inquiétez pas, je cherche simplement à suivre votre évolution.

— D'accord.

— Quel est le plus ancien souvenir qui vous est revenu dernièrement ?

— J'en ai retrouvé quelques autres. Certains moments me reviennent par bribes. Un Noël où j'avais reçu une diligence du Far West, une chasse aux œufs en chocolat qui m'a rendue malade, une chute de vélo. Le bisou d'un garçon aussi. Je devrais dire les bisous...

Je rougis.

— C'est très positif, me rassure-t-elle.

— Vous n'avez aucune idée du délai qu'il me faudra pour tout récupérer ?

— Aucune, Laura. Le cerveau est une petite merveille extrêmement complexe dont nous ne sommes pas capables de prédire les réactions ou les cheminements. Chaque cas est particulier, et vous êtes unique.

Je le savais.

— À ce sujet, j'ai reçu un appel de votre amie, Lucie, qui m'a fait son rapport avec une grande précision. Elle prend son rôle vis-à-vis de vous très au sérieux. Elle m'a parlé de ce programme… TARTE, je crois. C'est une idée atypique, mais pourquoi pas ? La science progresse parce que l'on met en place des solutions inédites.

Me voilà encore considérée comme un cobaye. Ce n'est pas ce que je préfère, surtout avec Lucie dans le rôle du savant fou.

— J'ai également discuté avec votre frère Théo. Il m'a confié que parfois, vous faites preuve d'une maturité cohérente avec votre âge et votre personnalité mais que souvent, sans qu'il puisse trouver d'explication rationnelle, vous avez, je le cite, « de vrais dysfonctionnements » qui provoquent ce qu'il appelle pudiquement « de charmants décalages ».

Je reste muette. Qu'elle ne compte pas sur moi pour avouer quoi que ce soit. Elle consulte ses notes.

— Votre amie Lucie m'a ainsi fait part de quelques anecdotes. Comme cette soudaine crise de panique dans une animalerie lorsque vous avez aperçu la photo géante d'un poney.

— J'ai pris peur.

— Au point de vous enfuir par une sortie de secours en jetant à terre le vigile qui tentait de vous retenir. Ils ont mis plus d'une heure à vous retrouver. Vous étiez terrée à plat ventre sous un camion… C'est bien ça ?

Je regarde mes pieds en me tordant les doigts.

— Laura, vous rendez-vous compte des risques ? Que serait-il arrivé si le camion avait démarré ?

J'aurais maigri un grand coup. Me voilà encore accusée de tout. Mais je ne suis pas décidée à me laisser faire.

— C'est toujours ma faute… Lucie ne vous a pas dit que, profitant de mon état, elle avait essayé de me faire croire qu'elle contrôlait la télé par la pensée ?

Jusqu'à ce que je m'aperçoive qu'elle cachait une télécommande sous ses cuisses. Elle plissait les yeux et prenait un air concentré pour régler le volume du son ou changer les chaînes. Je ne suis pas la seule à avoir besoin de soins !

La neurologue réprime un rire. Sa maîtrise force l'admiration. On doit aussi leur enseigner cela pendant leurs longues années d'études. Pourtant, sur le fond, cela ne résout en rien mon problème : on se moque encore de moi.

— Je lui parlerai, Laura, comptez sur moi. Ne perdons pas de vue l'essentiel : votre évolution se poursuit dans le bon sens. Rappelez vous que nos comportements sont le fruit de notre expérience – celle dont nous héritons et celle que nous accumulons. Puisque vous avez oublié certains pans de votre mémoire, il est logique que votre façon d'agir s'en trouve modifiée et revienne là où tout commence : à l'enfance. C'est un chemin que nous faisons tous, particulièrement sur nos premières années de vie, mais que vous êtes en train de refaire bien plus rapidement.

— Je vais à nouveau avoir de l'acné plein la figure ?

Elle sourit.

— Non, Laura, ce cheminement n'est que psychologique. Vos évolutions physiques ou hormonales n'ont subi aucune régression.

Je m'en doutais aussi. Les bébés ne font pas un 90B. Ou alors ce sont des bébés sumos.

— Pouvons-nous aborder le chapitre de vos rapports aux autres ? Où en êtes-vous sur ce point ?

— Je fais maintenant la différence entre les proches et les inconnus.

— Très bien. Avez-vous la sensation de retrouver la maîtrise de votre conscience sociale ?

Je ne suis pas certaine d'avoir bien compris la question. J'ai du mal à me concentrer, d'autant que sur son bureau, je viens de remarquer un bonbon qui dépasse de derrière une pile de dossiers.

— J'ignore ce qu'est une conscience sociale...

— C'est ce qui vous permet de vous situer et d'interagir avec votre environnement humain.

Ce concept-là me semble plus complexe à appréhender que les haricots verts, la chasse d'eau et les passages piétons.

— Je ne sais pas trop. Il y a cependant une chose dont je suis certaine : ce que je ressens, ce que j'éprouve, est bien plus puissant que mes réflexions construites. Mon intellect se fait régulièrement déborder par des émois de toutes sortes qui me submergent. Je réagis à tout et à tout le monde. Rien ne me laisse indifférente. Je perçois les humeurs, les énergies, les peines et les joies aussi.

— Très intéressant. Les enfants sont ainsi mais en grandissant, ils apprennent à filtrer les émotions qu'ils reçoivent, tout comme celles qu'ils émettent.

Je trouve cela très triste, mais je me garde de le lui dire parce que c'est une adulte. J'adore ressentir, découvrir, partager. Je n'ai pas envie que cela s'arrête parce que je grandis à nouveau. Est-ce qu'avant mon accident, je filtrais tout ainsi ? Il faudra que je demande à ceux qui me connaissent.

— Votre amie et votre frère m'ont précisé que vous posiez énormément de questions. Comment vos proches réagissent-ils ?

— Ils se montrent patients et bienveillants. Ils répondent. Je sens bien qu'il leur arrive d'être désarçonnés par mes interrogations. C'est amusant parce que parfois, je connais déjà un peu la réponse, alors du coup ce qu'ils me confient révèle aussi qui ils sont. En me parlant, ils se dévoilent. Certains ne sont pas très à l'aise avec les sentiments, d'autres font des phrases très compliquées pour dire des choses simples. J'entends de tout. Comme je ne me souviens pas de nos liens, les gens que je questionne m'expliquent aussi souvent eux-mêmes ce que je représente dans leur vie, qui je suis pour eux. Je les trouve touchants.

Elle sourit encore.

— Votre cas est décidément passionnant. Vous vivez quelque chose d'assez rare. Votre mémoire affectée se reconstruit d'une façon particulière, fragmentée, comme si vous réappreniez à vous servir de ce que vous avez déjà en vous. Les mêmes outils, mais utilisés d'une manière nouvelle. Le décalage entre votre maturité inconsciente et votre maîtrise des codes de la vie semble provoquer une approche surprenante. C'est très inhabituel. Accepteriez-vous qu'en plus de vous suivre, je vous étudie d'un point de vue clinique pour en tirer une éventuelle publication scientifique ?

— À condition que je ne finisse pas dans un bocal de formol comme une de ces pauvres curiosités de foire.

— Jamais. J'aurais trop peur que vous ne me transformiez en statue de beurre de cacahuète maudite exposée sur la place du marché...

— Je vous ai menacée de ça ?

— Entre autres...

— Je suis navrée.

— Ne vous en faites pas, Votre Altesse, on a tous nos moments de faiblesse.

13

Nous sommes jeudi, il est 19 heures. C'est une soirée historique. Pour la première fois depuis le drame, je suis autorisée à faire mes courses moi-même, au petit supermarché de mon quartier. Me voilà enfin dotée du pouvoir d'achat ! C'est un pas de géant dans ma vie toute neuve. Bien plus grand que lorsque j'ai réussi à faire une bulle avec mon chewing-gum ou quand j'ai utilisé le gaz sans m'évanouir de peur. Je suis excitée comme une puce sur un chat angora. Un nouveau monde s'ouvre à moi.

Lucie m'a confié ma carte de crédit ainsi que mon code que j'avais oublié, assorti d'un milliard de conseils. Ne pas le prononcer à voix haute en le composant, ne jamais se servir de cette carte comme joker dans une partie de poker ou pour déneiger un pare-brise.

Je serre la barre de mon chariot comme un pilote de formule 1 agrippe son volant. Je suis prête à foncer, à m'engouffrer dans les rayons comme une folle, à aborder mes virages sur deux roues, ivre de liberté, en faisant crisser les mini-pneus. La mort ne me fait pas peur, je suis résolue à prendre tous les risques pour atteindre les produits, même placés trop haut. Je veux mourir ensevelie sous des promotions, je veux périr écrasée de bonnes affaires. C'est l'aventure dont je rêve depuis que je sais que ce genre de lieu existe. Je vais mettre le feu au circuit et finir première à la ligne de caisses. J'en ai les tempes qui battent et les paupières qui vibrent. Rendez-vous compte : je peux acheter CE QUE JE VEUX !

Quand je dis que j'ai le droit de faire mes courses moi-même, cela ne signifie pas que j'ai la permission de les faire seule. Lucie va garder un œil sur moi en se tenant non loin derrière. Elle se définit elle-même comme un filet de sécurité. Je m'en fiche, je préfère les filets à provisions. Elle ne veut pas que, comme lors du premier essai désastreux, je me retrouve avec un Caddie rempli de machins débiles qui ont failli me coûter deux mois de salaire. Heureusement qu'elle était là pour interrompre l'expérience en catastrophe !

Cette fois-ci, elle dit que je suis mûre, mais afin d'éviter les victimes collatérales, elle a quand même attendu une heure de moindre affluence.

Elle a été très claire : un magasin est un traque-nard diabolique où tout est conçu pour vous faire tomber dans le panneau. Dès les portes automa-tiques refermées derrière vous, vous êtes prise au piège. Chaque présentoir représente un danger. Tout vous guette, tout vous tend les bras pour mieux vous serrer le kiki et vous faire les poches. Le seul but des gens qui vous observent parfois derrière des vitres sans tain comme des souris de laboratoire, c'est de vous faire dépenser tout l'argent que vous avez, et même celui que vous n'avez pas. Pour y parvenir, ils ne reculent devant aucune bassesse. En mettant les pieds dans une supérette, vous êtes comme le Petit Chaperon rouge qui sautille dans le bois en pleine nuit, comme Pinocchio sur l'île des plaisirs, comme un cochon de lait qui se met lui-même le persil dans le nez et la pomme dans la bouche. Vous êtes précuite !

Avant l'accident, aux dires de Lucie, j'étais raisonnable, avisée, vigilante. Je mangeais sain et je n'achetais que ce dont j'avais besoin. Il m'aura suffi de croiser un arbre avec un peu d'élan pour oublier tout ce que la vie m'avait enseigné.

À peine sortie de mon palais sans mon turban, je me suis précipitée sur tout et n'importe quoi, avide de nouveautés et de babioles frisant l'escroquerie. Je sais que cela va vous paraître louche, mais bien que ne me souvenant de rien, l'acte d'achat m'avait quand même manqué. Forcément, lorsque vous avez pris conscience de l'invention de la roue quelques semaines plus tôt, vous êtes une proie facile. Depuis, j'ai découvert le feu, les manèges pour enfants, les soutiens-gorges qui vous remontent les seins, les stores inclinables, la confiture de fraises, les éponges grattantes et les contraventions pour stationnement gênant. Avouez que le cumul peut perturber. Alors évidemment, j'étais fragile. Les malhonnêtes qui manipulent nos désirs n'avaient pas grand-chose à faire pour me pousser à la faute ! Une promotion racoleuse, des couleurs fluo, un chaton mignon qui vous tend les pattes, un slogan qui promet des résultats impossibles, une remise qui coûte plus cher que le prix de base, ou même des gens heureux sur la boîte ! N'importe quoi suffisait pour que je saute dedans à pieds joints ! Et que j'en prends six parce que c'est une série limitée ; et que je m'en tartine jusque dans les cheveux pour être bronzée même si je vis sous une bâche ; que j'en avale huit litres parce que d'ici une semaine, j'aurai retrouvé le poids de mes dix ans ; que je me relève la nuit pour prendre les gouttes sans lesquelles je vais devenir aveugle, névrosée et clignotante. J'ai tout gobé. Je me suis pris toutes les rambardes de sécurité, j'ai gambadé joyeusement dans tous les champs de mines qui m'ont méthodiquement pété à la tête. Les vilains qui s'acharnent à nous vendre ce qui ne sert à rien quitte à nous empoisonner en détruisant la planète avaient fait de moi leur créature. Mais tout ça, c'était avant. Car maintenant, c'est terminé. Je suis parée.

Après un entraînement de combattant d'élite, après une immersion dans les rayons confiserie sans gilet pare-balles et dans les rayons cosmétiques sans estime de moi-même, je suis au taquet.

Pour m'amener à ce niveau de maîtrise, les copines ont multiplié les ateliers « tentations ». Alerte rouge sur les biscuits « allégés » : lis l'étiquette, découvre l'ingrédient félon et jette le paquet le plus loin possible comme une grenade dégoupillée. Avis de trahison sur le produit miraculeux « qui nettoie tout sans difficulté et sans rien abîmer » : fais d'abord un essai dans un endroit neutre, un Abribus par exemple, puis passe le message à ton clan : c'est du pipeau. Méfie-toi aussi du pantalon moulant supposé t'amincir et dont le bouton peut devenir plus dangereux qu'une balle de tireur d'élite quand il gicle parce que tu n'aurais pas dû écouter la vendeuse mais plutôt prendre ta vraie taille.

J'ai passé toutes les épreuves, enduré tous les mirages alors que je mourais de soif. Plus besoin de tester la drogue, j'ai déjà vu maintes fois le monde tourner dans des couleurs psychédéliques. Je m'en suis sortie grâce à mes fidèles amies qui sont venues me récupérer au fin fond des prospectus, au cœur des sites luxuriants ou des rayons de produits soldés. Résultat, je suis au top. Je ne croirai plus jamais aux crèmes de nuit qui font rajeunir le jour. Aucune photo de mannequin retouché ne m'emberlificotera. J'ai souffert pour apprendre qu'un bain entouré de quelques bougies et rempli de sels qui rongent l'émail ne remplace pas de vrais sentiments. J'ai également copié cent fois que les chats ne sont pas mes conseillers spirituels.

Quel bonheur ! Je ne vous raconte pas ce que ça représente pour moi d'être libre et capable. C'était d'ailleurs la devise de Jules César : « *Libens, volens, potens.* » Libre, volontaire et capable. Je l'ai lu dans une B.D. C'est ainsi que je me sens : telle une Cléopâtre en baskets au seuil de ce magasin comme à l'aube d'une grande bataille pour laquelle je n'ai jamais été aussi préparée. J'affronte enfin mon destin : je fais les commissions !

Le fait est que si je suis décidée à déjouer tous les pièges, j'ai quand même une énorme envie d'aller vérifier à quoi ils ressemblent. Même le grand Jules a perdu quelques batailles...

Lucie donne le top départ. Je me précipite. Je cours, je vole. Elle me suit tant bien que mal, mais elle peine. C'est normal. Je m'émancipe ! Je laisse maman sur place !

On a préparé une liste ensemble, mais je m'en fous complètement. Les listes, c'est la mort de l'imprévu, la fin des belles surprises, le crépuscule des possibles. Je veux voir mon Caddie aussi plein que ma tête est vide !

J'ai besoin de produits pour me sentir bien. C'est une nécessité absolue. Je dois également remplir mon frigo, et même le docteur Lamart dit que manger ce que j'aime fait partie de la thérapie de reconstruction. C'est la porte ouverte au caramel, le pont-levis baissé pour les gâteaux roses et brillants, un boulevard pour les pizzas. Les plats en sauce sont mes amis et vont m'aider à retrouver ma mémoire ! J'aime cette thérapie ! Sans parler de ce que je ne connais pas encore. Tous ces produits inconnus qui peuvent changer ma vie, forcément en mieux ! Je ne dois rien m'interdire. Il ne faut surtout pas faire de blocage systématique si jamais je tombe sur un nid de promos sauvages. Il n'y a que les imbéciles qui ne changent pas d'avis, surtout devant une bonne occase ou un ustensile de cuisine qui sert à la fois d'escabeau et d'ouvre-boîte. Qui peut résister à un Escaboîte® ?

Lucie m'a prévenue : ces monstres qui dominent nos instincts les plus secrets placent d'abord bien en vue sur notre route ce dont nous n'avons pas besoin. Nous nous retrouvons ainsi obligés de subir la tentation du superflu avant d'espérer accéder à ce qui nous permet vraiment de survivre. Ils sont malins, mais je le suis encore plus car moi, enthousiasmée par ce tourbillon de couleurs et cette profusion, je veux surtout ce dont je n'ai pas besoin ! Je me fiche du nécessaire, je n'ai envie que de l'extraordinaire en sachet de deux ! Ils en seront pour leurs frais, je n'aurai même pas à aller jusqu'aux produits utiles pour dépenser tout ce que j'ai ! Je suis géniale.

Pour me jeter plus rapidement dans la gueule du loup, je m'apprête à couper par les laitages afin de débarquer dans l'univers infini de ces sublimes shampoings qui sentent les aliments. Je rêve d'en trouver un parfum « coq au vin ». J'ai parfaitement étudié le plan du magasin, je sais où se cachent les vrais trésors. Après, j'irai à la lessive qui sent la pinède en passant par les produits pour toilettes qui embaument les îles paradisiaques.

Malheureusement, je n'ai pas eu le temps d'accomplir mon plan diaboliquement ingénieux. C'est devant les crèmes dessert, en entrée de virage, que j'ai sauvagement dérapé. Je roulais trop vite, monsieur l'agent, c'est vrai, mais ce n'est pas pour cela que j'ai perdu le contrôle. J'ai buté sur quelque chose. Sur quelqu'un, devrais-je dire.

Vous pouvez toujours imaginer ce que sera votre soirée, ou même votre vie. Appliquez-vous à planifier tous les rendez-vous que vous voudrez. N'ayez pas peur, lâchez-vous, parce que de toute façon l'existence, ou ce qui la commande, se chargera de vous les foutre en l'air en vous les piétinant. Enfoncez-vous ça dans le crâne, infortunées créatures : les imprévus pèseront toujours plus lourd sur votre destin que tout ce que vous pourrez organiser.

C'est étrange, j'ai l'impression de m'être déjà dit cela, il y a longtemps, peut-être dans ma vie d'avant. Mais j'y réfléchirai plus tard parce que le grand mec dans lequel je viens de rentrer de plein fouet me fascine trop.

14

— Salut.

Je me retourne à la vitesse de l'éclair pour vérifier qu'il n'y a personne derrière et que c'est bien à moi que s'adresse ce splendide spécimen mâle. Je le fais tellement rapidement qu'il n'aura sans doute rien remarqué.

— Bonsoir.

Je n'ai prononcé qu'un mot et je suis essoufflée. Quel bébé je fais... Il sourit. C'est totalement déloyal. Ses fossettes, sa barbe de deux jours, ses yeux clairs, ses épaules, son torse... Je ne vous raconte même pas avec quoi il bloque mon Caddie. Je suis instantanément victime de la géométrie de cet homme, cette trigonométrie intime dont nous ne comprenons pas les lois, mais dont nous subissons les résultats. Surtout, ne pas baver.

— Tu fais tes courses le soir maintenant ?

Il me connaît. Il me connaît et il ne s'enfuit pas. Je l'ai défoncé avec mon chariot et il ne me reproche rien. C'est un miracle ! À la pêche au gros, j'ai chopé un squale ! Un grand, un qui s'est pris dans les mailles de mon Caddie. Tout à coup, ce qui nous entoure ne compte plus. Je ne vois plus ni les diodes clignotantes sur les petits-suisses, ni les panneaux qui m'indiquent tous les chemins possibles pour me ruiner. Je ne vois que lui. Peu importe si je ressors de cette maudite supérette sans aucun bien matériel tant que je l'embarque. Inutile de me l'emballer, je vais le manger tout de suite. Je suis prête à m'enfuir en l'emportant, même s'il est équipé d'antivols. Gare au vigile qui tenterait de me barrer la route, je l'enverrais valser sans hésiter, je l'ai déjà fait.

Il me dévisage au point que j'en ai chaud. Je sens qu'il va nous pousser des mains comme aux deux énergumènes derrière l'annexe et je ne réponds plus de rien.

Après un moment hors du temps, je bégaye enfin :

— Oui, je fais mes courses le soir...

Nul, ridicule, épouvantablement médiocre. Si cette rencontre est une partie de cartes dont l'enjeu est le bonheur éternel, je viens de poser un deux face à un roi de cœur. Je vais encore perdre. Et si je jouais mon joker ? J'en connais le code.

Je tente une justification :

— Pardonne-moi, j'ai eu un accident. Je me remets, mais ma mémoire me joue parfois des tours. Je ne me souviens plus exactement...

— Tant mieux. Parce que je n'ai pas été très cool. Je n'ai d'ailleurs jamais eu l'occasion de m'excuser. C'est plutôt une excellente nouvelle pour moi que tu ne te rappelles pas. Le ciel m'offre peut-être une deuxième chance !

Il sourit de plus belle. Il faut qu'il arrête ça immédiatement ou on va devoir faire évacuer le magasin pour que je puisse me jeter sur lui.

Ce bel inconnu m'irradie, me magnétise. Je suis un flan et lui un micro-ondes. Ding ! Je fonds et il sera mon dernier rêve. Mais j'y pense, on se rencontre à peine et déjà il présente ses excuses...

C'est donc possible ? Malgré tout ce que l'on m'a raconté, il existe au moins un homme qui sait reconnaître ses torts ? Ce doit être le seul... Bas les pattes les filles, que personne n'y touche, il est à moi !

— Tu es vraiment belle. Quelque chose a changé en toi.

C'est exactement ça, j'ai pris un poney comme styliste et il m'a entièrement relookée. Par contre, nous étions en désaccord complet au sujet des parfums ; je préfère choisir moi-même.

Par pitié, j'espère ne pas avoir verbalisé ma pensée... C'est à cela que le docteur doit faire allusion quand elle évoque les filtres d'émotions et de parole. J'ai de la chance de le croiser ce soir plutôt que la semaine dernière. Je n'avais pas encore vu les séries qui mettent en scène des cohortes de femmes célibataires enchaînant des déboires sentimentaux. Sans ces précieux épisodes, je n'aurais pas pu redevenir pubère à temps et ce soir, devant lui, je me serais humiliée.

Quelqu'un me bouscule. Pourtant il avait largement la place de passer. L'impudent porte une capuche et me murmure sur un ton péremptoire :

— N'adresse pas la parole à ce type.

Je viens de reconnaître la voix de Lucie. Pourquoi me parle-t-elle à voix basse et en se dissimulant le visage ? Elle n'a utilisé cette procédure d'urgence qu'une seule fois, quand la police risquait de m'arrêter pour me condamner à perpétuité parce que j'avais oublié de valider mon billet. Mais là, c'est différent. Je ne risque rien. Surtout pas de la part de cet homme craquant qui promène ses grandes mains sur le bord de mon chariot au point que j'imagine que ce sont mes épaules qu'il caresse.

On me heurte à nouveau.

— Tire-toi immédiatement, grince Lucie dans sa capuche. Rendez-vous au rayon des nouilles.

Qu'est-ce qui lui prend ? Ma copine givrée disparaît à l'angle des surgelés – la nature est bien faite, quand même.

L'homme glisse la main dans son blouson. C'est certain, il va en sortir un bouquet de fleurs et ce sera le plus beau jour de ma vie.

— Tu sais, Laura, j'ai changé. En témoignage de ma bonne foi, je ne te demande même pas ton nouveau numéro de téléphone. Je te laisse m'appeler quand tu veux, seulement si tu le désires. Faisons table rase du passé. Je regrette mes erreurs. Tu m'as fait grandir – mûrir même –, mais je ne m'en suis rendu compte qu'une fois qu'il était trop tard. Quel fou j'ai été !

Il éclate d'un rire viril. S'il vous plaît, il me faut d'urgence mon poteau brillant sur roulettes et sa poche d'eau de roche. Ou alors le masque respiratoire qui rend joyeux. Sinon je vais tomber sur le sol repliée en deux en suppliant qu'il me fasse du bouche-à-bouche.

— J'ai cru que ne plus te revoir serait ma punition, ajoute-t-il. Mais ce soir, je ne peux pas imaginer que notre rencontre soit le fruit du hasard. Une force qui nous dépasse veut nous réunir à nouveau, et j'espère que tu daigneras la laisser faire.

Je ne sais pas ce qui m'arrive. Tout bouge à l'intérieur de moi. Le mot le plus proche que je connais pour décrire ce qui m'arrive est « crépiter ». Je crépite, tu crépites, nous crépitons. Je viens de découvrir le cinquième état de la matière. Ce garçon m'hypnotise. Je bois ses paroles, j'aime son timbre grave, j'aime tout, jusqu'au mouvement de ses longs cils quand il me regarde. Il est impossible qu'il me mente. S'il était marchand de crème de nuit, je lui en achèterais deux camions plus une brouette.

Il me tend sa carte de visite en la tenant du bout des doigts entre son index et son majeur. Je suis impressionnée. J'ai déjà vu un homme accomplir ce geste dans un film, même si je n'arrive pas à me souvenir s'il s'agissait d'un héros ou d'un bouffon qui se la racontait. Celui qui se tient devant moi a tout d'un idéal masculin. En plus, il porte un petit pull fin qui laisse deviner ses abdos.

Je m'empare de la carte. Je commence à la lire, non sans difficulté. Mais bon sang, qui vient de me balancer un kiwi dans la tête ? Je crois que ça vient de l'allée des légumes, juste à côté. Les gens sont incroyables. Vous parlez tranquillement – d'amour qui plus est, même si ça n'est pas encore explicité – et des cinglés vous balancent des fruits en pleine poire. C'est quand même un monde ! Si je chope le malade... Mais d'ailleurs, je sais qui c'est !

Il me regarde toujours.

Tout à coup, les haut-parleurs tonnent : « La petite Laura est attendue de toute urgence par sa maman à l'accueil. »

Je suis pétrifiée. Heureusement, il ne semble rien lire de ce qui se joue en moi.

— Je comprends ton silence, et je le respecte. Merci de m'avoir écouté. Tu m'appelles si tu veux. Sache que personne ne t'a remplacée...

Je suis une myrtille dans une centrifugeuse. Je tourne, je tourne et je vais fusionner avec l'ananas. Il s'éloigne.

De face il ressemblait à un héros grec mais de dos, c'est un apollon romain. Si j'étais une casserole de lait, je déborderais.

Je pose délicatement sa carte au fond de mon chariot. Un tout petit rectangle de bristol blanc, et il est soudain plein à ras bord de rêves, d'appétits, d'espoirs, d'envies, de toutes ces choses qui ne s'achètent dans aucun magasin.

15

L'interphone sonne et je m'assomme à moitié en m'extirpant du fond de mon armoire. Il faut dire que je passe une bonne partie de mon temps à faire l'inventaire de tout ce que je possède. Au début, je notais tout sur des cahiers et pour m'y retrouver, je donnais des noms aux objets. Une idée de Lucie. Mais je me suis vite aperçue qu'avoir une culotte qui s'appelle Blandine et un soutif nommé Saturnin ne simplifie rien. Mon appart débordait d'histoires dramatiques et je m'attachais à tout. Un soir, Edmond, le fer à repasser, a cramé Blandine. Depuis, Saturnin pleure comme une baleine – de soutien-gorge. Pourtant les gens appellent bien des maillots Marcel... Enfin bref, j'ai arrêté. Au passage, j'ai découvert des vêtements que je ne saurais même pas enfiler et des objets dont j'ignore l'usage.

Je décroche.

— Oui ?

— C'est papa.

— Il est déjà midi ?

— Passé de vingt minutes. Pardon pour le retard, j'ai eu du mal à trouver une place.

— C'est fou, je ne vois pas le temps filer. J'en parlais encore hier avec Sonia qui me racontait...

— Pourrions-nous continuer cette conversation à l'intérieur ? Il gèle dehors.

— Bien sûr ! Excuse-moi.

Je lui ouvre l'accès de l'immeuble. Pendant qu'il monte, je vérifie une dernière fois l'ordre de mon appartement et je tasse toutes mes fringues déballées au fond de mon armoire. Mince, j'ai coincé ma Caroline à dentelles en fermant la porte. Tant pis, elle survivra, elle est en pur coton. J'arrive encore à rectifier quelques détails qui m'avaient échappé, comme les bouteilles de shampoing que je remets à l'endroit alors que je les stocke à l'envers quand elles sont presque finies. Une bouteille à l'envers, ce n'est pas convenable. Je rejoins l'entrée et j'ouvre la porte pour l'accueillir.

Mon père met plus longtemps à monter que mes copines. Pourtant l'ascenseur va à la même vitesse. Ma voisine dit que l'âge ralentit tout. Ça doit être aussi vrai quand on prend l'ascenseur.

Papa apparaît enfin. Je suis heureuse de le voir, même si j'appréhende un peu au fond parce que je ne sais plus grand-chose de nous et que j'ai l'impression que notre histoire n'est pas simple.

Il a apporté des fleurs. Je sais que dans nos civilisations, cet usage traduit une volonté de faire plaisir et d'honorer la personne à qui on les offre. J'ai même compris que la taille du bouquet était proportionnelle à l'envie d'être gentil. Mais je ne me résous pas à ce que l'on massacre de jolies plantes innocentes pour cela. On devrait les laisser vivre dans la nature. Mélanie dit que ces fleurs-là sont cultivées juste pour cet usage, qu'elles ne voient jamais la terre, ni le ciel. Comme les poulets industriels. Je trouve ça triste. Lorsque j'ai appris pour les poulets, j'ai pleuré. D'ailleurs, cette fois-là, personne ne s'est moqué de moi. Il ne faut pas que je pense à cela maintenant.

Il me tend le bouquet. Je prends l'air réjoui.

— Merci papa, elles sont magnifiques !

Il faut que je me dépêche de les mettre dans l'eau parce qu'elles sont déjà en train de dépérir. Les fleurs, curieusement, sont de la même famille que les poissons. Elles vivent mieux dans l'eau.

— C'est donc ici que tu habites ?

— Depuis trois ans, à ce que l'on m'a dit. Mais je ne m'en souviens vraiment que depuis deux semaines.

Il regarde partout, un peu comme je l'avais fait moi-même lorsque j'étais revenue. Va-t-il, lui aussi, finir par remarquer qu'il n'y a aucune photo de lui ou de maman au mur ? Ni de moi seule avec un homme qui pourrait être le mien... Pourtant j'en ai retrouvé en faisant mon inventaire.

— C'est mignon chez toi. Tu fais du bowling ?

— Non. Je crois que c'est une amie qui l'a oubliée là.

— Heureusement qu'elle ne faisait pas du kayak...

Je l'invite à passer au salon, où j'ai dressé deux couverts.

— Pardon, je ne t'ai préparé qu'un repas tout simple.

— Ce sera de toute façon pour moi un festin.

— Je réapprends à cuisiner et pour le moment, les filles ne m'ont enseigné que les desserts, alors je t'ai fait des sablés en entrée, un quatre-quarts en plat et une tarte aux pommes en dessert.

Il me regarde étrangement, puis répond simplement :

— Parfait.

En parcourant ma bibliothèque, il s'arrête sur un livre qui attire immédiatement son attention. Il s'en saisit. *Les Trois Amis et l'île aux mystères*. L'aventure de deux garçons et d'une fille, tous cousins, qui passent leur été sur une île où ils vont vivre mille aventures et même trouver un trésor. Je l'ai relu récemment parce que Lucie dit que c'est une de mes références culturelles. Papa le feuillette avec une véritable émotion.

— Tu as encore ce livre ?

— Bien sûr, j'y tiens énormément.

— Te souviens-tu que c'est le premier que nous ayons lu ensemble ?

— Non.

Il semble déçu. Je m'approche pour le réconforter.

— Ne sois pas triste... J'ai tout oublié.

— Chaque soir, avant que tu t'endormes, on lisait un chapitre. Dès la fin de l'après-midi, tu voulais monter te coucher tellement tu étais impatiente de découvrir la suite. J'ai bien dû te le lire cent fois.

Il sourit en rangeant le livre puis prend place à table, alors que je lui sers trois sablés avec une louche. J'espère qu'il ne voudra pas en reprendre parce que les autres sont brûlés.

Il semble amusé de me voir faire. Mais je sens autre chose. Souvent, du coin de l'œil, je note aussi qu'il m'observe comme personne d'autre ne le fait. Il me regarde fort.

— Je suis tellement heureux de ce déjeuner. Je te découvre si grande, si belle... Pourtant je n'ai aucun mal à retrouver en toi la jeune fille au caractère bien trempé que tu étais.

— Théo m'a dit que nous ne nous étions pas vus depuis plusieurs années. J'ai du mal à le croire. Pourquoi ?

Ma question le fige. Je n'ai cependant rien dit de mal. Je sais que l'on ne doit pas dire de gros mots devant ses parents, mais je n'en ai pas dit. Alors pourquoi est-il tout blême ?

— Tes frères ne t'ont rien expliqué ?

— Ils m'ont dit que c'était une histoire entre toi et moi.

— Ben voyons... Pour eux, c'est plus simple comme ça.

— Ce n'est pas une histoire entre toi et moi ?

— Si, Laura, ils étaient en effet très jeunes. Pardonne ma réaction, mais je ne m'attendais pas à ce que l'on aborde ce sujet si vite, et si frontalement.

— Tu es quelqu'un de très important pour moi, papa. S'il y a le moindre problème entre nous, je ne vois pas pourquoi on perdrait du temps à parler d'autre chose. Avant tout, il faut le résoudre. Je suis certaine qu'il existe une solution et je veux la trouver. On n'a qu'un seul papa dans une vie ! Et tu n'as qu'une seule fille.

— Cela semble si simple présenté ainsi... J'aurais tellement voulu oser ce premier pas vers toi. Mais j'avais trop peur...

Il hoche doucement la tête. Je crois que s'il était tout seul, il pleurerait. Je pose ma main sur la sienne.

— Tout va bien. Il faut juste parler. Dis-moi ce qui ne va pas entre nous.

Il sourit alors qu'une larme roule sur sa joue.

— Tu parles d'une situation... C'est donc à moi de te raconter notre psychodrame familial ?

— Qui d'autre ? Dans tous les films que j'ai vus, c'est après une explication franche où chacun tend la main à l'autre que les choses s'arrangent. Puisque je ne me souviens de rien, tu es le mieux placé pour m'expliquer ce qui nous arrive. N'est-ce pas d'ailleurs le rôle d'un père ?

— Le rôle d'un père...

Il relève la tête en prenant une longue inspiration. Il n'a même pas encore touché à ses sablés.

— Par où commencer...

— Par le moins cuit.

Il se met à rire.

— Ma petite fille, ma grande, si tu savais ce que ça me fait comme bien de me tenir là, face à toi...

Il inspire encore profondément, comme à la piscine quand on revient à la surface après avoir nagé longtemps sous l'eau.

— Tu venais d'avoir huit ans lorsque ta maman et moi nous sommes séparés. Tes frères n'ont pas vraiment compris ce qui se passait, ou du moins ne l'ont-ils pas fait savoir. Mais toi, tu as vécu son départ comme une catastrophe, un tremblement de terre.

— C'est elle qui est partie ?

— Oui, un dimanche matin. Sans prévenir.

— Pour un autre homme ?

— Même pas.

— Vous n'étiez plus heureux ensemble.

— Je croyais que si, mais la vie réserve parfois des surprises. Toujours est-il que je me suis retrouvé soudain seul pour vous élever. Tu as vraiment fait tout ce que tu pouvais pour m'aider. Je te revois prendre les tâches en charge, les unes après les autres... Cela t'a sans doute privée d'une partie de ton enfance. Tu m'as aidé à la maison, tu as aidé tes frères pour leurs études. Tout le monde me disait que tu étais une véritable petite femme dans ce qui restait de notre foyer en ruine. Je détestais pourtant te voir porter ce poids-là. Ce n'est pas ce que j'avais – ce que ta mère et moi avions imaginé pour toi.

— Même si je ne me souviens pas, je ne regrette rien. C'est toujours bien d'aider les siens.

— Tu as raison, cependant certaines responsabilités sont bien trop lourdes pour de petites épaules.

— Je n'ai pas l'impression d'avoir été traumatisée. Où se trouve maman à présent ?

Papa accuse le coup. Peut-être suis-je encore trop directe. J'essaie de rectifier :

Pardon, je ne voulais pas…

— Laisse, c'est toi qui as raison. Autant se poser les vraies questions.

Il marque une pause et souffle :

— Je ne sais pas où est ta mère. Je n'en ai aucune idée. Elle a disparu et j'ai préféré me consacrer à vous plutôt que de lui courir après. J'avais déjà tant de mal à vous protéger.

— Comment une mère peut-elle abandonner ainsi sa famille, ses enfants ?

— Tout est possible dans une vie, le meilleur comme le pire. Je n'ai pas la réponse à ta question, mais le fait est qu'elle est partie.

— Tu as dû lui en vouloir terriblement ?

— Certains jours oui, mais au final non.

— Tu es trop bon.

— Je ne crois pas. Je sais simplement trop de choses.

— Si je comprends bien, notre vie n'a pas été simple sans elle. Mais pourquoi toi et moi ne nous étions-nous pas vus depuis des années ?

— Dans le mille, encore une fois. Le missile frappe pile sur la faille.

— Il ne faut pas ?

— Si bien sûr, la zone sera déblayée. Faisons un grand ménage dans les décombres ! Je vais essayer d'être clair. Rien n'arrête le temps, pas même le malheur. Les années ont passé. Tu as grandi en devenant un des piliers de notre famille – *le* pilier, devrais-je dire. Je n'avais pas souvent le moral et tu faisais preuve d'une énergie incroyable. Tu organisais tout, tu prenais soin de tes frères. Il t'est même arrivé d'aller aux rendez-vous avec leurs professeurs à ma place parce que je n'étais pas en état... Puis j'ai rencontré Viviane, et tu as très mal accepté l'idée que je refasse ma vie avec elle.

— Viviane est méchante ?

— Ce n'est pas un adjectif qui lui correspond.

— Alors pourquoi ai-je réagi ainsi ?

— C'est à moi que tu le demandes ? Je suppose que tu ne voulais pas qu'une autre femme prenne la place de ta mère, même si cela n'a jamais été l'idée. J'imagine que les enfants ne souhaitent pas que les choses changent, sauf quand c'est eux qui le décident. Je me suis dit que la seule évolution que tu aurais acceptée aurait été de voir revenir ta mère, même si tu lui en as énormément voulu d'être partie.

— C'est normal, elle nous a laissés tomber.

— Je ne t'ai jamais permis de dire cela. On ne sait pas ce qui motive quelqu'un quand il prend une décision aussi grave que de quitter les siens.

— N'empêche, ça ne se fait pas.

— En principe non, mais c'est arrivé, c'est tout.

— Donc, c'est parce que tu avais à nouveau quelqu'un dans ta vie que nous avons cessé de nous voir.

Il hésite, puis me regarde droit dans les yeux.

— Tu n'as plus voulu me voir et tu n'as jamais voulu entendre parler de Viviane.

Je n'arrive pas à soutenir son regard, et pourtant il n'a rien de dur – je le qualifierais plutôt de désespéré. Il a une fêlure dans la voix quand il reprend :

— Nous étions si proches. Tu étais non seulement ma fille, mais aussi celle qui avait sauvé les garçons de mon naufrage...

— Là, à froid, je ne comprends pas pourquoi j'ai réagi ainsi. Je te demande pardon. Je n'aurais pas dû t'empêcher de refaire ta vie. C'est ton droit.

Ses larmes coulent.

— Tu avais traversé des choses si dures. Tu n'avais probablement pas envie que je retrouve un semblant de bonheur alors que toi, tu n'en voyais pas dans ton horizon.

— Franchement ? Peut-on vraiment refuser aux autres d'être heureux simplement parce qu'on ne l'est pas soi-même ?

— Nous sommes fragiles, nous avons peur. On peut préférer le malheur partagé à un bonheur qui nous sépare. Tu as toujours détesté la solitude.

Je n'ai plus faim. Mais même si ce que mon père me dit me retourne, je suis réellement heureuse de l'entendre. J'ai l'impression qu'au fond de moi, cela me nettoie, m'allège.

— Parle-moi de Viviane...

— En juin, cela fera dix ans que nous vivons ensemble. Elle n'a jamais remplacé ta mère. Je lui ai même refusé d'avoir nos enfants à nous. À présent, je le regrette. Elle a accepté ce sacrifice et vous a toujours soutenus, surtout les garçons puisque toi, on ne te voyait pas.

— Presque dix ans sans se voir...

— Une éternité. Chaque jour.

Il me prend la main.

— Mais tout cela est derrière nous. Nous avons tant à nous raconter, et la suite à vivre ensemble.

— Tant à nous raconter... De mon côté ça va être rapide, parce que je ne me souviens pas de grand-chose. Pour ce qui est de vivre la suite, je suis d'accord. Il faut absolument que je rencontre Viviane. Tu ne veux pas l'appeler ?

Il semble pris de court.

— Elle savait combien ce rendez-vous était important pour moi, dit-il doucement. Elle attend tout près d'ici, dans la voiture.

— La pauvre ! J'espère que tu lui as laissé une fenêtre entrouverte, Mélanie m'a raconté que des chiens étaient morts parce qu'on les avait abandonnés trop longtemps dans une voiture !

Il éclate de rire. Même mon père se moque de moi. Je m'en fiche, je me lève et lui tends la main.

— Viens, on va la chercher.

16

Voilà une semaine que je tente de me préparer psychologiquement. Dès que j'ai su que cela allait avoir lieu, la pression est montée. J'alterne entre impatience et angoisse. Cette nuit, je n'ai pratiquement pas dormi. Je n'ai pas cessé d'y penser. J'imagine tellement de choses que j'en suis épuisée. Le docteur dit que c'est le bon moment, que je peux désormais assumer cette « importante stimulation ». C'est une étape cruciale vers un retour à une existence normale. Je vais redécouvrir une part essentielle de ma vie, et du même coup un peu de ce qui fait ma place dans ce monde. Car je me le demande tous les jours : quelle est donc mon utilité ici-bas ?

Comme tous les matins, j'ai pris une douche. Même après avoir accompli ce rituel des dizaines de fois, je redoute toujours qu'une mangue ne me tombe dessus du plafond ou qu'un malade ne débarque avec sa machette. Puis j'ai enfilé ma culotte.

Je n'ai pas mis que ça parce que j'ai compris qu'il était préférable d'ajouter d'autres vêtements par-dessus pour ne pas provoquer de problèmes dans la rue. Ensuite, pour la première fois depuis l'accident, je suis allée au boulot.

C'est donc cela un lieu de travail. Depuis le temps que l'on m'en parle... C'est ici que, selon l'expression consacrée, « je gagne ma vie ». Cette notion m'étonne, comme si le fait de naître n'était pas suffisant pour avoir le droit d'être vivant. Tout paraît si simple quand on ne sait pas grand-chose...

Je suis impressionnée par l'endroit, mais surtout par tout ce qu'il représente dans l'organisation de nos existences. Voici donc l'un des innombrables lieux où des humains s'associent pour mettre leurs compétences en commun afin d'être utiles à leurs semblables. J'aime beaucoup l'idée de travailler ensemble pour résoudre ou améliorer.

L'établissement où j'exerce ma fonction est plutôt joli. Alors que la mairie est un bâtiment très moderne et entièrement réduit à son utilité, l'ambiance de cette dépendance voisine est différente. Il s'agit d'un petit manoir comme ceux des films où les hommes portent la redingote et le haut-de-forme et les femmes des robes qui balaient le sol. Cette grande maison bourgeoise constitue une sorte de voyage dans le temps. Un perron surmonté d'une marquise, de hautes fenêtres ornées de garde-corps ouvragés, un toit pentu hérissé de petites cheminées, des façades sur lesquelles grimpe une vigne vierge. Les gens qui habitaient ici jadis n'étaient manifestement pas des pauvres. Ils devaient accueillir leurs invités du haut de ces marches. Peut-être ces élégants convives arrivaient-ils en calèche ou en traction. J'ai vu ce genre de scène dans un chef-d'œuvre où tout le monde pleure en secret parce qu'en dépit des apparences, personne n'aime sa vie. Pendant que les drames se nouaient à l'intérieur, dehors, insouciants, les enfants jouaient au cerceau, se cachant dans les fourrés comme moi au mariage. Ils se faisaient d'ailleurs disputer de la même façon.

À l'intérieur, le charme opère également. On n'a pas l'impression d'être dans un bâtiment triste comme l'hôpital ou froid comme le supermarché. Il n'y a rien d'industriel. L'architecture engendre une atmosphère rassurante et familiale. En lieu et place de ce qui fut l'entrée d'honneur avec son escalier, on trouve un hall d'accueil et une salle d'attente. Partout du bois, du cuivre, des cheminées de marbre, autant d'éléments et de matières qui n'existent plus dans nos habitations modernes. Le salon, l'office et une salle de bains ont été transformés en un grand espace ouvert où sont agencés une demi-douzaine de bureaux. Deux zones sont clairement délimitées : celle où le public peut accéder aux comptoirs d'accueil, et à l'arrière, audelà de paravents, une autre où nous « traitons les dossiers ». Avant même l'heure d'ouverture, des femmes s'affairent et des téléphones sonnent. Ça sonne tellement de partout que je me demande un instant si nous ne sommes pas des fabricants de sonneries.

Sur les murs, dans la partie publique, des affiches pour arrêter de fumer, parler de la « maltraitance », de maladies dont j'ignore tout ou d'organismes officiels que l'on peut joindre en cas de nécessité. Je n'y comprends rien. J'ai encore beaucoup de choses à apprendre. Par contre, sur les bureaux, à côté des écrans d'ordinateur, je remarque souvent des photos de jeunes enfants ou des cartes postales de pays lointains où il fait beau et chaud, ainsi que des bidules qui me rappellent mes trésors dans mon tiroir. Sans doute ces babioles ont-elles autant de sens pour ceux qui les exposent que la petite toupie pour moi. Plus je redécouvre le monde, plus je m'aperçois que nous sommes une espèce qui s'attache aux objets dès qu'ils nous rappellent des gens ou des sentiments.

Lucie, Mélanie et moi travaillons pour le service social de la commune. Si j'ai bien compris, nous nous occupons de tout ce qui ne va pas dans la vie des gens. Quand nous n'avons pas directement la solution, nous guidons les « administrés » vers les services adéquats. Lucie ayant un poste trop différent du mien, c'est Mélanie qui m'accompagne ce matin. Elle n'a pas du tout la même façon de présenter les choses que Lucie. Avec elle, les explications sont carrées, synthétiques, efficaces. Lucie, ce n'est pas pareil.

À peine ai-je franchi le seuil que Mélanie m'accueille et m'entraîne dans la zone qui nous est réservée.

— Pas mécontente de te voir revenir, Laura. Sans toi, rien n'était pareil.

Je regarde autour de moi sans savoir quoi répondre.

— D'habitude, tu es avec nous sur le plateau, avec les assistantes sociales. Ton bureau est celui-là, le plus loin de la fenêtre parce que tu te méfies des snipers… On se relaie à tour de rôle aux postes d'accueil pour recevoir le public pendant que les autres assurent le suivi à l'arrière.

— D'accord.

— Pour ta reprise, on va te maintenir en retrait et dans un premier temps, tu te contenteras de me suivre sur des études de dossiers. Tu n'as pas encore assez récupéré pour affronter le public.

— Affronter le public ?

— Tu comprendras vite de quoi je parle. Il faut des nerfs pour encaisser ce qui bouleverse ou ce qui énerve. D'habitude, tu es la meilleure à ce sport de contact. Notre première ligne. Tu parviens à garder ton calme face à n'importe quelle situation. Depuis que tu es hors jeu, on est toutes un peu sous pression...

Les personnes présentes, probablement mes « collègues », me dévisagent plus ou moins franchement comme une bête curieuse. Certaines me font des signes, mais aucune ne se donne la peine de venir jusqu'à moi. Je trouve cela étrange.

— On ne se dit pas bonjour dans une entreprise ?

— Si, mais tout le monde a reçu la consigne de ne pas te perturber. Sans ça, tu vas te prendre des tonnes de questions tordues et de commentaires étranges et tu vas t'y perdre.

— D'accord.

— Viens, on a rendez-vous avec la directrice du service. Elle veut te voir.

— Elle ne va pas me sermonner, au moins ? Tu ne lui as rien dit pour les bonbons au mariage ?

Mélanie pouffe.

— Ne t'en fais pas. C'est une crème.

On monte deux étages et au bout d'un étroit couloir, on frappe à une porte sur laquelle une plaque annonce : « Service social, Valérie Perrin, directrice ». Elle doit être super importante parce que nous, en bas, on n'a pas nos noms écrits comme ça. D'ailleurs on n'a même pas de porte.

— Oui !

Mélanie entre. Je la talonne comme une gamine qui craint d'être semée. Il est rigolo, le bureau de Mme Perrin. Le plafond est en pente et descend jusqu'au sol. Si la bâtisse était encore une maison, on se trouverait certainement au grenier. Autour d'un modeste plan de travail s'accumulent des armoires disparates de toutes tailles, gavées de dossiers. Au pied, des piles de prospectus. Sur les murs inclinés, des tableaux de chiffres et des notes multicolores. Mme Perrin n'a pas dû faire des études de rangement.

En me souriant chaleureusement, elle se faufile et vient directement prendre mes mains entre les siennes.

— Je suis bien contente que tu reprennes, Laura. Tu nous as manqué.

Sa voix est douce, posée. Mon absence de réaction la déstabilise. Elle recule très légèrement et consulte Mélanie du regard.

— Elle ne te reconnaît pas, précise celle-ci.

Mme Perrin porte ses mains à sa bouche comme si elle allait se les manger. J'ai déjà assisté à ce genre de repli sur soi – qui vise symboliquement à étouffer un ersatz de cri d'effroi. Cela dénote chez l'individu un sentiment de panique.

— Ne vous inquiétez pas, lui dis-je. Les données de ma mémoire ont été effacées, temporairement je l'espère, mais les systèmes de raisonnement sont opérationnels. Je vais tout réapprendre en un rien de temps.

Elle n'ose plus me toucher.

— D'habitude, on se dit tu... Vous ne vous souvenez pas ? De temps à autre, on va même courir ensemble.

— Courir ? Toutes les deux ? Après quoi ?

Mélanie soupire :

— Vous essayez de courir assez vite pour laisser vos fesses derrière vous.

— Ne la brusquons pas, tempère la directrice. Je te la confie, Mélanie. S'il y a quoi que ce soit, monte me voir directement.

L'autre porte de la mansarde s'ouvre tout à coup et une femme entre en trombe. Elle est telle-

ment énergique qu'on s'attend à ce qu'elle hurle :
« Au feu ! »

— Madame Perrin, j'ai les courriers à vous faire
signer. Il faut qu'ils partent ce matin.

La directrice s'assombrit.

— Floriane, combien de fois faudra-t-il vous dire
de frapper avant d'entrer dans mon bureau ? Je
suis en rendez-vous !

— En rendez-vous ? Mais c'est Mélanie et
Laura ! Au fait, salut Laura, ça va mieux la tête ?

Mme Perrin grimace et lui fait signe de sortir.
Je demande discrètement à Mélanie :

— Elle signe tous les courriers ?

— Floriane les écrit et Valérie les signe.

— Valérie ne sait pas écrire, et elle est quand
même directrice ?

17

Durant les premières semaines de ma nouvelle vie, tout le monde m'appelait uniquement par mon prénom, comme si j'étais une enfant. Cela me convenait très bien. Simplicité, proximité. Depuis ce matin, on m'appelle aussi « mademoiselle Laforie ». Ça me fait tout bizarre. Je suis si peu habituée que je n'ai même pas l'impression que c'est à moi que l'on s'adresse.

Les gens que je rencontre ont des réactions aussi variées qu'étranges. Certains n'en ont rien à faire, d'autres me dévisagent comme si j'étais l'unique rescapée d'une catastrophe aérienne ou une criminelle recherchée par toutes les polices. Qu'est-ce qu'on a bien pu leur raconter ? Il y en a même un qui m'a présenté ses condoléances.

Chaque fois, Mélanie fait les présentations. Elle procède toujours en deux temps. D'abord, elle parle normalement devant la personne en disant par exemple : « Voici Florence, elle est chargée du suivi des demandes d'aide auprès de la région. » Ensuite, quand on n'est plus que toutes les deux, à voix basse, elle me donne le sous-texte. Genre : « Méfie-toi d'elle comme de la peste, c'est la langue de vipère du service. Elle passe son temps à intriguer pour monter les gens les uns contre les autres. » Elle m'en a présenté une autre en me conseillant de ne jamais lui prêter d'argent, arguant qu'elle m'en devait d'ailleurs déjà pas mal. Pour une grande brune qui n'avait pas besoin des talons de quinze centimètres qu'elle portait pourtant, elle m'a précisé « qu'elle avait le feu au cul et que rien ne l'excitait autant que de faire tourner la tête à des hommes mariés ». « Le feu au cul », quelle étonnante expression. Heureusement, pour une majorité des membres du service, elle n'a eu que des mots gentils, sinon j'en aurais conclu qu'il y avait davantage de cas sociaux chez nous que dehors.

J'essaie de tout retenir, mais parfois ça se mélange. J'espère que celle qui doit des billets à beaucoup de monde n'y met pas le feu avec son cul – ce qui expliquerait pourquoi l'argent lui brûle les doigts... Je vais tenter de ne pas confondre la dame à qui je dois remettre mes feuilles d'évaluation de revenus et celle devant qui il faut hurler parce qu'elle est complètement sourde.

J'ai demandé à Mélanie pourquoi elle ne me faisait pas ses commentaires devant les gens concernés. Après tout, si ce qu'elle me confie est vrai – et je lui fais confiance –, ils sont au courant aussi. Pourquoi faire des secrets de ce que tout le monde sait ?

Elle n'a pas le temps de me répondre car du fond du plateau, un grand monsieur à la peau cuivrée fonce droit sur moi. Son regard est pétillant, son sourire lumineux et il dégage quelque chose d'extrêmement bienveillant. J'ignore pourquoi, mais je me dis juste que j'aimerais bien qu'il fasse partie de ma famille.

— Laura ! Enfin, tu es de retour !

Il se tient maintenant devant moi, attendant visiblement une réaction. Je reste sur ma réserve.

— Alors c'est donc vrai, s'étonne-t-il. Tu ne te souviens de personne ?

— Je suis navrée.

— Même avec quelques indices ? Si je te dis que je suis unique dans ta vie. Que je suis d'abord venu ici comme demandeur et que c'est toi qui m'as convaincu de reprendre mes études pour changer de métier... Tu ne vois toujours pas ?

Je me mords les lèvres. Son enthousiasme ne faiblit pas.

— Je viens de La Réunion.

— Vous sortez de réunion ?

Il rit :

— Je suis effectivement parfois en réunion, mais je suis surtout originaire de l'île de La Réunion.

Une île de La Réunion. C'est un nom qui a du sens et que je trouve joli... Il poursuit :

— Tu me fais signe chaque fois que quelqu'un s'énerve parce que tu dis que ma carrure « rassure, apaise et que s'il faut se colleter, tu préfères m'avoir dans ton camp ».

Il me désigne un long panneau au-dessus des comptoirs d'accueil où est écrit en grand : « Ici, tous vos dossiers sont traités avec Amour. »

J'aime bien l'idée. Il danse sur place d'excitation.

— Toujours rien ?

Il lève les bras au ciel, sans pour autant se départir de son sourire.

— Je suis Amour ! C'est mon prénom !

J'éclate de rire. J'ai saisi le jeu de mots ! « Ici, tous vos dossiers sont traités avec Amour. » C'est lui !

— Je suis certaine que tout ce que vous représentez pour moi va vite me revenir. Mais j'apprécie déjà beaucoup votre énergie.

Je n'ai pas le temps de finir qu'une fille toute maigre avec des yeux globuleux se plante devant moi. Ses épaules sont à peine plus larges que sa mâchoire, c'est terrifiant. Elle a dû naître dans un tube, c'est ça qu'on appelle un bébé-éprouvette. Elle porte un tee-shirt où est imprimé en gros : « Manger de la viande détruit le monde. » Elle me fixe avec insistance. Je ne sais pas si elle va m'embrasser ou tenter de m'assassiner. Impossible de deviner ses sentiments. C'est sûrement la petite sœur du mec qui attaque les filles sous la douche dans les parcs nationaux américains. Soudain, une forte douleur me vrille le cerveau. Je suis obligée de me retenir à une chaise pour ne pas m'effondrer. Jamais je n'ai ressenti cela auparavant.

Mélanie me rattrape au vol.

— Laura, ça va ?

Tout à coup, c'est comme si un bouchon venait de sauter dans ma mémoire. Je connais cette fille. Elle s'appelle... je cherche, je cherche. Elle s'appelle Dounia ! Elle a plein de tee-shirts avec des slogans militants, contre le nucléaire, pour le commerce équitable, contre les pesticides, contre la violence, pour la liberté des peuples opprimés et des animaux. Elle ne porte même que ça !

J'appuie sur mes tempes pour empêcher ma cervelle d'exploser. D'autres informations se déversent en vrac dans mon esprit. Elle ne mange que des fruits. Elle refuse de marcher sur l'herbe pour ne pas écraser les insectes. Elle considère son corps comme le porte-drapeau de ses idées. La seule fois où elle a regretté son engagement, c'est lorsqu'elle avait porté un tee-shirt affichant la mention « Faites l'amour pas la guerre ». Tous les graveleux de son quartier, tous les vieux cochons des différents services la harcelaient pour lui répéter qu'ils n'avaient

pas envie de lui faire la guerre mais par contre...
Deux heures après son arrivée, je lui avais prêté
de quoi se changer.

J'arrive à me redresser.

— Bonjour Dounia. Comment vas-tu ?

Je n'entends même pas sa réponse parce que
Mélanie pousse un cri de joie :

— Tu t'es souvenue de Dounia !

— Apparemment.

— Ta mémoire revient, c'est génial !

Uniquement avec les gens en forme de Coton-
Tige et aux yeux globuleux...

Je me fige. J'espère que je n'ai pas dit ce que
j'ai pensé.

Mélanie danse littéralement d'exaltation. Dounia
s'éloigne avec un sourire triste... ou une expression
de joie douloureuse, au choix. J'ignore ce qu'elle
part faire, mais je suis au moins certaine qu'elle
ne va pas se cuisiner un steak.

Mélanie me saisit par les épaules.

— Tu te rends compte ? C'est la première fois
que tu reconnais quelqu'un depuis ton choc à la
tête. C'est monumental !

Puis elle ajoute à voix basse :

— Je suis quand même profondément déçue que
la première personne que tu réussisses à identifier
dans le service soit la plus branque.

— Ce n'est pas Lucie la plus timbrée ?

— Les juges délibèrent pour déterminer qui est
la championne. On risque l'*ex æquo*.

Elle m'embrasse comme si j'étais un bébé qui
vient de prononcer son premier mot. Elle y met
tant de cœur qu'elle m'étouffe ! Elle me compresse,
elle m'aplatit. Ma collègue et amie est une saloperie d'anaconda. Juste avant que mes côtes ne se
brisent et que je ne me fasse lentement digérer, ma

dernière pensée va aux enfants du monde entier. S'ils vivent ce genre d'étreinte à chaque premier pas, chaque première dent, chaque premier dessin ou n'importe quelle première fois, franchement, je les plains. Pauvres petits broyés.

18

L'homme à vélo s'élance à toute allure mais lorsqu'il s'engage sur son tremplin de fortune, le bricolage s'écroule et il finit direct dans un arbre, pour la plus grande joie de ses potes que l'on entend rigoler. Clic. Une femme scintillante chante – ou plutôt hurle – en dansant au milieu d'une cohorte d'hommes musculeux au torse nu qui cherchent à se frotter sur elle. Clic. De jeunes enfants aux vêtements en lambeaux courent dans une ville détruite par des bombardements. Ils sourient malgré tout. Clic. Une brune hystérique essaie de me vendre l'ustensile révolutionnaire qui va changer ma vie : l'épluche-légumes universel à cuisson vapeur intégrée. Voilà deux semaines, j'aurais foncé sur l'aubaine ! Clic. Un homme en costume de croque-mort, assis derrière un bureau vide, parle avec détachement d'une catastrophe industrielle en Asie qui a fait des centaines de victimes pendant que des chiffres incompréhensibles et des messages sibyllins défilent autour de lui. Clic.

Je change encore de chaîne en espérant comprendre à quoi rime cette étrange profusion de programmes, mais je n'arrive à aucune conclusion sensée, excepté qu'à trop prétendre offrir, on finit par proposer n'importe quoi.

La télévision me laisse perplexe. Il n'y a pas si longtemps que j'ose m'y aventurer, d'abord parce que je passe beaucoup de temps à lire – essentiellement le dictionnaire pour essayer de restaurer ma culture générale –, mais surtout parce qu'au début, je croyais qu'à travers cette curieuse fenêtre ouverte sur le monde, les gens qui s'y affairent en direct pouvaient aussi nous voir. Je n'ai même pas eu besoin de Lucie pour m'en convaincre. Il me paraissait logique que puisque l'on pouvait observer des personnes à travers la paroi translucide de l'écran, la réciproque était vraie. Donc, j'évitais de faire du bruit pour ne pas les déconcentrer, je m'excusais lorsque je filais aux toilettes et j'applaudissais le plus fort possible pour qu'ils entendent lorsque j'appréciais. J'ai pris conscience de ma méprise le jour où je me suis jetée sur l'écran pour hurler sur l'intervenant d'un débat qui tenait des propos inacceptables. J'ai bien vu que personne n'en avait rien à faire. Il a continué, indifférent à ma colère. Ça m'a beaucoup déçue. Mais j'ai découvert que je pouvais le faire instantanément taire ou même disparaître en appuyant sur un simple bouton de ma télécommande. Un authentique pouvoir qui n'est possible que de notre côté de l'écran ! J'ai alors mis en lumière une règle fondamentale : ces gens qui s'exposent, voire s'exhibent, n'existent que si on les regarde.

Les jours suivants, j'ai entamé un étrange voyage. J'ai erré parmi les canaux, comme une perdue qui cherche un sens à sa vie. J'ai vu tout et n'importe quoi. Des jeux, des émissions qui parlent d'autres émissions qui elles-mêmes décortiquent d'autres émissions. Je suis aussi tombée sur une chaîne faite exprès pour les chiens. De longs plans sur des canards qui nagent ou des balles multicolores qui roulent. Effrayant. Je me demande quel chien paye pour regarder ça. J'ai aussi mis deux jours à comprendre que la chaîne du froid n'était pas un programme consacré aux régions polaires, mais un processus de conservation censé garantir la qualité sanitaire des aliments congelés.

Hier soir, je suis restée fascinée devant une série dont les protagonistes, à en juger par leur allure, sortent tous de chez le coiffeur et le dentiste, où les filles s'habillent deux tailles en dessous et les hommes semblent incapables de fermer les boutons du haut de leurs chemises largement ouvertes. J'ai été complètement hypnotisée par ce vide coloré et bavard. Les mots qu'ils prononcent sortent de leur bouche avec un décalage sonore et ne correspondent absolument pas aux mouvements de leurs lèvres. Les pauvres n'ont que des problèmes. Celui qui possède l'empire industriel n'aime pas celle qui se prélasse sur le bord de la piscine pendant que la mère de celui qui cache un lourd secret flirte avec le détective qui enquête sur lui. À quoi tout cela peut-il bien servir ? Qui décide de nous montrer ça ? Dans quel état faut-il être pour commencer à prendre ces programmes au sérieux ? En attendant, je m'ennuie devant mon poste.

Beaucoup de gens disent qu'ils sont impatients de se retrouver chez eux pour « se poser ». Pas moi. Peut-être parce que j'y suis seule. Certainement parce que tout ce que je découvre de ce monde attise ma curiosité et me donne envie d'aller sans cesse voir plus loin ce qui s'y trouve. Je ne veux pas rester à regarder les autres s'amuser sur un écran. Je veux les rejoindre et vivre avec eux.

Être enfermée chez moi le soir, sans personne, me rend triste. Je sais que j'ai déjà éprouvé ce sentiment dans ma vie d'avant. Un souvenir qui s'y rattache m'est revenu récemment. Une fin de journée, après l'école. Le soleil décline et allonge les ombres dans la douceur du printemps. Je suis obligée de rentrer parce que je ne trouve plus personne pour jouer dehors. Le jeu s'arrête faute de participants. Qu'est-ce qui a encore de l'intérêt quand on est isolé ? Les autres avaient apparemment tous quelque chose à faire. Moi pas, à part être avec eux. Rien d'autre ne me tentait. J'en étais réduite à les attendre, à les espérer pour le lendemain. Comme ce soir.

J'ignore si je suis la seule à éprouver cela, mais alors que ma vie se redessine tous les jours, j'ai parfois déjà la nostalgie des lieux et des ambiances que je suis obligée de quitter en grandissant à nouveau. J'aurais bien passé ma vie au mariage, à jouer, à observer et à manger du Jell-O. Mais il a fallu partir. J'aurais bien vécu quelques années avec mes amies à la maison, à réviser tout ce qu'il faut savoir en riant des paradoxes de notre pauvre condition humaine. Mais il faut avancer. Je ne crois pas avoir peur de grandir, mais je voudrais ne rien perdre. Le docteur Lamart dit que c'est un sentiment fréquent chez les enfants juste avant l'adolescence. Ils se cramponnent à leur vie avant que les hormones ne leur insufflent l'envie d'aller explorer d'autres horizons. Comme je les comprends. Mes hormones sont déjà bien en place, mais j'éprouve tout de même le regret d'être obligée de m'éloigner de ce que j'apprécie sans être certaine de trouver mieux ensuite.

La télé est toujours allumée. Le spectaculaire succède à l'extrême, entrecoupé par du clinquant et du douteux. Est-ce un reflet fidèle de notre monde ? J'espère que non. La quantité effarante d'images affadit et banalise tout, le pire comme le meilleur. Quelle étrange machine qui nous abreuve de sentiments faciles, qui singent et caricaturent les vrais.

Mon téléphone tinte. J'ai reçu un message ! Adieu l'ennui, me revoilà emportée par le tourbillon de la vie et des relations humaines ! Quelqu'un pense à moi ! Je me précipite pour récupérer l'engin sur la table. Fébrile, j'ouvre ma messagerie. Chaque texto est une surprise, plus ou moins bonne. Celle-là est excellente : Théo me demande si je vais bien et si je peux venir déjeuner chez lui à la fin du mois pour l'anniversaire d'Antonin. Il n'a pas écrit un roman, seulement le strict nécessaire. Les mots sont même parfois abrégés et compactés. Lucie, elle, m'écrit des textos pour lesquels il faudrait un écran de deux mètres de long. Elle tape super vite, je l'ai vue faire. Moi, je réponds avec un seul doigt. Je dois ressembler à un chimpanzé qui se démène sur un puzzle de trois pièces.

Je n'ai pas récupéré mon téléphone depuis long-temps parce que Lucie et Mélanie prétendent que si j'en abuse alors que j'ai l'esprit d'une adolescente, je vais en devenir l'esclave. C'est vrai que je vois beaucoup de jeunes les yeux rivés sur leur écran. On peut les critiquer, mais ce sont des adultes, dont les intérêts sont évidents, qui font tout pour les y amener et les y retenir. Je parie que pour ces proies faciles dont je fais partie, le téléphone est aussi un moyen de se sentir moins seul dans un monde pas toujours chaleureux. Avec ce petit objet, on n'est jamais loin de sa bande. J'envoie des messages à mes amies, à mon père, à mes frères. On ne se dit rien d'important, mais on est un peu ensemble. Mon téléphone est comme une sorte de bouée de sauvetage, ma porte vers un monde rassurant peuplé de ceux que j'aime.

Le plus dur lorsque l'on découvre tous ces outils, c'est de ne pas céder aux facilités et aux habitudes qu'ils offrent. J'en suis là. Garder le recul, ne pas perdre ses priorités. Je soupire et je coupe tout. Le silence est préférable aux bruits inutiles. Tout est si calme dans mon appartement. À peine le flot d'images et d'informations s'est-il interrompu que les questions se bousculent à nouveau dans mon esprit. Tellement d'interrogations sur ce monde et sur les règles complexes qu'il faut maîtriser pour avoir le droit d'y tenter sa chance... Apprendre à bien se comporter, intégrer les règles de vie, cerner ce qui est acceptable vis-à-vis des autres suivant le lieu, l'heure, les circonstances. Construire des relations, se faire des amis, tester ce qu'il convient de dire, trouver la force de tenir sa place. Je crois que le plus dur est d'éprouver à quel point on peut être seul en dépit de la foule qui vous entoure.

Je songe à mon appartement vide, à ma mère absente, à mes peurs face à tout ce que j'assume de plus en plus. Je crois que je vais envoyer un message à mes amies parce qu'elles me manquent trop. Ensuite, j'ouvrirai le dictionnaire. J'en suis à la lettre J : joint-venture, jokari, joli, jonquille, journée, jubilation, jupon... Chaque fois un univers. Quand je serai fatiguée d'apprendre, peut-être passerai-je un peu de temps avec Sharon pour savoir si elle parvient à se libérer de sa liaison toxique avec le cruel Diego. J'ai bon espoir pour elle. Sous le soleil artificiel des studios, l'amour triomphe toujours. Les vicissitudes des autres, aussi navrantes soient-elles, ont au moins le mérite de nous distraire des nôtres.

Heureusement, dans six heures et quarante-deux minutes, j'ai rendez-vous avec la vraie vie. Mes collègues, mes amis et les problèmes !

19

J'appuie sur le bouton et recule vivement. Le cycle infernal se répète. D'abord, la lumière aveuglante qui rampe furtivement sous mon document. S'ensuit toute une série de bruits étouffés et de ronflements sinistres. Dans le petit local où je me tiens seule face à l'énorme machine que tout le monde appelle Josiane, je suis épouvantée. Les anciens racontent que c'est un appareil susceptible. Qui sait ce que Josiane me fera si je la mécontente ?

C'est vrai qu'elle a un sale caractère. Si on lui confie une page du mauvais côté, elle refuse de la copier et vous crache une feuille blanche. Le message est alors très clair. En l'occurrence, elle semble mieux disposée et j'obtiens sa faveur. À nouveau le miracle s'accomplit : une copie exacte de ma page tombe dans le bac sur le côté. Je n'ose pas y toucher, mais je remercie Josiane en m'inclinant humblement à plusieurs reprises, les mains jointes. Les ronflements cessent, un souffle d'air tiède s'échappe de la bête. Terrifiante créature, à moins que...

Je m'agenouille devant le ventre beige du monstre.

— Il y a quelqu'un là-dedans ?

Je toque doucement. J'imagine des dizaines de moines copistes miniatures qui travaillent à toute allure dès qu'on appuie sur le gros bouton.

— Si vos conditions de travail sont trop pénibles, n'ayez pas peur de vous confier à moi. Je suis du service social !

La porte du local s'ouvre soudain. Lucie me découvre à quatre pattes.

— Ben qu'est-ce que tu fous ? C'est toi qui parles à la photocopieuse ? Je croyais que j'étais la seule.

Anaïs arrive derrière elle, la pousse à l'intérieur et s'enferme avec nous. Elle travaille aux affaires sociales, c'est une spécialiste des cas familiaux. Mélanie m'a confié qu'elle avait trois enfants qui la faisaient tourner en bourrique et que ses gâteaux étaient les seuls que l'on pouvait manger en toute confiance tellement elle est bonne pâtissière. Anaïs et Lucie me regardent étrangement. Est-ce qu'elles sont furieuses parce que je connais désormais le secret des mini-moines copistes qui habitent dans Josiane ?

— Je vous jure les filles, je n'en parlerai jamais à personne. Croix de bois, croix de fer, si je mens, je vais au coiffeur.

Anaïs m'aide à me relever.

— Il faut qu'on parle, Laura. Tout de suite.

Lucie acquiesce et déclare d'une voix d'outre-tombe :

— « Il » est à l'accueil. Il s'est fait beau : il pue le parfum à dix mètres à la ronde. Il s'est pointé avec sa gueule de vainqueur, sous prétexte de déposer un dossier pour une vieille dame dont il prétend s'occuper. Lui, prendre soin de quelqu'un ? Je flaire le bobard à plein pif.

Sur un ton similaire, Anaïs ajoute :

— « Il » nous a demandé si tu étais là. Ma tête sur le billot qu'il est ici pour te tourner autour.

« Bobard à plein pif », « ma tête sur le billot ». Elles me font peur avec leurs regards de malades et leurs voix de tueuses. Heureusement que je ne suis pas sous ma douche, sinon elles sortiraient leur machette.

— De qui parlez-vous ? Qui est là pour me voir ?

Lucie réplique :

— L'apollon de la supérette, le tombeur du rayon yaourts : Kayane, l'homme qui arrête les Caddies en pleine course avec sa braguette et qui a un nom de série limitée automobile !

— Il est là ?

Je m'emballe instantanément : 0 à 200 en 1 seconde. Vroum vroum ! Je fixe la porte, prête à les écarter de force s'il le faut pour courir vers lui.

— N'y pense même pas, grogne Anaïs. Pour te protéger de toi-même, je suis capable de te ligoter et de te séquestrer. Hors de question de te laisser retomber dans son baratin. Nous, on se souvient de ce que t'a fait ce type.

Avant, je la trouvais gentille. Lucie précise :

— Interdiction de sortir d'ici avant qu'on le dégage.

Le cauchemar recommence. Je suis une princesse que l'on cloître pour lui interdire d'aimer son preux chevalier ! Me voilà retenue contre mon gré dans la plus petite pièce du château, avec les ramettes de papier et Josiane. Je veux mourir ! Mais avant, je vais leur crever les yeux.

— Vous n'avez aucun droit de m'empêcher de le rencontrer.

— On s'en fout ! lâche Lucie. On a passé des heures à te raconter tout ce qu'il t'avait fait. On ne peut pas accepter que tu te jettes à nouveau dans la gueule du loup parce que t'as le compteur souvenirs à zéro.

— Tout le monde t'a décrit dans quel état il t'avait mise. Il a été odieux. Ce type est un sale crapaud qui ne se transformera jamais en prince charmant, même si tu l'embrasses avec la langue.

— Il embobine toutes les filles qui passent à sa portée, opine Lucie.

Je proteste :

— Il m'a certifié qu'il avait changé !

Les deux miment la pâmoison en se foutant de moi. Je ne désarme pas.

— Il m'a aussi assurée que je l'avais aidé à mûrir et que sa pire punition était d'être privé de ma vue.

Elles ferment les yeux et joignent les mains comme si elles étaient touchées par la grâce, mais se reprennent aussitôt. Lucie fait un pas décidé vers moi.

— Pauvre nouille ! Il te dit ce que tu veux entendre. Il joue sur les espoirs de ses victimes pour mieux les manipuler.

— Peut-être le fait-il avec d'autres, mais je crois qu'à moi, il dit la vérité. Je le sens sincère.

Anaïs s'étrangle :

— Tu ne te souviens pas d'avoir voulu le tuer ? Tu ne te rappelles pas que tu as mis le feu à son scooter ? As-tu oublié ta joie parce que tu avais réussi à balancer un verre de pisse de chat dans sa voiture par une fenêtre entrouverte ?

— Comment suis-je arrivée à récupérer un verre de pisse de chat ?

Elles se regardent. Anaïs monte au créneau :

— Si tu n'es pas raisonnable, il nous suffit de prévenir Amour que ce gredin est là pour qu'il l'éclate.

Je les implore :

— Ne lui faites pas de mal ! Ne pouvons-nous lui laisser une seconde chance ? Au cas où il dirait vrai. Voltaire n'a-t-il pas dit qu'il valait mieux gracier un coupable que condamner un innocent ?

Lucie serre les poings.

— Je ne sais pas dans quel service travaille ce Voltaire, mais ça ne change rien au problème. Nous savons de quelle espèce est ce type, et il t'a déjà fait assez de mal. Alors je te le dis les yeux dans les yeux, Laura : tu fais ce que tu veux, mais pas lui. Il ne mettra pas les pieds ici pour te dévaster encore une fois.

— Je dois aller aux toilettes. Laissez-moi sortir.

Anaïs éclate de rire.

— J'ai trois mômes et un mari qui a deux ans d'âge mental, tu crois sérieusement que je vais tomber dans ce genre de piège ?

— S'il vous plaît, laissez-moi le voir.

Sans même se concerter, elles secouent la tête négativement exactement au même rythme.

— Tu ne bouges pas de là, tranche Lucie. On viendra te libérer lorsqu'il sera parti.

Elles ressortent et m'enferment. Je suis brisée de chagrin.

— Josiane, je t'en supplie, aide-moi à creuser un tunnel pour sortir de ce cachot. Nous serons libres ensemble !

20

— D'autres souvenirs antérieurs à votre trauma vous sont-ils revenus ?

— Beaucoup, docteur. J'ai même l'impression qu'ils reviennent de plus en plus vite. C'est parfois tellement violent que ça me donne des migraines. Par moments, ils se déversent par paquets. Cela peut survenir n'importe quand, à cause d'une rencontre, d'une sensation ou d'une lumière particulière. Jeudi dernier, cela m'est même arrivé à cause d'une odeur.

— Laquelle ?

— Un mélange de poussière et de vieux papier, quelque chose de très singulier qui m'a soudain rappelé une armoire chez ma grand-mère dans laquelle je me cachais lorsque nous jouions mes frères et moi. Après certaines nuits, je constate aussi que d'autres extraits de ma mémoire sont à nouveau « disponibles ». J'ai lu quelque part que la densité de nos souvenirs détermine la perception que nous avons de notre âge.

— C'est une notion de plus en plus admise.

— Alors je vieillis un peu plus vite chaque jour.

Le docteur sourit mais ne se déconcentre pas.

— Ces réminiscences concernent-elles une période particulière ?

— Pas vraiment. Elles sont très variées et touchent tous les âges. Pour ne pas m'y perdre, inspirée par les notes que je vous vois prendre lors de nos entretiens, je consigne scrupuleusement tous les matins sur un carnet ce que mon subconscient m'a rendu.

— Diriez-vous que c'est un certain type de souvenir qui revient ? Arrivez-vous à établir un lien entre leur nature et leur faculté à émerger ?

— Je ne crois pas qu'il existe de lien. Ou alors je ne l'identifie pas. Je déballe les petits colis que ma mémoire me dépose dans l'ordre où ils se présentent. Le tri se fait dans l'arrière-boutique mais je ne sais ni qui dirige, ni selon quel plan, ni dans quel objectif. Lorsque je les ouvre, c'est le plus souvent joyeux, mais pas toujours… Les moments avec mes amis sont les plus nombreux, toujours positifs. D'autres avec mes frères. Assez peu avec mon père. Sans doute parce que déjà avant l'accident, j'évitais d'y songer. Je n'ai récupéré aucun souvenir avec ma mère.

Je m'interromps.

— Docteur, un esprit est-il capable d'oublier volontairement une partie de ce qu'il sait ?

— Cela simplifierait notre vie à tous, mais les études sur ce sujet prouvent que non. On peut les ranger dans un recoin, les recouvrir par d'autres pensées plus agréables, mais tout demeure en nous, et peut resurgir sans prévenir à la faveur d'une stimulation.

— Comme une bombe à retardement ?

— Exactement.

— Si ça se trouve, j'ai la tête remplie d'obus datant d'autres guerres qui n'attendent qu'un léger tremblement pour exploser.

Le docteur Lamart sourit à nouveau et incline légèrement la tête.

— Nous sommes tous piégés, Laura. Dans tous les sens du terme. Et plus nous avançons dans la vie, plus le champ de mines s'étend derrière nous. Il n'est jamais prudent de rebrousser chemin pour s'y aventurer. C'est terriblement dangereux de revenir sur ses pas. La seule option est d'avancer. La vie est constituée d'expériences heureuses ou malheureuses que, suivant notre nature, on tente de hiérarchiser dans notre conscient. Mais toutes sont en nous et il faut vivre avec... Pardon, cette parenthèse n'a rien de professionnel.

— Mais elle est sincère et issue de votre expérience.

— Sans aucun doute.

— Alors ne vous gênez pas. Puisque vous m'étudiez, n'hésitez pas à m'apprendre ce que vous savez.

— Je m'en souviendrai.

— Au sujet de mes souvenirs, j'ai tout de même remarqué un élément qui devrait vous intéresser.

— Dites-moi.

— Tout ce qui me revient est en lien avec des gens. Peu importe s'ils sont proches ou pas. Ce sont à chaque fois des interactions humaines qui remontent. Par contre, je ne récupère aucune expérience pratique. Tout ce qui concerne la matérialité de la vie peine à refaire surface.

— Curieux. Pouvez-vous expliciter ?

— Au quotidien, je commence à me souvenir de la nature des liens et de la complexité des rapports entre individus, mais je découvre complètement tout ce qui est mécanique ou administratif. Dimanche dernier, après avoir passé l'aspirateur dans mon appartement, tout était tellement propre que je me suis dit que je n'en aurais plus jamais besoin, alors je l'ai descendu dans le local à poubelles. J'ai compris ma méprise quelques jours plus tard, lorsque j'ai à nouveau repéré des moutons dans les coins.

— Vous l'avez récupéré ?

— Non, quelqu'un s'en était déjà chargé. Il faut que je m'en rachète un. Tout est comme ça. Je n'ai saisi le principe de la balance en libre-service au rayon légumes du supermarché que depuis cinq jours. La petite dame qui me l'a expliqué a cru que j'étais victime d'un Alzheimer foudroyant et voulait appeler les pompiers.

Elle s'esclaffe, mais je sais que ce n'est pas méchant.

— Votre mémoire favoriserait-elle les sentiments plutôt que le fonctionnement ? Cela vous paraît-il cohérent avec votre nature ?

— Je ne sais pas si c'est logique par rapport à la personne que j'étais avant, mais au regard de celle que je suis aujourd'hui, c'est une évidence.

— Votre cerveau est au travail, Laura. Il va dans votre sens, en mobilisant le maximum de ses capacités.

— Mon cortex aurait pu me prévenir pour le chausse-pied... Cela m'aurait évité de tenter de me lisser les cheveux avec – pour la plus grande joie des copines !

Nous rions ensemble. Je me penche vers elle.

— Docteur, j'ai une question assez personnelle à vous poser. Pardon, mais je ne connais que vous pour y répondre...

— Je vous en prie.

— Vous m'avez expliqué que je revivais une sorte d'enfance accélérée durant laquelle j'allais tout réapprendre.

— Vous refaites effectivement un parcours d'apprentissage, parfois enrichi de ce que vous avez déjà en vous. Vous bénéficiez aussi de connexions neuronales bien plus riches que celles d'un jeune enfant.

— C'est difficile à expliquer mais face à la vie, j'éprouve beaucoup de déceptions en « grandissant ». Je m'aperçois que rien n'est aussi simple que je le croyais. Les règles sont toujours biaisées par rapport aux principes simples que l'on nous inculque au départ. On pense que la vie est un espace de liberté et de possibles, mais on constate progressivement que ce n'est pas vrai. Je découvre chaque jour ce que le monde fait concrètement des grandes idées et je suis scandalisée. Est-ce un processus normal ?

Le docteur soupire.

— Laura, je ne suis pas capable de vous répondre en tant que praticienne, mais d'humain à humain, grandir, c'est découvrir la réalité au-delà de l'idée que l'on s'en fait. Les enfants voient tout de façon simple et entière. La réalité bouscule leurs idées préconçues. C'est parfois décevant, contraignant, mais vous verrez aussi que souvent, ce champ d'exploration est porteur de magnifiques découvertes sur vous-même et sur votre environnement. Ne vous arrêtez jamais à ce que cette vie vous impose. Défendez ce en quoi vous croyez, restez fidèle à votre nature et vous verrez que, au moins dans votre rayon d'action, si vous en avez la force, cette existence vous ressemblera chaque jour davantage.

— C'est noté.

21

— Et maintenant, puis-je retirer mon bandeau ?

— Non, chérie, encore un peu de patience. Nous ne sommes plus qu'à quelques kilomètres.

La voix de mon père trahit son excitation. Il se comporte comme un gamin trop heureux de jouer un bon tour. Moi j'ai hâte d'arriver. Nous roulons depuis plus d'une heure. J'ai des fourmis dans les jambes et mon ventre gargouille. Je me tortille sans arrêt sur mon siège.

Impossible de regarder par les vitres à cause du tissu sur mes « capteurs optiques » comme dit papa, mais je ne m'ennuie pas parce que nous parlons beaucoup.

Viviane est installée sur la banquette arrière et discute avec nous. Je l'aime bien. Je crois qu'elle a des bonbons dans son sac à main.

Je suis heureuse d'avoir retrouvé une vie régulière avec papa. Apparemment, lui aussi. Nous sommes de nouveau très proches. Viviane dit qu'il est intenable et plein d'une énergie qu'elle ne lui connaissait pas. Je regrette ces années perdues pour des histoires sur lesquelles je ne porte plus du tout le même regard. J'ai au moins compris qu'il suffisait parfois de peu de choses pour débloquer les situations les plus complexes. Papa m'a confié qu'il craignait un retour en arrière lorsque j'aurai récupéré toute ma mémoire, mais moi je n'y crois pas du tout.

J'aime bien voyager en voiture, avec ma famille ou mes amis. On est ensemble, dans une bulle qui se déplace, à l'abri de tout ce qui pourrait nous déranger. Rien d'autre à faire que de se tenir les uns près des autres. On peut même écouter de la musique et chanter à tue-tête sans que les voisins se plaignent. Mais pas aujourd'hui. Je crois que mon père et Viviane ne font pas ce genre de chose. En tout cas, la voiture, c'est l'assurance que l'on va passer un moment avec ceux que l'on aime pour voyager. Se déplacer sans se séparer. J'aime beaucoup l'idée.

Mon père utilise des expressions que je n'entends nulle part ailleurs. Pour lui, outre les « capteurs optiques » que sont les yeux, nous avons également des capteurs olfactifs et auditifs. Les mains sont des « pinces préhensiles sensitives ». Son vocabulaire particulier a le mérite de jeter un éclairage différent sur des mots auxquels on ne prête plus attention. Il ne dit pas qu'« Untel est mort », il dit qu'il « a cessé de fonctionner ». Sans doute son approche est-elle conditionnée par son passé d'ingénieur en mécanique. Je lui ai demandé si, à sa connaissance, maman avait cessé de fonctionner. J'ai eu l'impression qu'il ne comprenait pas. Pourtant l'expression est de lui. Il a éludé et nous sommes passés à autre chose. Si je n'avais pas eu ce fichu bandeau sur les yeux, j'aurais pu observer sa réaction à l'évocation de maman. Car c'est un autre point essentiel dont je me suis aperçue, notamment au travail : il existe deux façons

144

de communiquer. La parole, bien sûr, mais aussi tout ce que notre corps exprime indépendamment de nos mots. Le langage corporel, l'expression de notre visage peuvent soit s'accorder à ce que nous exprimons oralement, soit le contredire. J'ai l'impression que plus l'écart est grand, plus la personne est mal à l'aise, ou alors elle ment carrément. J'ai en tout cas constaté que les gens sont réellement sincères uniquement lorsque leur corps dit la même chose que leur voix.

La route a changé. Le roulement feutré s'est transformé en une allure plus irrégulière. Nous avons ralenti. Mon père baisse à présent sa vitre pour s'adresser à quelqu'un. Il est question de parking. Il me souffle :

— Je suis certain que cette visite-là va réveiller beaucoup de souvenirs en toi !

Il glousse. Je ne l'avais jamais entendu faire ce bruit-là et je pensais même que les adultes n'en étaient pas capables.

La voiture s'immobilise.

— Ne bouge pas, chérie, garde ton bandeau quelques secondes de plus sinon la surprise serait gâchée.

J'entends qu'il descend et contourne la voiture. Viviane le suit. Il ouvre ma portière et me saisit par le bras. Quand même, je suis neuneu mais je ne suis pas grabataire.

— Tu es prête ?

— Depuis plus d'une heure.

Il retire mon bandeau.

Aveuglée, je plisse les paupières. Peu à peu, des formes massives impriment mes capteurs optiques. J'en distingue deux : au premier plan, mon père, qui fait une tête de hibou électrocuté, et derrière lui, un immense château fort avec ses tours rondes, ses toits coniques et ses remparts crénelés.

Tout se bouscule dans ma tête. Sommes-nous enfin rentrés à la maison ? Ce qui constituerait la preuve indéniable que je suis bien une princesse... Allons-nous visiter ce nouveau logement parce que mon père pense, comme moi d'ailleurs, que mon appartement est un poil petit ? Va-t-il enfin m'acheter le chiot magique dont je rêvais pour mes six ans et qui est exclusivement vendu dans les forteresses agréées ?

Deux images très précises font soudain irruption dans mon esprit : mes frères courent vers le pont-levis en se battant avec des épées en plastique doré. Un personnage bedonnant portant une couronne nous salue depuis le chemin de ronde. Ces visions sont si fortes qu'elles semblent se dérouler à l'instant, en surimpression, devant nous. Cela me paraît plus vrai qu'un film et pourtant, seul le décor de ces réminiscences subsiste lorsque je me ressaisis. Le roi et mes frères se sont évanouis dans les brumes de ma mémoire.

— Laura, tout va bien ?

— Je connais cet endroit, n'est-ce pas ?

Il opine, l'œil pétillant.

— Nous y venions à toutes les vacances. La dernière fois, c'était voilà presque vingt ans. Le célèbre château du comte d'Argelène. Plusieurs monarques y ont séjourné, entre intrigues et complots...

J'avance vers le vénérable château. Il m'attire comme un aimant. Je suis subjuguée par son élégante majesté. Les tours massives imposent le respect et la pierre blanche des hautes murailles renvoie la lumière dans un éclat de magnificence. Mais soudain, sa beauté est éclipsée par le marchand de glaces installé juste à l'entrée.

J'en veux, j'en veux, j'en veux. Tout un pan de l'Histoire réduit à néant par la faute du parfum pistache.

— Une glace, Laura ? Pistache, comme avant ?

— Tu sais lire dans le cœur de ton enfant...

Il commande. La régression n'est pas un phénomène complètement négatif.

Alors que nous franchissons le pont-levis, je me penche au-dessus des douves. J'ai déjà fait cela, j'en suis certaine. La boule de ma glace tombe. Ce sont les crocodiles qui vont être contents.

— Tu as déjà fini ta glace ?

Est-ce que je sais pleurer à grands jets en hurlant, comme dans les dessins animés ?

Il me semble entendre les éclats de voix de Théo et Antonin, mais ce sont d'autres enfants dont les jeux résonnent dans la cour d'honneur. Ce mélange de sensations anciennes et de réalité immédiate engendre en moi un état inédit. En apercevant des enfants bien réels, je réalise que notre passé constitue le présent de ceux qui nous succèdent sur le chemin du temps.

Le lieu produit sur moi un effet étrange, il réveille d'innombrables émotions, datant non seulement d'avant mon accident, mais aussi de l'époque où mon enfance était encore heureuse.

Je reconnais la boutique de souvenirs. Sans même réfléchir, je hâte le pas en direction des boucliers ornementés, des figurines de chevaliers sur leurs montures caparaçonnées et des livres aux couleurs vives.

Mon père me rejoint.

— Vous m'avez coûté une fortune ici... mais que de bons moments nous y avons vécus !

Je m'élance à la découverte du lieu. En quelques panneaux explicatifs, je saisis ce qu'était le Moyen

Âge : un temps sans téléphones ni sites de vente à distance, durant lequel des hommes habillés comme des boîtes de conserve se tapaient dessus avec de nombreux outils contondants dès qu'ils n'étaient pas d'accord.

Je traverse les salles d'apparat, je grimpe les escaliers, me faufile entre les groupes de touristes. Je ne visite pas, je suis à la poursuite de mes réminiscences cachées. Une véritable chasse au trésor. Je les traque au creux des recoins, au-dessus des surplombs, dans les monumentales perspectives de cet endroit magique.

À mesure que je m'immerge dans ces lieux me revient une impression autrefois familière : un équilibre instable entre mon envie de m'amuser, d'escalader partout, et ma responsabilité envers mes jeunes frères. Eux pouvaient risquer, eux ne se gênaient pas pour tenter n'importe quoi, et moi je m'imposais de les protéger de leurs idées tordues. Regrettais-je d'avoir à les surveiller plutôt que de me lancer à l'assaut de ces murailles ? Aurais-je préféré leur rôle au mien dans ces décors invitant à l'aventure ? Je ne crois pas. J'ai toujours accepté ma place. À présent, je m'en souviens.

Au détour d'un escalier en colimaçon, je pousse un cri en tombant nez à nez avec une armure. Est-ce ici qu'est né mon sentiment d'être l'héritière d'un trône ? D'une certaine façon je le suis, et mon royaume est celui de l'enfance.

Je repars à la poursuite de ma jeunesse enfouie. Le charme du lieu brise le sort qui la retenait endormie. Je gagne les terrasses. Le vent, le soleil, mon père, l'ombre de mes frères. Je tourne sur moi-même, enivrée d'un bonheur innocent. Ici le monde est simple, je suis avec ceux que j'aime. Ils ne m'abandonneront jamais et nous sommes en sécurité à l'abri de ces murs protecteurs et éternels. Il n'est pas né, le troll qui viendra nous moisir ici !

Je marque le pas devant un banc de pierre taillé dans l'épaisseur du mur. Papa me rattrape.

— Cet endroit-là te rappelle quelque chose, n'est- ce pas ?

— Une vague sensation...

— Nous y avons passé des heures avec tes frères. Je vous y racontais l'histoire du château en y ajoutant quelques monstres et des passages secrets pour vous captiver.

Mon père me désigne le rempart et ses imposants créneaux :

— C'est de là que Théo...

— ... a jeté son gâteau du goûter. Je viens de m'en souvenir en t'écoutant. Tu étais très énervé.

— Un monsieur avait failli le recevoir sur la tête !

Je me tourne vers mon père et le prends dans mes bras.

— Merci de m'avoir ramenée ici. C'est tellement bon. Quand Vanessa et Théo auront des enfants, on y reviendra tous ensemble.

— Tu en auras peut-être un jour, toi aussi.

Sa remarque me perturbe. Moi, devenir maman ? Il faudrait d'abord que je déniche un homme. Et puis faire des petits n'est pas le plus difficile, c'est tout ce qui vient après qui me semble bien plus compliqué.

Alors que du haut des tours, nous dominons la forêt et le village en contrebas, ma situation m'apparaît soudain très clairement. Ce que j'entrevois de façon si limpide n'est pas vraiment rassurant. Je suis à la recherche de mon passé, mais aussi à la poursuite de ce que pourra être mon futur.

L'expression « perdue à la croisée des chemins » a dû être inventée pour moi.

Je crois que mon moral pourrait remonter en flèche si on m'offrait un de ces petits chevaliers multicolores en plastique. Promis, je ne l'emmènerai pas à l'école. Voyons si je sais encore faire la comédie...

22

Je mesure désormais pleinement le sens de l'expression « le nez dans les dossiers ». Depuis ma reprise, je passe mes journées dessus. À force de les fixer, j'ai parfois l'impression que les chiffres dansent, que les mots ondulent et que les zéros me sourient. S'ils se mettent à me parler, j'irai consulter, promis.

Mon horizon se résume à ces pochettes carton à rabats débordant de toutes sortes de documents. Rien que pour la demande que j'ai sous mes capteurs optiques, j'en suis déjà à huit pages de justificatifs et de données sur cette famille qui tire le diable par la queue – ça aussi, je sais ce que ça veut dire. Tout est tellement alambiqué que j'ai déjà oublié ce que j'ai lu au début !

Je n'ose pas demander à Mélanie si c'est pareil pour elle à chaque cas. On doit recroiser des seuils, des indices, des plafonds – parfois aussi penchés que celui du bureau de la directrice. Autant de paramètres supposés nous aider à prendre des décisions objectives. J'ai du mal. Non seulement à tout appréhender, mais aussi à accepter de voir une vie réduite à des chiffres déshumanisés, à des grilles statistiques. Comme si une existence pouvait se résumer à des moyennes et des paliers...

Anaïs dit que l'on évalue bien les maladies grâce à la mesure de la fièvre ou à des taux sanguins et que cela n'empêche pas d'être humain dans la façon d'administrer les soins. Possible. Vu sous cet angle, je ne serais donc qu'un thermomètre. Surtout ne pas penser à l'endroit où je risque de finir... Pourtant, j'avais la sensation d'avoir intégré le secteur social pour aider ce monde avec un minimum d'empathie et des moyens moins froids.

Des éclats de voix en provenance des comptoirs d'accueil attirent mon attention. Je me redresse pour jeter un œil entre les paravents. Le ton monte encore. Une femme fait un scandale parce qu'on exige d'elle une pièce justificative supplémentaire. Elle se montre agressive. Je comprends qu'elle soit contrariée, mais elle n'a pas à parler ainsi à quelqu'un qui ne fait que son travail. Ce n'est pas la première fois que ce genre d'épisode violent survient. Nous en vivons presque tous les jours. Celui-là est un cran au-dessus. Je me lève pour aller calmer le jeu, mais Mélanie m'arrête.

— Tu restes à ta place. Maud s'en sortira très bien, elle a l'habitude.

— Mais elle se fait insulter !

— Ça t'est arrivé des centaines de fois et personne n'est venu à ta rescousse. Non parce que nous n'en avions pas envie, mais parce que cela aggrave encore la situation. Quand on devient mathématiquement plus nombreux que ceux qui râlent, ils compensent leur infériorité en nombre par un surcroît de méchanceté. Le remède s'avère pire que le mal.

Je me rassois, mais j'écoute et j'observe. Mes collègues aussi, même si elles font semblant d'être concentrées sur leurs documents. Amour s'est discrètement positionné à l'angle de la salle et suit l'évolution de l'échange, dont la vivacité ne retombe pas.

Maud argumente en s'efforçant de garder son calme, mais la légère inflexion de sa voix indique que ce qu'on lui jette au visage la blesse.

Amour avance entre nos bureaux, à pas feutrés, comme un jaguar prêt à bondir. À voix basse, je demande à Mélanie :

— Pourquoi cette femme est-elle si virulente ?

— Parce qu'elle n'obtient pas ce qu'elle veut. Certaines personnes sont ainsi : tout juste polies si tu leur donnes ce qu'elles attendent, elles vous en balancent plein la tête si jamais leur dossier est refusé, voire seulement si ça ne vient pas assez vite. Même si ce n'est pas nous qui décidons...

La femme en colère se lève, pointe un doigt menaçant sur Maud et sort en claquant la porte. À peine a-t-elle disparu que Maud se lève et se précipite aux toilettes.

— Qu'est-ce qui lui arrive ?

— Elle va vomir, probablement. Pleurer, certainement. Pour décompresser.

— Je vais aller la réconforter.

— C'est gentil, Laura, mais il faut lui laisser ce temps-là rien qu'à elle. Tu prendras soin d'elle quand elle reviendra.

— Elle s'est fait traiter de « fonctionnaire ». C'est une insulte ?

— Dans l'imagerie collective de notre pays, le fait d'avoir un emploi à vie dans une administration fait automatiquement de toi une feignasse qui vit aux crochets de ceux qui payent des impôts.

— On est des feignasses ?

— Certains oui, mais pas plus qu'ailleurs. Au départ, le service public était supposé assurer le bien commun et garantir l'intérêt général, alors que le secteur privé devait gérer le développement et la prospérité en proposant tout ce dont les gens peuvent avoir envie ou besoin.

— Ce n'est pas le cas ?

— Ma pauvre Laura… On aurait dû enregistrer tes colères sur le sujet !

À cette évocation, Amour et ma voisine rigolent.

— Ce n'est plus le cas ? fais-je, insistante. Mais alors, qui s'occupe de l'intérêt général ?

Amour se penche et me souffle :

— Des gens comme nous, un peu partout, parce qu'ils y croient encore, mais pour combien de temps ? Fonctionnaire ou privé, ce n'est plus le débat, le vrai problème c'est la mentalité.

Ma voisine me glisse :

— Aujourd'hui, le service public fait ce qu'il peut pour ne pas sombrer, et le commerce a dévoré le secteur privé. La soif de profit a tout gangrené. Alors on est des feignasses face à des rats avides de fric, y compris sur le dos de ceux qu'ils sont supposés servir.

— Il va falloir mettre bon ordre à tout cela. Mais d'abord, je vais préparer un thé pour Maud, avec beaucoup de sucre et une touche de miel.

Amour lève les bras au ciel.

— Avis à la population : notre Laura est enfin de retour ! Et elle va tout changer !

23

— Kayane, je t'en conjure, sois prudent. Si par malheur elles découvrent que nous avons rendez-vous, elles s'en prendront à toi. Je ne veux pas qu'elles te tirent les cheveux ou te donnent des coups de pied.

— Ne t'inquiète pas pour moi. Ce qui compte, c'est ton bonheur.

— Le destin s'acharne sur notre amour, mais il triomphera de l'adversité. J'entends des pas. Je dois raccrocher. Je ne pense qu'à toi. À tout à l'heure !

— Je ne te décevrai pas, ma Laura.

Il raccroche le premier. Tant mieux, car je n'en aurais jamais eu la force. J'aime tellement l'entendre, le savoir à l'autre bout du fil – qui n'existe pas puisque le téléphone fonctionne par ondes.

Il a fallu que je ruse, que je me cache de Lucie et de Mélanie, mais j'ai réussi à organiser un rendez-vous secret avec mon bel amour. Rien ni personne ne pourra nous empêcher de nous aimer. Et tant pis si ça doit mal finir parce que nos familles de cœur et de poumons ne veulent pas de cette union. Je suis prête à m'empoisonner comme dans *Roméo et Juliette*. Je sais même ce qu'il faut que je mange pour en finir : des endives avec du boudin. C'est radical. D'ailleurs vous ne connaissez personne qui en mange parce que ceux qui l'ont fait ne sont plus là pour s'en vanter.

On frappe à la porte de mon appartement. J'essaie de me composer un air naturel. Un peu de sourire ? Pas évident. Un air niais ? Ça, je sais faire.

C'est la première fois que je mens depuis mon accident. Je trouve ça difficile, mais je n'ai pas le choix. Ce mensonge est mon unique moyen de laisser une chance à notre relation naissante. Je n'avais jamais autant tremblé qu'en composant le numéro de Kayane, jusqu'à ce qu'il décroche et que j'entende sa voix. Là c'est devenu pire, je ne tenais même plus debout.

Aucun doute sur le bien-fondé de ma démarche. Pas la moindre hésitation quant à mon élan. Mais c'est une aventure que je dois mener seule avec lui, à l'abri du jugement des autres, ceux qui pensent me protéger. Mentir donc. À Lucie de surcroît. Pas évident, car même si parfois elle est un peu barrée sur sa planète, elle est très forte pour débusquer les mensonges. Je l'ai vue à l'œuvre avec des filles du service, et même avec une vendeuse qui essayait de me faire acheter des chaussettes trop grandes.

Et voilà qu'elle se pointe chez moi au pire moment, à l'heure où j'ai tout à cacher : mes sentiments, mon emploi du temps, et les gâteaux au chocolat qu'elle m'a interdit de manger.

— Bonsoir Lucie !

— Bonsoir Laura.

On s'embrasse. J'essaie de l'étreindre exactement comme d'habitude, mais ce n'est pas si simple. Ce qui paraît naturel lorsqu'on l'exécute de façon instinctive devient quasiment infaisable quand on tente de le jouer. La sincérité est infalsifiable, comme les billets de banque et les véritables chewing-gums au cœur liquide. Pourtant, il existe des faussaires de génie...

— Il faut que tu m'aides, Lucie.

Je l'entraîne dans la cuisine et lui désigne un flacon de produit d'entretien multi-usage parfumé aux fruits rouges. Mon préféré. Il est beau et me permettra de tout nettoyer sans aucun effort.

— Je n'arrive pas à l'ouvrir. A-t-il lui aussi été frappé par l'enchantement qui empêche certaines personnes d'accéder à son contenu ?

Elle s'en empare. La voilà qui ferme les yeux et commence à murmurer d'étranges incantations. Je ne comprends rien, je crois même que c'est une autre langue, sans doute ancestrale, qui date de l'époque où les péages autoroutiers et les concours de tee-shirts mouillés n'existaient pas.

Lucie place sa main sur le bouchon comme si elle allait le bénir, puis elle le pince d'une façon inhabituelle et comme par miracle, parvient à le dévisser. Je suis ébahie. Mon amie possède des pouvoirs très spéciaux. Certaines portes s'écartent sur son passage quand elle s'approche, et d'étranges escaliers en fer dont les marches bougent se mettent à fonctionner pour elle et ceux qui l'accompagnent quand elle le leur demande dans une langue venue des vallées perdues d'un autre continent.

— Merci Lucie, je suis si heureuse !

Elle me tend le flacon, dont je respire aussitôt le doux parfum.

— Vas-y mollo, me prévient-elle, tu réduis ton espérance de vie. Ta bouteille était effectivement sous l'emprise d'un charme qui empêche les enfants de s'en servir.

— Pourtant je n'en suis plus une ?

— À l'évidence si, d'une certaine façon. Les flacons de produits d'entretien ne se trompent jamais.

Lorsque tu réussiras à les ouvrir, alors tu seras redevenue une adulte. Ne te méprends pas, ce sont les flacons de produit à récurer les toilettes qui nous disent qui l'on est vraiment.

Redevenir une adulte… Je me demande si c'est finalement une bonne chose. Le fait est que depuis quelques minutes, je n'ai eu aucun mal à cacher mon rendez-vous secret à Lucie. Cela n'a exigé aucun effort. Sans doute parce que j'étais concentrée sur un autre sujet. Je voudrais tellement ne pas avoir à mentir à mon amie… Si seulement elle pouvait comprendre. J'aurais tant de questions à lui poser avant mon premier rendez-vous.

Je pose le produit d'entretien sur l'évier et nous passons au salon.

— Lucie, tu m'as bien dit qu'avant mon accident, j'étais depuis longtemps célibataire ?

— En effet.

— Pourquoi le sommes-nous ?

Ma question semble la surprendre.

— Pardon ?

— Pourquoi toi et moi ne sommes-nous pas en couple alors que beaucoup de femmes le sont ? Anaïs est mariée. Mélanie vit avec un mec, et même Dounia s'est trouvé un petit copain. Ne parlons pas d'Eva qui en a au moins quatre… Alors pourquoi toi et moi n'avons-nous personne ?

— Tu parles d'une question… Si je connaissais la réponse, j'aurais peut-être déjà des enfants…

— Sommes-nous différentes de celles qui vivent en couple ? Avons-nous quelque chose de moins qu'elles ?

Elle soupire.

— C'est ce qu'on se dit au début, mais l'affaire est plus compliquée que ça. À l'âge où toutes les filles songent à se mettre en couple, on commence par se dire que celles qui y parviennent rapidement sont plus jolies, ou moins exigeantes. On se dit ensuite qu'elles correspondent mieux à ce que cherchent les garçons. Mais la réalité n'est pas si simple.

Elle me regarde soudain droit dans les yeux.

— Ce n'est pas évident de te répondre, Laura. Peut-être qu'à force de se prendre des râteaux, on a décidé de laisser les outils de jardin au cabanon. Les échecs nous épuisent, les espoirs déçus aussi. Les refus des hommes qui en valent la peine, ajoutés aux douleurs infligées par ceux qui ne valent rien, ont sans doute eu raison de nos espoirs. Peut-être n'y croyons-nous plus assez. Car je suis certaine d'une chose, ma Laura : on ne se lance pas dans ce genre d'aventure sans y croire.

J'hésite à lui avouer que moi, ce soir, j'ai une chance. Ce soir, j'y crois à mort. Pendant une fraction de seconde, j'ai envie de lui confier que mon Kayane est certainement ma solution. Peut-être a-t-il un frère ? Ma meilleure amie et moi pourrions alors tomber amoureuses et nous marier le même jour. Quelle magnifique histoire ce serait !

Lucie semble perdue dans ses pensées. D'habitude, les questions que je lui pose sur les lettres à timbrer ou le tri des déchets ménagers ne lui font pas cet effet-là.

— Lucie, je ne me souviens plus. Ai-je déjà été amoureuse ?

Elle a un drôle de petit sourire en me regardant.

— Plusieurs fois, Laura. Chaque fois, tu y as cru à fond. Chaque fois, tu t'es jetée à corps perdu dans tes histoires.

— Pourquoi cela n'a-t-il pas fonctionné ?

— Parce qu'il faut être deux, Laura. Si l'un se donne pendant que l'autre fait semblant, c'est mal

159

barré. Si l'un assume et que l'autre se contente de profiter, c'est fichu. Quoi que l'on fasse dans la vie, si on veut le faire avec quelqu'un, il faut aller dans le même sens. Les hommes tracent leur chemin à leur idée, et je me demande si le seul rôle qu'ils nous autorisent ne se réduit pas à la permission de les suivre.

— Comme un petit chien ?

— J'en ai peur.

— Ce serait donc impossible de faire réellement équipe avec l'un d'eux ? Impensable de décider à deux, de partager des projets ? Pourtant je crois qu'il existe de nombreux exemples...

— Dans les films, dans les romans, dans les chansons, plein. Mais dans la vraie vie...

— Le fait d'être très jolie doit aider quand même ?

— Au début sans doute, mais sur la durée... Il faut surtout faire la bonne rencontre. Trouver celui qui te regardera pour ce que tu es et qui t'acceptera.

Cette phrase me fait l'effet d'un souffle de vent rafraîchissant sur le visage. Lucie a raison. Je comprends exactement ce qu'elle m'explique. Même si je ne peux rien lui dire, je réalise que j'ai énormément de chance. Mon Kayane m'a dit que j'étais faite pour lui et que tout ce qui comptait, c'était mon bonheur. J'en tremble.

Un jour, il y a des millions d'années, avant même la découverte du sucre en poudre, un premier poisson tout mou s'est aventuré hors de l'eau. C'est lui, avant tous les autres, qui a ouvert la voie à l'espèce terrestre et bipède que nous sommes finalement devenus. Ce soir, je me sens comme lui. Je vais être la première femme à m'extraire de la malédiction qui nous frappe depuis la nuit des temps pour vivre un véritable grand amour. Je serai la première entre toutes à avoir cette chance, mais je ne veux en aucun cas être la seule. C'est toute l'histoire de la façon d'aimer qui s'en trouvera modifiée. Longue vie à l'amour ! Et vive les poissons qui marchent !

24

C'est la première fois que je m'aventure seule hors de chez moi à une heure aussi tardive. La nuit est tombée depuis longtemps. Je rase les murs, je me faufile entre des inconnus dont je ne distingue pas le visage dans la faible lumière. Je n'aime pas ça. Cela m'effraie. Même si je ne fais que les croiser, il me semble plus rassurant de pouvoir jauger à qui l'on a affaire. Un visage, un regard constituent une bonne approche de l'humanité qu'ils habillent.

Un vent vif balaye la rue. Sans doute me paraîtrait-il moins froid s'il faisait soleil.

Pour avoir toutes les chances de mon côté, j'ai mis à mon cou le petit porte-bonheur doré en forme de trèfle retrouvé parmi mes trésors d'enfance. Je ne sais plus qui me l'a offert, mais pour une soirée aussi importante que celle-là, je suis prête à devenir superstitieuse si cela peut aider.

J'ai patienté un bon moment après le départ de Lucie. J'ai vérifié plusieurs fois que sa voiture n'était plus là. J'ai même descendu mon escalier sur la pointe des pieds pour ne pas me faire repérer par les voisins. Une fois dans la rue, je me suis mise à marcher vite, à la fois pour m'éloigner avant d'être reconnue et pour arriver plus rapidement là où mon avenir m'attend. Même si le lieu de rendez-vous avec Kayane n'est qu'à quelques rues, je ne veux surtout pas m'y présenter en retard. Trop peur de le manquer. Si j'arrive avant lui, il se rendra compte à quel point ce premier moment rien qu'à nous est essentiel pour moi.

Nous avons convenu de nous retrouver dans un grand bar, le Brooklyn, baptisé ainsi en l'honneur d'un quartier et d'un pont de la ville de New York. Au cas où l'on en parlerait avec Kayane, je me suis documentée pour ne pas avoir l'air stupide. Mais je n'ai rien trouvé qui justifie de donner ce nom alors qu'historiquement, il ne s'est rien passé de sérieux là-bas. Reste que le mot sonne américain, et que ça peut faire rêver.

Lorsque j'arrive enfin, j'hésite à entrer. J'ai déjà eu l'occasion de passer devant cet établissement à plusieurs reprises. Je sais que c'est un endroit réservé aux adultes. J'espère qu'ils ne s'apercevront pas que je suis temporairement redevenue plus jeune. La devanture est abondamment éclairée et surmontée d'une énorme enseigne : un pont sur lequel s'étale le nom. L'ensemble est tellement grand qu'il ne rentrerait pas dans mon couloir. Souvent, pour évaluer la taille des choses, je les compare à mon lieu de vie. Une voiture, c'est gros parce que ça ne rentrerait pas dans mon salon. Un vélo logerait à peine dans ma cuisine. Une fois, j'ai même vu un chien tellement imposant qu'on ne pourrait pas le caser dans mes toilettes.

J'hésite à traverser pour pénétrer dans le bar. Par la vitrine, j'aperçois des gens qui ont le droit de s'y trouver. Certains sont attablés, d'autres debout au comptoir. Beaucoup tiennent un verre et la plupart discutent ou rigolent, parfois avec animation. Personne ne semble y être seul. C'est une bonne chose. Les gens seuls me rendent triste, surtout quand tous les autres sont au minimum à deux. J'ai compté qu'il y avait presque autant de filles que de garçons.

Au moment de pousser la porte, je retiens ma respiration. La musique me saute au visage lorsque j'ouvre. Exactement comme au mariage de Théo, j'ai les capteurs auditifs qui saturent, la peau des joues qui vibre, sauf qu'ici les gens ne dansent pas. Un serveur s'approche.

— Pour dîner ou pour un verre ?

Pour un verre ? Que ferais-je d'un verre ? J'en ai déjà douze chez moi. Il me prend pour une mendiante en mal de verroterie ou quoi ? Il n'a en tout cas rien décelé de ma jeunesse pathologique. Tant mieux.

— J'attends un garçon… C'est lui qui décidera.

— Suivez-moi, je vais vous trouver un petit coin au calme.

Il me fait un clin d'œil complice. Mon Dieu, cela se voit-il tellement que j'ai rendez-vous avec un amoureux ?

Je dois être rouge comme le breuvage que sirote la fille dont tout le monde peut voir les seins sans payer.

Je me glisse sur la banquette, dos au mur. Un peu l'histoire de ma vie. D'ici, je garde un œil sur l'entrée. Des clients m'ont remarquée mais si je me tiens peinarde, d'ici quelques minutes, ils m'auront oubliée et je me sentirai mieux. Ça fait pareil dans la salle d'attente de l'hôpital. Tout le monde épluche le dernier arrivé, mais après ça se calme. Les gens s'habituent à vous. Cela peut même aller plus vite si quelqu'un entre après vous. La nouvelle tête devient alors le nouveau centre d'attention.

Pour me donner une contenance, je consulte la carte. Des listes, des prix, des compositions. Tellement de mots dont j'ignore le sens. Qui tricote la dentelle de caramel craquant ? Le duo de saumon va-t-il se mettre à chanter ? Par contre, j'aime bien les photos de ces cocktails aux couleurs vives. Ils sont jolis. Sans doute doivent-ils craindre les averses, car beaucoup sont surmontés de petits parapluies.

Plus personne ne me prête attention. Je vérifie l'heure. Kayane franchira le seuil dans exactement vingt-six minutes et treize secondes. J'en frémis d'avance. Je l'imagine déjà, faisant son entrée. J'espère que la pouffiasse qui se renverse en arrière pour s'esclaffer d'un rire forcé ne tentera pas de l'attraper avant qu'il n'atteigne ma table. Peut-être que Lucie et moi sommes célibataires parce qu'on se fait piquer tous les mecs bien par des filles qui n'ont froid ni aux yeux, ni ailleurs étant donné la faible épaisseur de leur robe. L'amour serait-il une question de thermostat ?

Les yeux dépassant à peine de la carte, j'observe discrètement autour de moi. La plupart des clients ont sensiblement mon âge biologique. C'est sans doute l'un des seuls points communs que nous partageons. Parce que pour le reste… Eux sont à l'aise. Tous savent comment on s'assoit pour se mettre en valeur. Les filles maîtrisent le croisement des jambes et posent leurs pinces préhensiles tactiles avec grâce. Tous ces jeunes gens possèdent l'art de choisir leurs vêtements pour paraître à leur avantage. J'ai soudain honte d'avoir mis un chemisier si sérieux, et surtout un petit pull par-dessus. Je dois ressembler à la gardienne des archives. Encore heureux, je n'ai pas mon pantalon de ski.

Un garçon attire soudain mon attention au bar. Du coin de l'œil, je l'ai vu saisir un verre dans un mouvement très élégant. Il est en compagnie de deux autres mâles. Il promène son verre devant ses yeux, admirant le contenu en parfait connaisseur. Si je me fie à la bouteille que le barman range après l'avoir servi, il s'agit d'un whisky. Il le fait tourner doucement, il semble s'en régaler à l'avance. Qui faut-il être pour avoir ce genre de geste ? Je suis admirative. D'où lui vient cette magnifique assurance ? À quel moment ce jeune homme s'est-il senti la légitimité de commander une boisson très alcoolisée ? Demander sans hésiter un scotch, attraper le verre comme dans un film d'espionnage et l'avaler comme dans un western. À quel âge ose-t-on ? Est-ce un code auquel il essaie d'adhérer ? Est-ce sa nature qui lui dicte cette conduite ? Quelqu'un la lui a-t-il apprise ? S'est-il entraîné chez lui, sous sa couette la nuit pendant que ses parents dormaient ? Quel chemin faut-il emprunter pour se sentir libre d'accomplir ces choses que l'on pense d'abord réservées aux autres ? Plus important encore, de quel parcours du combattant faut-il avoir réchappé pour accomplir ce en quoi l'on croit sans craindre le jugement d'autrui ?

Je le regarde. Je le trouve fascinant. Il pourrait être acteur. Après avoir reposé son verre sur le comptoir du saloon, il dégainerait son arme pour abattre le méchant qui terrorise les filles et vole les vaches – ou l'inverse. Après quelques verres, il pourrait aussi être ce flic brisé qui va accepter une dernière affaire pour venger son coéquipier.

J'adore regarder les gens. En les observant, j'apprends. Des leçons de vie gratuites que le monde offre à qui veut les saisir. Certains des gestes dont je suis témoin m'étonnent ou me touchent. Beaucoup m'impressionnent. Je suis moins douée que tous ces gens que je vois. Mélanie me dit que je suis bon public.

À force de regarder autour de moi, je n'ai pas vu le temps passer. En constatant l'heure, je suis horrifiée. Kayane devrait être là depuis onze minutes. Ma montre est sans doute dans le même état que moi, alors elle s'emballe.

— Excusez-moi... Pourriez-vous me donner l'heure ?

— Il est 21 h 11, mademoiselle. Vous attendez toujours votre rendez-vous pour commander ?

— Oui...

Je suis au bord des larmes. Il est certainement arrivé quelque chose à Kayane. Si ça se trouve, grâce à ses pouvoirs, Lucie a deviné que nous avions rendez-vous et elle le retient dans une prison mexicaine où elle le torture. Elle lui fait manger des cookies tout secs sans le laisser boire. À moins qu'il ne soit quelque part, gisant dans son propre sang avec lequel il m'a écrit un poème sur le sol avant de mourir. « Laura, tes yeux me rendent gaga ; ton corps me rend plus fort ; ton rire me donne envie de... » Aucune des rimes qui me viennent n'est jolie. Je suis certaine que lui trouverait les mots.

En attendant, c'est lui que je ne trouve pas. Quel sort funeste ! J'ai envie de crier mon désespoir plus fort que la musique. Cette soirée brisée aura constitué mon dernier instant de bonheur dans cette vie. Désormais, nuit et jour, je porterai le deuil de mon bien-aimé. Peut-être m'a-t-il légué ses pectoraux ? La science s'emparera de son cerveau et la légende de son cœur. S'il reste présentable, est-il envisageable de le faire empailler ? Je pense qu'en hauteur, il rentre dans ma chambre.

Plus je songe à notre bouleversante histoire d'amour inachevée – à peine ébauchée pour être honnête –, plus l'abîme de douleur se creuse sous mes pieds. Je suis anéantie. En plus, à force de me triturer le visage, je me suis aussi décoiffée. J'ai la tronche d'un top model qui sort du sèche-linge. Ça me fait ma tête à repasser en plus du reste.

C'est alors que je distingue une silhouette à travers la porte vitrée du bar. L'intime élan de mon cœur identifie ce que mes capteurs ne sont plus capables d'analyser. Un halo de lumière l'entoure comme un dieu descendu de l'Olympe. Ceux qui ne croient en rien objecteront que ce sont juste les phares d'une voiture sur le carrefour, mais moi je crois à tout. Je retiens mon souffle et mes cheveux. Il est là.

25

J'ai honte, j'ai tellement honte. Mais je m'en fous complètement. J'ai menti à ma meilleure amie. J'ai ri bêtement pendant des heures. J'ai tutoyé le serveur. J'ai continué à parler fort même quand la musique baissait subitement. Je me suis étalée sur la banquette sans aucune retenue. J'ai eu tous les symptômes d'une cuite en ne buvant que des jus de fruits. Et tout ça par sa faute. Ou plutôt grâce à lui.

Il est mon élixir de vie heureuse, mon mirage bien réel. J'ai essayé trois fois de lui effleurer la main. Je lui ai fait du pied en faisant croire que c'était accidentel. Je l'ai scandaleusement dévoré du regard. C'est bien simple, si mes yeux étaient des dents, il ne lui resterait plus que le squelette, et encore. J'ai senti sa chaleur animale quand il se penchait pour me servir. Je me suis efforcée de tenir des propos spirituels pour l'impressionner. Je me suis aussi retenue d'aller faire pipi, car une princesse ne fait jamais pipi. J'ai même essayé de saisir mon verre avec autant de classe que le mec au comptoir, mais je devais avoir l'air d'un babouin qui attrape une savonnette mouillée.

Chaque fois que je faisais un truc stupide, en public de surcroît, je ne m'en rendais compte qu'au moment où j'arrêtais de le faire – et déjà, j'en avais entamé un autre. Une délicieuse glissade dans le pays magique où la dignité et l'élégance n'existent pas, mais où le bonheur est partout. Un bonheur indescriptible, qui enfièvre le corps et fait s'envoler le cœur, un frémissement de chaque fibre de mon être, comme si j'étais un instrument dont il jouerait en virtuose. Un concert unique où l'on n'applaudit pas, mais pour lequel je serais prête à me damner afin d'en vivre une nouvelle représentation. Ça doit être ça, avoir un ticket. Et il y a du monde au balcon.

Il a été parfait, j'ai été en dessous de tout. J'ai coché toutes les cases à côté. Trop occupée à l'écouter et à le regarder, j'avais le cerveau débordé d'émotions et toujours un temps de retard. J'aurais dû avoir de l'à-propos, de la repartie. Je n'ai eu que des réactions incontrôlables et des envies inavouables. À moi toute seule, j'ai fait régresser l'humanité au rang de ces bestioles qui grimpent au sommet des arbres en poussant des cris stridents pour signaler à leur partenaire qu'elles sont dispo. Des cochonnes ailées qui sapent le calme des garrigues. Désormais, dans l'arbre de l'évolution des espèces, il y aura une petite branche sur le côté au bout de laquelle vous me trouverez, battant des cils en minaudant comme la dernière des pouffes. Monsieur Darwin, je vous présente toutes mes excuses.

Je crois même que je me suis renversée en arrière pour m'esclaffer comme l'autre créature. De toute façon, au stade où j'en suis, autant ne plus me mentir : si je n'avais pas gardé mon pull comme une directrice de pensionnat, toute la salle aurait certainement vu mes seins. C'est peut-être une règle de physique que l'on ne nous apprend pas à l'école, mais qui marche quand même à chaque fois : quand les hommes nous regardent beaucoup, nos boutons de chemisier sautent.

Je n'avais pas grand-chose à lui raconter vu que je ne me souviens de rien. Heureusement, lui a une vie trépidante dont il parle avec beaucoup d'aisance. Au début, il a brièvement abordé la période que nous avions déjà vécue ensemble, en me précisant à quel point il regrettait ses maladresses et que ces agissements ne correspondaient plus du tout à l'homme qu'il était devenu. J'en suis certaine moi aussi. D'ailleurs, faisons table rase du passé, et profitons de la place libérée pour batifoler sur de nouvelles bases !

Plus jeune, il était champion de vélo et de plein d'autres sports. Je n'ai pas exactement compris tous les exploits qu'il m'a abondamment décrits, mais je crois qu'il savait faire du vélo sans les mains, plus vite que les autres et en faisant des grimaces, ou des figures je ne sais plus, devant des gens alignés et admiratifs. Cela lui a valu des « coupes », dans lesquelles on ne boit pas mais que l'on expose fièrement devant ceux qui n'en ont pas.

Toute la soirée, il m'a parlé de lui. C'était passionnant, bien plus vivant qu'un film, et avec autant de rebondissements ! Lui au ski, lui au volant de sa voiture qui est presque un bolide, lui très seul, lui avec ses collègues qui ne sont pas aussi honnêtes qu'il l'est dans son métier de vendeur de contrats d'assurance en tous genres. Il m'a garanti que si ça me faisait plaisir, il m'en ferait souscrire autant que je le voudrais. Je n'arrive pas à croire à ma chance ! Il m'a dit : *No limit*. Cela signifie « aucune limite » dans la langue des discours de Martin Luther King. Je suis si contente ! C'est quand même un type bien.

À un moment, il a passé la main dans sa veste pour prendre quelque chose. J'ai encore cru qu'il allait faire apparaître un énorme bouquet de fleurs. Vous savez ce que je pense de ce rituel qui coûte la vie à des gentils végétaux multicolores. Il me chagrine, mais en l'occurrence, j'étais prête à m'en réjouir. Pour une fois, ces fleurs ne seraient pas mortes en vain. Mais aucun bouquet de fleurs n'est apparu, il a simplement sorti une photo de lui plus jeune, torse nu, sur une plage ensoleillée. Je ne me souviens pas avoir déjà reluqué pareille plage, ni pareil mec.

Je n'ai pas vu défiler les heures. Au moment de régler les consommations, il tenait absolument à m'inviter, mais il s'est aperçu qu'il avait oublié son portefeuille. Quel manque de chance ! Il semblait tellement déçu de ne pouvoir me faire ce cadeau que je me suis efforcée d'adoucir sa peine : j'ai tout réglé.

Il a proposé de me raccompagner à pied jusque chez moi. Je me demande si ce moment-là n'était pas le meilleur de la soirée, bien que tout le reste ait déjà été fabuleux. Existe-t-il un adjectif plus puissant qu'« extraordinaire » ? Un cœur peut-il battre plus vite sans exploser en en mettant partout ?

Nous avancions côte à côte. Moi qui d'habitude marche vite, je traînais au maximum pour faire durer ces minutes. Il continuait à me parler de lui, sans relâche. Quelle admirable endurance ! Une fois, il a dit « nous ». Là, j'ai déraillé intérieurement. Je le voyais par mes capteurs auditifs et je l'entendais par le nez. Merci la bonne soirée. Tous les branchements à refaire. Si j'avais reculé, j'aurais fait « bip-bip-bip » comme un camion.

— Que dirais-tu de partir en vacances avec moi ?

Garder son calme. Ne pas surréagir parce que sinon, la voiture de police qui patrouille sur le boulevard va m'embarquer. Si j'ai envie de vacances avec lui ? On irait sur une plage comme sur sa photo ? Il retirerait son tee-shirt tout pareil ?

Je ne suis pas dans mon état normal. Il ne faut pas que je réfléchisse parce que sans ça, je suis capable de dire tout ce qui me passe par la tête sans réussir à me contrôler. Ne pas penser, surtout ne pas penser. Alors je rigole comme une andouille. Il me demande si j'ai envie de partir avec lui en vacances et tout ce que je trouve à faire, c'est rire comme une lobotomisée. Il faut vraiment qu'il m'aime pour rester. Moi, j'aurais été un mec comme lui qui passe du temps avec une fille comme moi, si je lui propose ça et qu'elle me rigole au nez comme une tordue, je me barre en courant.

Au pied de mon immeuble, il m'a demandé si c'était là que j'habitais. J'ai cru qu'il plaisantait. C'est une question stupide, indigne de lui. La preuve, j'aurais pu la poser. Mais pas lui, il est trop intelligent pour ça. Voyant mon état, il a certainement dû vouloir s'assurer que je ne faisais pas d'erreur en me trompant d'adresse. Encore une façon de prendre soin de moi. Il a demandé à monter prendre un dernier verre. Oh là là ! On en avait déjà bu bien assez comme ça ! Côté hydratation, j'avais plus que mon compte ! Il devenait d'ailleurs urgent que j'en évacue un peu.

— La prochaine fois avec plaisir, ai-je répondu, mais demain, j'ai école.

Sans que je le voie venir, il m'a délicatement levé le visage vers lui et a posé ses lèvres sur les miennes.

Depuis ce premier baiser, je sais que le compteur électrique des filles est caché dans leurs lèvres,

173

car quand on appuie dessus un peu fort et d'une certaine façon, les disjoncteurs sautent et le cerveau ne fonctionne plus. Tout le reste, par contre, marche parfaitement.

26

Quatre fois que je relis la même page sans parvenir à la déchiffrer. C'est pourtant un dossier simple. Manifestement, je ne suis pas capable de me concentrer. Lorsque je parcours les colonnes de chiffres, j'ai l'impression d'entrevoir sa silhouette. Quand je pointe les justificatifs, j'ai la sensation d'entendre sa voix me lire les intitulés. Même le logo de l'entreprise sur les bulletins de paye fournis me fait penser à son visage qui ne regarde que moi. Il est temps d'inventer un mot bien plus fort qu'« obsession ». Il ne sera réservé qu'aux filles dans mon genre, perdues dans des sentiments qui les dépassent, illuminées comme des lapins pris dans les phares de l'amour, noyées dans un verre d'eau que le moindre rayon de soleil transforme en océan de bonheur.

Ce matin, lorsque je suis arrivée, je suis restée plantée comme une gourde devant Amour en me disant qu'il portait le plus beau prénom du monde. Il m'a fait la bise. Pas une bise de principe, il ne fait jamais cela. Il a, comme toujours, pris de mes nouvelles en se souciant de ma réponse. Cette fois pourtant, je l'ai encore plus appréciée, car son attention est une parfaite métaphore de ce qui m'arrive : désormais, j'ai un Amour qui se soucie de moi. Je vais me redire cette phrase dix mille fois et je n'aurai pas besoin de m'enfiler ces petits gâteaux félons pour aller mieux. C'est quand on rencontre enfin l'être aimé que l'on se rend compte à quel point il nous manquait.

— Laura, qu'est-ce que tu fais ? Tout le monde t'attend pour la réunion de commission !

Mélanie m'arrache à mes songes. En d'autres temps, je l'aurais fait fouetter pour cela. Mais aujourd'hui, je pardonne tout. J'en ai les moyens.

— J'arrive.

— Tu ne prends pas tes dossiers ?

— Pardon.

— Tu n'as pas oublié ce que je t'ai dit ?

— Bien sûr que non. Je ne dois en aucun cas jeter des objets sur les gens avec qui je ne suis pas d'accord.

— C'est exact, mais concernant la présentation de ce matin, je t'ai aussi dit de te méfier d'un membre particulièrement virulent, M. Dutril.

— C'est lui qui bloque systématiquement les dossiers, c'est ça ?

— Un vieil aigri. Il a l'impression que chaque centime distribué sort de sa poche...

Pour la première fois depuis mon retour, je participe aux délibérations pour attribuer les aides. L'équipe des services sociaux est chargée de présenter les demandes estimées recevables à une commission composée d'élus, de représentants d'associations et de responsables. On m'a dit qu'avant mon choc à la tête, j'étais très efficace dans ce rôle, et que mes préconisations étaient pratiquement toujours validées.

Valérie, la directrice, préside la séance. Mes collègues assistantes sociales et moi-même avons chacune une dizaine de cas à exposer. Des demandes d'aides financières ponctuelles, des signalements nécessitant une aide d'urgence mais qui devront ensuite faire l'objet d'un suivi à d'autres échelons. Notre champ d'intervention couvre, directement ou indirectement, presque tous les impondérables auxquels un individu peut être confronté – l'existence en fabrique de nouveaux tous les jours. Il est impressionnant de constater à quelle vitesse une vie peut basculer suite à un événement imprévu. Des gens se retrouvent séparés, incapables de subvenir à leurs besoins ou à ceux de leur famille, sans logement, isolés socialement, ou même en danger, et notre boulot consiste à stopper la spirale infernale pour éviter qu'ils ne se fassent broyer. J'aime bien l'idée.

Bien sûr, tous ne sont pas uniquement des victimes ; certains ont un véritable don pour se plonger dans les ennuis jusqu'au cou tout seuls, mais nous devons les aider quand même. Reste que je suis au poste idéal pour me rendre compte de ce que la vie peut avoir de cruel ou d'injuste. Je suis stupéfaite de m'apercevoir que même dans un pays comme le nôtre, où rien ne manque, quelqu'un qui a un travail et un salaire peut se retrouver obligé de dormir dans sa voiture parce qu'il n'arrive plus à se loger. Kayane saurait sûrement quoi faire. Lui découvrirait le moyen de rétablir la justice sociale et l'égalité. Vous ai-je dit qu'en plus, il était très beau ?

Mme Perrin s'adresse à moi :

— Laura, nous vous écoutons.

Perdue dans mes pensées, je ne me suis même pas aperçue que mes collègues ont déjà plaidé. Je comptais les observer pour savoir comment m'y prendre. C'est raté. Je vais devoir me lancer sans filet.

Mon premier cas est assez évident : une famille en plein divorce. Le père part refaire sa vie dans l'Ouest, la mère souhaite se rapprocher de ses parents dans le Sud où elle va partir avec sa plus jeune fille encore scolarisée, mais le jeune de vingt-deux ans qui doit finir sa formation en alternance se retrouve à la rue. Il lui faut un coup de main le temps de se retourner. Je l'ai rencontré, il est de bonne volonté et décidé à s'en sortir malgré la perte de ses repères. Le dossier passe sans problème. Je suis heureuse pour ce garçon.

Mon deuxième dossier me paraît tout aussi évident.

— C'est une femme seule qui élève un petit garçon de cinq ans dans un studio. En quelques mois, elle a dû affronter deux licenciements, et même si elle vient de retrouver un emploi, son bailleur lui reproche des retards et des manquements de paiement du loyer. Il a entamé une procédure d'expulsion. Une aide lui permettrait d'interrompre le processus en lui donnant le délai pour régulariser.

Un homme m'interroge :

— Quel emploi occupe-t-elle ?

— Agent d'entretien dans un centre administratif. Un emploi stable.

— De quel type étaient ses licenciements ? demande un autre.

— Le premier économique, et le second justifié par des retards répétés et des absences que l'employeur a considérées comme « injustifiées ». En fait, son fils est tombé malade, nous avons vérifié les certificats. Elle n'avait personne pour le garder.

— Sa famille ?

— À l'étranger, incapable de l'aider.

Silence pesant. Un homme prend la parole, je soupçonne qu'il s'agit de M. Dutril, la bête noire des collègues.

— Ne peut-elle demander une avance à son nouvel employeur ?

— Elle l'a fait, mais cela prend du temps, et les recommandés s'accumulent déjà.

Il n'est visiblement pas décidé à en rester là et me lance un regard froid.

— Tous les jours, nous voyons des gens dans des cas similaires. C'est évidemment regrettable, mais nous ne pouvons pas satisfaire à toutes les demandes. D'après ce que je lis de votre rapport, cette dame à qui je souhaite bonne chance ne remplit pas les conditions requises pour obtenir notre appui.

Tout le monde garde les yeux baissés sans rien trouver à redire. Il referme le dossier, considérant sans doute que le cas est réglé. Mais je ne suis pas d'accord.

— J'ai rencontré cette femme, monsieur, et en plus des justificatifs fournis, j'ai pu constater à quel point elle se bat pour s'en sortir. Je sais que certains abusent du système. Je suis consciente que beaucoup pensent que tout leur est dû et qu'ils se présentent à nous comme à un distributeur d'argent liquide. Mais ce n'est pas son cas. Elle gère de front une situation professionnelle difficile et une charge de mère célibataire.

— Mademoiselle Laforie, je me fie aux pièces produites.

— Elles ne suffisent pas à une juste appréciation du dossier, monsieur, sinon à quoi nous servirait-il de recevoir ces gens ?

— L'évaluation des situations répond à des procédures strictes qu'il convient de respecter et dont il faut écarter l'affect.

— Si des grilles de lecture et des moyennes suffisent à évaluer les vies, à quoi servons-nous ? Un ordinateur équipé d'un tableur ferait l'affaire. Notre mission n'est-elle pas d'écouter et de jauger en nous appuyant non seulement sur des éléments objectifs, mais aussi sur un ressenti humain ?

— Nous ne sommes pas juges, mademoiselle. Les critères d'attribution ne peuvent dépendre à ce point d'éléments subjectifs. Cette femme vous a émue et c'est bien naturel, mais il n'en reste pas moins...

— Je vous défie de lui annoncer vous-même votre décision. Si vous êtes convaincu de ce que vous dites, alors assumez-le. Nous avons les moyens de l'aider. Je pense même que nous en avons le devoir. Beaucoup trichent, beaucoup abusent. Ce n'est pas une raison pour condamner les autres. Nous sommes payés pour ne pas les confondre. Mieux : nous sommes toutes volontaires pour faire notre travail correctement. Si ce genre de cas est rejeté, alors je ne sais plus quel métier je fais et devant cette femme, je vais avoir honte d'avoir trahi ma mission.

L'homme me regarde fixement dans les yeux. Je crois qu'il essaie de m'intimider, mais il n'y arrivera pas. Je soutiens son regard et la salle reste suspendue à l'issue de cet affrontement silencieux. Le vieux barbon ne me fait pas confiance. Et si je lui balançais ma trousse à la figure ?

27

Je me méfie des fruits dans la corbeille. Ils ont des formes douces, des couleurs attirantes. On est tenté de mordre dedans, surtout les rouges. Quand je les renifle comme le ferait une petite bête sauvage, ils sentent bon. Tout cela est sans doute trop beau pour être vrai. Posés bien en évidence près de la machine à café, gratuits, ils ont tout d'un piège. N'oublions jamais que Blanche-Neige a failli en crever. J'aimerais bien en manger un, mais je ne leur fais aucune confiance. Les fruits m'ont trahie plus d'une fois.

Personne ne m'a prévenue que certains contenaient des parties très dures, de forme variable, appelées « noyaux ». À croire que les gens oublient ce qui m'arrive. On me laisse me débrouiller toute seule dans un quotidien dont je suis loin d'avoir récupéré les codes. Je me demande si ma situation n'amuse pas mes proches… Peut-être aiment-ils me voir paniquer sur des épreuves qu'une gamine de six ans réussit haut la main. J'ai été trompée par une pêche – pourtant si veloutée – qui a failli me coûter une dent. Par une orange aussi, dont le « noyau » est morcelé en plusieurs sous-noyaux appelés « pépins », façon bombe à fragmentation. Quel vice, quelle perfidie ! Je suis sur mes gardes.

C'est pourquoi je suis actuellement en train de sonder l'intérieur d'une banane à l'aide d'un trombone astucieusement déplié, histoire de découvrir ce qu'elle cache.

Lucie fait irruption.

— Bravo ma grande ! Je suis hyper fière de toi ! Tout le monde ne parle que de ta tirade qui a mouché ce crétin de Dutril.

En remarquant mon trombone planté dans la banane, elle plisse les yeux.

— Qu'est-ce que tu fais ? Tu la poignardes pour être certaine qu'elle est bien morte ? Ce n'est pas idiot. Une fois, j'ai entendu parler d'un mec qui avait tiré un coup de fusil sur une huître avant de la manger parce que sinon, elles peuvent survivre en toi. Elles font leur maison, elles la décorent avec leurs perles qu'elles posent sur tes organes, et si par malchance tu en manges une deuxième, elles se sentent en confiance et prennent le contrôle de ton âme pour te convaincre d'aller vomir en bord de mer, histoire de retrouver leur liberté.

Je la regarde.

— Lucie, ne me mens pas. J'ai besoin de vraies réponses.

Elle fronce le nez.

— C'est bon, j'avoue : ce n'est pas moi qui joue la créature du marais, et je ne parle pas non plus aux dauphins. Je t'ai raconté des craques. Pardon.

— Il n'est pas question de cela.

— Ah bon ? Alors tu te demandes pour cette peuplade dont je t'ai parlé, ceux qui peuvent courir sur les murs et les plafonds grâce à leurs doigts-ventouses ?

— Est-ce que les bananes ont un noyau ?

Elle semble soulagée de s'en sortir à si bon compte. On reparlera plus tard des Bigoingoins…

— Les bananes ? Un noyau ? Ben non. Laisse-moi t'enseigner une astuce mnémotechnique pour t'assurer qu'il y en a ou pas. C'est très simple : si on fait des sacs à main avec, méfie-toi. Sinon, tu ne risques rien.

— C'est n'importe quoi, ton raisonnement ! Il n'y a pas de noyau dans un crocodile, du polyester ou une vache. On en fait pourtant des sacs.

— Fais ta maligne, madame J'en-apprends-tous-les-jours, mais est-ce qu'on fait des sacs à main en banane ? Non. Donc mon système n'est pas si débile que ça.

Je sais que quand elle s'engage sur ce genre d'argumentation fallacieuse, le rationnel n'est plus de mise et toute démonstration devient impossible. J'insiste :

— Lorsque tu auras une minute, pourrais-tu m'établir une liste des principaux fruits qui renferment un noyau ? Je la garderai sur moi et ça me rassurera en cas de doute.

— Entendu. Je te prépare ça. Avec des images colorées pour éviter toute ambiguïté.

— Lucie, ne me prends pas pour un poireau de l'année.

— Tu ne viendras pas te plaindre...

Soudain, elle prend un peu de recul et me regarde de biais. Je déteste quand elle fait cela. J'ai l'impression qu'elle me passe aux rayons X et qu'elle peut tout deviner de mes pensées les plus secrètes.

— Dis-moi... Est-ce que je me trompe, ou quelque chose a changé en toi ?

Je fuis son regard.

— N'importe quoi, je ne vois pas de quoi tu parles.

— Ton coup d'éclat en commission t'aurait-il donné des ailes ?

— Sûrement pas. Je n'ai fait que mon travail.

Je fais un énorme effort pour avoir l'air innocent, mais ma réaction suspecte ne lui échappe pas. Le décalage entre mes mots et l'attitude de mon corps est trop grand. Je suis certaine que mon visage et mes mains font ce qu'ils veulent et qu'ils viennent de passer à l'ennemi. Ils m'ont trahie, je suis foutue. Lucie va creuser.

— Qu'est-ce qui t'arrive, Laura ? Ton envolée lyrique, ton regain d'énergie depuis quelques jours, ce regard pétillant...

Elle s'approche et me renifle comme si j'étais un fruit.

— Mais ma parole, tu t'es parfumée !

— Au cassis, c'est mon liquide vaisselle. J'adore son odeur, j'ai pris ma douche avec. Tu aimes ?

Elle ne m'observe plus, elle me dissèque.

— Tu n'as rien à me dire ? D'autant plus si l'on ajoute à cela que tu as tellement la tête ailleurs que tu n'entends même pas quand on te parle.

— Mon apprentissage m'épuise et m'accapare l'esprit.

— Ne me prends pas pour Josiane, s'il te plaît !

Elle scrute le fond de mon âme à travers mes prunelles dilatées de peur. Je suis perdue ! Elle va découvrir que je lui ai menti, elle va s'apercevoir que j'ai revu Kayane ! Elle va me punir ! Je n'aurai pas de chocolat à la Chandeleur et elle va me supprimer Fripon, le hérisson en peluche que j'ai retrouvé et avec lequel je dors.

— Si je ne te connaissais pas, je dirais qu'il y a un homme là-dessous...

C'est mort. Elle va vouloir jouer à « ni oui, ni Kayane » et je vais encore perdre, comme quand on a joué à « ni oui, ni c'est moi qui ai mangé le cupcake de Françoise ».

— Lucie, si je te dis la vérité, tu ne te fâcheras pas ?

— Faisons l'essai, la science en sortira grandie...

— J'ai revu Kayane.

Elle se met à couiner, mais très fort, un peu comme les caribous femelles à la saison des amours. J'ai vu ça dans un documentaire sur le Canada qui passait en pleine nuit. Elle fait de plus en plus de bruit. J'espère que les caribous mâles ne vont pas l'entendre, sinon ils vont tous rappliquer. Je panique, certains doivent déjà être en train de réserver leur billet sur Internet.

— Lucie, je t'en supplie, arrête de faire ce bruit-là...

— Tu l'as revu de ton plein gré ? bêle-t-elle.

— Bien sûr. Ce fut un moment merveilleux. Il a changé, il est parfait, il fait du vélo sans les mains.

Elle appelle à nouveau les caribous. Que faire ? Lui dire la vérité ? C'est fait. Lui mentir ? Ce n'est plus possible. Peut-être lui faire gober une pomme... Pourquoi s'empare-t-elle de ce porte-manteau ? Pourquoi le brandit-elle sauvagement ?

Elle hurle :

— Je vais t'exorciser ! De plein fouet !

Je ne sais pas exactement ce que ça veut dire, mais mon instinct me crie plus fort qu'elle que je dois courir pour sauver ma vie.

Elle m'arque une pause et me sourit. Elle la déjà

28

— Docteur, vous avez déjà été amoureuse ?

Son attitude change aussitôt. Comme si ma demande atteignait un point sensible capable de la déstabiliser. Dans son regard, je décèle une profondeur bien supérieure à ce qu'elle s'autorise habituellement. Toute la différence entre des capteurs optiques et des yeux.

Elle me dévisage étrangement, et derrière le masque maîtrisé de la praticienne, je devine l'émotion d'une femme dont je me sens tout à coup très proche. Au fond, quel que soit le niveau de nos études, peut-être sommes-nous toutes égales face à l'amour ?

Elle cherche ses mots, ce qui ne lui était jamais arrivé. La mettre mal à l'aise n'était vraiment pas mon but.

— Je ne voulais surtout pas vous gêner, docteur. Pardon.

— Aucun problème. Vous m'interrogez avec une telle franchise, une telle simplicité...

— Ma question est-elle inconvenante ?

— Plutôt rafraîchissante. Une interrogation directe, sur un sujet essentiel. Tout est si sincère chez vous... Cela fait tellement de bien ! C'est très inhabituel pour quelqu'un de votre âge, mais parfaitement cohérent quand on connaît votre dossier médical...

Elle marque une pause et me sourit. Elle l'a déjà fait bien souvent, mais c'est la première fois que j'y entrevois de la timidité.

— Une fois, Laura. Une fois, j'ai été follement amoureuse.

— Dans quel état étiez-vous ? Pardon de vous le demander, mais j'ai besoin de savoir. Vous ne pensiez qu'à lui ? Il vous manquait à la seconde où il n'était plus présent ? Vous aviez envie de tout donner pour lui faire plaisir ?

— Même si c'est désormais bien loin, c'est exactement cela.

— Il a changé votre vie ?

— Il a fait mieux que ça : il m'a rendue vivante.

Je bondis intérieurement. Elle sait poser les mots sur ce que j'éprouve.

— Est-ce la meilleure chose qui vous soit arrivée ?

— On peut le dire, au moins au début. Parce qu'ensuite, tout s'est brouillé et au final, il m'a dégoûtée du mariage et m'a coûté la moitié de tout ce que j'avais mis de côté.

Je suis catastrophée.

— Désolée, je ne voulais pas réveiller de mauvais souvenirs.

— Ne vous en faites pas, vous ne réveillez rien. Les mauvais souvenirs ne dorment jamais complètement.

— Il était méchant ?

— Le résumer à une caricature serait trop réducteur. Je crois plutôt que nous n'étions simplement pas faits l'un pour l'autre. Notre histoire a débuté sur un malentendu réciproque. Elle a duré le temps que nous nous en rendions compte. Les torts sont partagés. J'étais naïve, il ne suivait que sa route. Lorsque je disais « nous », je le pensais. Pas lui. Il a fini par trouver plus adaptée que moi pour la vie qu'il envisageait. Je lui suis dès lors apparue sérieuse au point d'en être fatigante, responsable au point d'en être étouffante. Mes qualités du début étaient devenues d'insupportables défauts. Il a même eu le culot de prétendre que je le castrais. Je ne vous cache pas que j'ai presque eu envie de le faire en vrai, et sans anesthésie !

— Jamais je n'aurais dû vous poser cette question...

— Ne vous excusez de rien. Ça me fait du bien d'en parler.

Elle prend une longue inspiration en fermant les yeux. Lorsqu'elle les ouvre à nouveau, elle me regarde joyeusement et plaisante :

— Je vous dois combien, docteur, pour cette séance express ?

Nous rions, mais je réfléchis déjà. Ses propos m'interpellent. Comment une femme aussi brillante a-t-elle pu se tromper à ce point sur un homme ? J'ose encore une question :

— Avez-vous retrouvé le bonheur depuis ?

— Le bonheur je ne sais pas... Mais *un* bonheur, oui. Vous savez, Laura, on entend toutes sortes de pseudo-vérités sur l'amour. Chacun y va de son petit couplet ou de sa théorie, mais lorsque vous y êtes confrontée, vous êtes toujours débutante. Certains prétendent que l'amour n'est que le fruit de nos attentes, que rien n'égale jamais le premier, que la vie n'a plus d'intérêt une fois qu'il s'en est allé. À mon humble avis, les seules vérités qui vaillent sont celles que vous découvrez grâce à celui pour qui votre cœur s'emballe. On n'apprend pas à aimer seule. C'est avec l'autre, pour l'autre, que naît votre propre façon d'aimer. À condition, bien sûr, d'avoir la chance de rencontrer celui qui pourra vous faire cet effet-là. Votre amour durera aussi longtemps que vous avancerez du même pas dans la même direction.

Ce qu'elle dit me touche. Elle est émue. Elle lisse le revers de sa blouse blanche d'une main qui semble chercher quelque chose à quoi se raccrocher. Se cramponner au symbole de ses quinze ans d'études pour résister à ce que ses quarante ans de vie lui ont appris. Elle renverse légèrement la tête en arrière.

— Dire que je n'ai pas été capable de formuler mon sentiment intime aussi simplement pour mes propres enfants ! Chère Laura, décidément, vous m'obligez à voir le monde différemment.

Elle se ressaisit, et s'efface à nouveau derrière son masque d'experte. La dignité est souvent le paravent d'immenses chagrins.

— Revenons à vous, Laura. Je ne vous ai pas encore posé notre question rituelle : quel est le plus ancien de vos souvenirs qui soit revenu ces derniers temps ?

— Je me suis rappelé à quel point la vie est plus belle lorsqu'on croit enfin pouvoir la vivre à deux.

29

Un véhicule utilitaire déboule de la rue principale et s'engage sans ralentir sur le parking de la
mairie. Il va si vite qu'il semble promis à un virage
sur deux roues. Le bolide me frôle en crissant des
pneus. Je reste tétanisée, cramponnée à mes rapports comme s'ils pouvaient me protéger.

Si je m'étais trouvée quelques pas plus loin,
j'aurais valsé comme une marionnette. Ma survie
ne s'est jouée qu'à une poignée de secondes. Il
aurait suffi que je quitte notre service une bise plus
tôt ou sans échanger trois mots avec Stéphanie à
l'accueil, et j'étais bonne pour la grande faucheuse,
qui aurait pris cette fois la forme d'une fourgonnette frappée aux armes de notre commune.

À quoi tient une vie ? Quelle phénoménale suc-
cession de conjonctions faut-il pour échapper au
pire... ou pas ? Tout ce qui nous arrive n'est-il
qu'une question de tempo, de trajectoires croisées,
de rendez-vous qui coïncident ? Je suis convaincue
que c'est vrai des accidents comme des grandes
histoires d'amour. À deux mètres près, j'y passais. J'imagine déjà les feuilles de mes dossiers
volant dans les airs et retombant sur mon corps
inerte. Sur le coup, ce n'est pas d'être disloquée qui
m'aurait le plus embêtée, mais le retard que cela

aurait provoqué dans le traitement des demandes d'aides urgentes.

Tandis que je divague, le véhicule effectue encore deux manœuvres sèchement avant de s'immobiliser en biais sur une place réservée aux livraisons. Un jeune homme en descend comme un diable. Je le reconnais.

Le fait est que je reconnais de plus en plus de gens. Sans mal de tête, sans effort, des choses me reviennent chaque jour davantage au contact de ceux que j'ai pu fréquenter avant mon accident. Cela ne fonctionne pas systématiquement, mais quand ça se produit, c'est spectaculaire. Le processus se déclenche toujours de la même façon. Si on me parle de quelqu'un, même en me le décrivant ou en me racontant notre passé, rien ne me vient, je ne réussis pas à le restituer. Si par contre, la personne apparaît devant moi, de plus en plus souvent son historique jaillit des archives de ma mémoire et s'affiche dans ma tête avec une précision clinique. Ça peut arriver lors d'une rencontre fortuite dans un couloir, en apercevant quelqu'un à une table voisine, dans la rue, n'importe où. Plutôt déstabilisant. J'ai noté que cela ne se produisait qu'avec les gens que je n'ai pas revus depuis mon accident. Par exemple, de Lucie, je ne sais toujours que ce qu'elle m'a dit depuis l'hôpital ; de Mélanie aussi, de mon père, de mes frères, ou de Kayane également. Si notre rencontre avait eu lieu ces jours-ci, je me serais probablement souvenue de tout ce qu'il se reproche ! Je n'en ai pas envie. Mon amnésie est sans doute une chance pour ce que nous risquons de vivre. Avec ceux que je recroise à présent, c'est autre chose. Je vis un paradoxe de plus : plus je les retrouve tardivement, plus j'en sais sur eux !

D'une certaine façon, le fait de me souvenir de ces tranches de passé me simplifie un peu l'existence, mais sur le fond, mon disque dur se remplit à une vitesse effrayante d'informations qui ne me manquaient pas. À croire que je préfère les questions aux réponses. Quand on ne sait rien, tout est possible. Le mécanisme de ces flashs demeure très mystérieux et ne concerne que des individus, car si mon facétieux cerveau m'autorise désormais davantage l'accès aux données concernant les gens – en tout cas certaines personnes – il m'interdit toujours de me souvenir de ce qui relève de l'aspect matériel de la vie, pour mon malheur et la plus grande joie de mes proches. Je reste démunie face aux situations les plus communes, sans parler de la tête que je fais devant certaines machines... Avez-vous déjà pleuré devant un ouvre-boîte parce qu'il refuse d'agrafer vos papiers ? Et qui obéit à une machine parce qu'elle lui dit « insérez une pièce » sans savoir ce qu'elle va en faire ? Je me suis fait avoir deux fois : la première devant un mini-manège pour enfants dans le hall du centre commercial – je l'ai regardé tourner à vide ; la deuxième devant une borne de vente de tickets qui m'a réellement adressé la parole. Elle me parlait à l'impératif... Je n'avais pas besoin de dix-huit tickets ! Cette satanée machine aurait dû me rassurer, un truc du genre : « C'est bon, ça va maintenant. Laisse la place aux autres qui commencent à grogner derrière toi. » Mais non. C'est à nous de savoir. Tellement de données à intégrer pour s'en sortir un minimum dans notre société...

Je suis toujours sur le bord du parking, heureuse d'être en vie avec dix-huit tickets dans mon porte-monnaie.

Le jeune homme qui a failli me renverser arrive vers moi en courant et me hèle :

— Laura !

Il doit avoir l'âge d'Antonin, une course d'athlète, des jolies fossettes et des cheveux brillants. Tout me revient d'un coup : il s'appelle Sébastien, c'est le coursier de la mairie mais il assure aussi d'innombrables petites missions pour les services. Il est réputé pour sa conduite de dingue, mais n'a jamais eu le moindre accident. Plus personne ne monte avec lui mais tout le monde est très satisfait de la vitesse à laquelle il accomplit son travail. Une fois, alors qu'il venait d'arriver, je lui ai demandé de m'emmener voir une administrée. Moi qui déteste les manèges à sensation, j'ai été servie. Je suis arrivée tellement blême et l'estomac en vrac que c'est la petite dame qui avait tous les ennuis de la terre qui a pris soin de moi.

— Bonjour Sébastien. La forme ?

— Super ! À fond ! Dis donc, j'ai su ce qui t'était arrivé, c'est moche. Content de voir que tu vas mieux.

— Merci. Mon accident devrait nous servir de leçon à tous.

— C'est sûr, si t'avais porté un casque, comme les pilotes de formule 1...

— Je me disais plutôt que tu devrais rouler moins vite.

— Possible. Je devrais aussi être mieux payé, manger moins de burgers et arrêter d'obéir aux petits chefs. Comme quoi on ne fait pas toujours ce qu'il faut !

Il remarque mes dossiers.

— C'est pour la commission ? Tu veux que je les dépose en mairie pour toi, histoire de te faire gagner du temps ?

« Me faire gagner du temps. » Un vrai pari sur l'avenir. Est-ce que ce temps gagné me permettra de croiser la fulgurante comète du grand amour ? Ou d'être pile à l'heure au rendez-vous avec la mort ? J'hésite.

Il se montre décidé à me rendre service et je n'ai aucune raison de repousser sa bonne volonté. Tant pis s'il accélère mon destin au point de me retrouver juste sous le piano qui tombe. Ou alors sous le coffre-fort que des malfrats ont piqué par hélicoptère et qui se décroche exactement au moment où je passe. Je sais, je regarde trop de films. C'est vrai qu'on ne fait pas toujours ce qu'il faut !

Je lui tends mes dossiers.

— Avec le travail qui m'attend, ce n'est pas de refus. Merci, Sébastien.

— Je t'en prie. On m'avait prévenu que tu ne reconnaissais personne. Ça me fait hyper plaisir que tu te souviennes de moi.

Effectivement, je me souviens de lui, et je sais que je l'ai toujours beaucoup apprécié – sa conduite mise à part. Il s'éloigne en me saluant comme un pilote militaire qui s'en va sauver le monde.

Je l'ai reconnu, c'est un fait. Et facilement encore. Je crois pourtant que je vais garder cette nouvelle pour moi. Mon instinct me souffle qu'il vaut mieux rester discrète sur le retour de cette aptitude. Je vais continuer encore un peu à faire l'innocente. Pour me laisser le temps. Pour entendre Mélanie, mon père et Lucie m'expliquer qui sont les gens qui font ma vie. J'aime les écouter. Quand ils me racontent la vie et les autres, nous partageons un peu plus qu'un quotidien banal.

À travers leur perception de ceux qui nous entourent, nous abordons l'intime vision de nos existences – un sujet sur lequel on échange appa-

remment assez peu en temps ordinaire. Mon incapacité à gérer les aspects matériels de la vie va
m'aider à camoufler la mémoire qui me revient
au sujet des gens. Il va falloir mentir un peu, mais
là-dessus aussi, je sens que je peux vite progresser.

30

Je ne voulais pas me rendre à cette soirée. Peur du monde, peur d'être tout à coup confrontée à trop de souvenirs. Je suis encore fragile, et chaque journée constitue un voyage émotionnel qui me laisse sur les rotules. Nuit après nuit, mon pauvre esprit doit trier, classer, et surtout essayer d'assumer tout ce que j'ai redécouvert durant les dernières heures. Données, concepts, relations, principes, lois, limites... Un joli foutoir ! Les enfants mettent quinze ans à gravir cette montagne que j'escalade en quelques mois, et eux n'ont pas un travail à assurer en plus ! Mais Lucie a insisté pour qu'on y aille. L'occasion est trop belle. Retrouver en une fois presque tous ceux avec qui nous avons vécu nos années lycée... Les mêmes, dix ans plus tard. On dirait le sujet d'un film. Que sont-ils devenus ? Ont-ils changé physiquement ? Les belles se sont-elles écroulées ? Les neuneus ont-ils progressé ? Les gentils ont-ils réussi à le rester ?

Depuis des jours, Lucie me saoule en évoquant nombre de nos anciens camarades, pariant sur la façon dont ils ont pu tourner. Je l'écoute, mais je ne sais pas de qui elle parle. Il me faudra les croiser en vrai pour avoir une chance de les identifier personnellement.

La fête est organisée pour célébrer le retour de Jonathan, ingénieur en génie civil, après cinq années passées en Afrique à creuser des puits, construire des routes, et même un pont. C'est une amie perdue de vue, Sonia, déjà déléguée de classe en terminale et habituée à mener son monde, qui a saisi cet excellent prétexte pour tout mettre sur pied. C'est par contre Amanda qui a eu l'idée de demander à tous les participants de porter le costume du métier qu'ils pratiquent. Lucie et moi sommes bien embêtées. Un pompier possède un uniforme, un boucher se reconnaît à sa tenue, une infirmière aussi. S'il existe un spationaute dans la bande, il va crever de chaud. Mais nous ? Après avoir envisagé de nous présenter avec, autour du cou, un écriteau indiquant le numéro vert pour les femmes battues ou celui des urgences sociales, nous avons imaginé rappliquer déguisées en expulsée ou en divorcée affamée. Mais connaissant le manque cruel de second degré de notre époque, nous avons renoncé. Cette folle de Lucie a bien tenté de me convaincre de faire croire qu'on était danseuses étoiles ou horticultrices pour se pointer en tutu ou avec une tête de marguerite, mais j'ai catégoriquement refusé. Je commence à peine à réussir à m'habiller normalement...

C'est donc en « jeunes femmes lambda » que nous arrivons au lieu de rendez-vous.

Dès le parking, tout le monde s'observe en espérant se reconnaître. Deux garçons sautent de joie en cognant leurs torses bombés. Les gorilles font ça dans les documentaires, une sorte de rituel viril qui favorise la sécrétion de testostérone. Ça promet. J'irai manger ma banane loin derrière un arbre. À moins que je ne trouve des larves dans une souche…

À l'entrée, Sonia gère l'accueil. Elle pointe l'index vers nous.

— Tu es Laura, et toi Lucie. Bienvenue les filles, ça fait un bail !

Je la reconnais. On s'embrasse. On fait des bruits de joie, à mi-chemin entre le chant de la baleine et un jouet pour chien. Je ne savais même pas que je pouvais produire ce son-là. Sonia n'a pas trop changé. Toujours sa coupe garçon et sa façon de vous regarder droit dans les yeux. Au lycée, cela me mettait un peu mal à l'aise mais aujourd'hui, j'apprécie. J'ai grandi. Surtout depuis quelques semaines.

— Merci d'avoir organisé la soirée, Sonia. Désolée pour le costume qui n'a rien de grandiose, mais Lucie et moi sommes assistantes sociales…

— Pas de problème, on a prévu des badges pour clarifier les cas ambigus.

« Cas ambigus » ? J'espère qu'on ne va pas finir avec une pancarte « Feignasse payée par nos impôts »…

En un rien de temps, dûment étiquetées, nous voilà propulsées dans la salle. Nous arborons nos prénom, nom, job et statut. Mariée ou pas, enfants ou pas. Pour Lucie et moi, c'est « ou pas ». Un vrai club de rencontres. Il ne manque plus que notre composition chimique, notre bilan sanguin et une date de péremption pour finir au rayon viande en répondant aux normes européennes.

La salle est déjà bien remplie. Outre nos anciens camarades de classe sont également présents les éventuels conjoints, plus quelques anciens profs et aussi des amis de Jonathan. Mes capteurs sont saturés, j'entends trop, je vois trop, je ne pense pas assez vite. Je croise un homme en tenue de footballeur américain, un chirurgien, une hôtesse de l'air, un avocat, un militaire, un cuistot, une vétérinaire qui porte un chien en peluche sous le bras, un plombier qui me rappelle quelqu'un mais je ne sais plus qui. Il y a aussi beaucoup de gens avec le même genre de badge que nous. Je suis déçue, il n'y a ni spationaute, ni plongeur-scaphandrier.

J'ai la sensation d'évoluer dans un rêve. Les chansons de notre jeunesse qui passent en fond et les lumières tournoyantes qui remaquillent chacun d'éclats colorés aléatoires n'aident pas à s'ancrer dans le réel.

Le premier que j'identifie est Jonathan. Facile, car il se tient au centre de la salle et fait l'objet de toutes les attentions. Il me paraît plus grand que dans mon souvenir. Il a les cheveux mi-longs et la même façon de balancer les bras quand il parle.

— Laura ! Lucie !

Il nous embrasse. Je me souviens qu'avant, il était timide à ce jeu-là. Il osait à peine nous toucher et ne posait que le bout des lèvres sur notre joue. C'est un homme bien dans sa peau qui nous étreint ce soir.

— On a tellement de choses à se raconter ! fait-il, la main sur notre épaule.

Je réplique :

— Surtout toi ! Tu as dû vivre des expériences incroyables. Le retour n'est pas trop perturbant ?

— Tous mes repères à retrouver, c'est tellement différent de là-bas…

Moi qui reviens d'un long séjour dans le Coma, je le comprends parfaitement.

Lucie se fige et regarde fixement devant elle. Qui a bien pu lui faire cet effet-là ? Je suis son regard...

Lucas. À l'époque, elle en pinçait sérieusement pour ce garçon. Pendant deux mois, elle avait même dormi avec une chaussette qu'elle avait réussi à lui subtiliser. On attrape ce qu'on peut. Comme une zombie à qui revient le goût de la chair fraîche, elle nous abandonne et se dirige droit sur lui, les bras tendus. Jonathan s'est lui aussi détourné. Il accueille déjà d'autres amis.

Je reste seule au milieu de la foule qui se densifie. Je suis témoin de dizaines de scènes émouvantes ou cocasses. Une fille caresse le ventre rebondi d'une amie qu'elle découvre enceinte. Lucie se jette au cou de Lucas. Ce soir, elle a une bonne excuse pour l'enlacer comme elle avait rêvé de le faire il y a de cela un certain nombre d'étés. Jennifer est toujours aussi belle. Franz parle toujours aussi fort. Tina a déjà renversé son verre. J'ai peur que sa légendaire maladresse n'ait pas régressé.

De partout, les informations et les émotions me transpercent. Mon cerveau tourne à plein régime. Baptiste vient m'embrasser, on discute un peu mais les sollicitations sont si nombreuses... Il faudra que la soirée se stabilise et s'apaise pour que l'on puisse à nouveau renouer contact autrement que super-ficiellement. Vue du haut, la salle ressemble sans doute à une piste d'autos tamponneuses, ou mieux, à une fourmilière affolée. Chacun court partout dans une multitude de trajectoires désordonnées. Nous ne sommes que des petites bestioles cavalant en tous sens, attirées les unes par les autres. On se frôle, on se frotte les antennes et on repart ! Dans ce schéma, Jonathan serait la reine.

Il faudra que je remercie Lucie de m'avoir convaincue de venir. Je me sens bien. C'est étrange. J'ai l'impression d'avoir dix-sept ans et d'être en sécurité. Pour la première fois, je perçois ma relative jeunesse comme une force et non plus comme une faiblesse. Cette salle est remplie d'affection, de joie et de promesses. J'ignore encore à quel point. Mais qui donc a crié : « À poil ! » ?

puissants pour toujours. Et tout le monde.
Autre bienfait de cette réunion : je ne suis pas

31

Toutes les stars de mon adolescence sont là.
Même les seconds rôles et la plupart des figurants.
Cette soirée est un long plan-séquence, rempli de
dialogues drôles et touchants. Une vraie super-
production, et en costumes, s'il vous plaît. Chaque
fois qu'un nouveau personnage fait son entrée, la
mise en scène est différente, mais le résultat reste
toujours identique. On se plante les uns devant
les autres, on échange trois mots pour resituer
le décor, et tout à coup, un saut dans le temps à
deux fait resurgir le passé ! Les pupilles se dilatent
de stupéfaction, les cris d'enthousiasme fusent, les
effusions s'imposent avec une chaleur qui déborde
toutes les barrières que la vie nous a obligés à
dresser. On est instantanément proches, comme si
on s'était quittés la veille. Je suis même contente
de tomber sur celles et ceux que je n'appréciais
pas à l'époque. Le temps ne fait pas que dégrader.
Comme si renouer avec un passé commun suffisait
à combler les fossés. Ce soir, il n'y a plus de clans,
plus de petites histoires, plus de rancœurs dont
on a d'ailleurs oublié les sources. Nous sommes
tous rescapés d'une vie qui n'épargne personne,
échoués sur cette plage sous un soleil qui change
constamment de couleur, loin de nos routines. Les

vagues du bain de jouvence qui déferlent sont assez puissantes pour submerger tout le monde.

Autre bienfait de cette réunion : je n'y suis pas la seule à avoir la mémoire défaillante. Quel bonheur ! Je ne suis plus l'unique créature à cervelle trouée ! Il y en a même tellement qui ont du mal à identifier leurs anciens proches qu'on se croirait au congrès des Amnésiques Anonymes.

— Tu dois être Laura ?

— Antoine ! Je n'arrive pas à y croire !

Les yeux qui s'écarquillent, la voix qui s'envole, les bras de l'un qui se referment sur l'autre.

— Tu es magnifique. Qu'as-tu fait de ton inséparable Lucie ?

— Elle ne doit pas être loin, sans doute pendue au cou d'un rêve de jeunesse.

On se dévisage, vraiment heureux de se retrouver. Je crois qu'il avait un petit faible pour moi. Il n'a jamais rien tenté et je n'ai jamais rien demandé. Éprouvait-il vraiment quelque chose, ou était-ce moi qui me l'étais imaginé ? Typique de ces innombrables histoires qui restent en suspens, comme ces étoiles dont l'éclat illumine nos nuits. Que serions-nous devenus si nous avions avoué ? Partagerait-il ma vie ? Aurions-nous douze enfants ? On se serait peut-être reçu le piano à deux au lieu d'un... La mort aime sans doute aussi les lots économiques, puisque nous sommes son supermarché.

Mais pour le moment, Antoine et moi sommes bien vivants. C'est avec lui que j'avais cambriolé le casier de la prof de maths pour connaître les sujets la veille de l'examen blanc. Notre classe avait obtenu une moyenne qui n'a jamais été égalée depuis. C'était stupide, mais quel souvenir ! C'est aussi à lui que je refilais la plupart de mes entrées suintantes de graisse à la cantine. Il en a d'ailleurs fait quelque chose d'assez joli. Là encore, c'est un superpouvoir que nous envions aux garçons.

Je le questionne sommairement, façon radar à large spectre qui cherche à évaluer le terrain :

— Que deviens-tu ?

— Jeune marié, avec une camarade d'école supérieure, et nous avons une petite fille de deux ans. Et toi ?

J'ai été très proche d'un poney, mais nous avons rompu à cause d'un arbre. Depuis, je chasse le mâle avec un Caddie.

— Assistante sociale. Pas grand-chose d'autre à dire pour le moment.

— Assistante sociale... Ça te va bien. Toujours à t'occuper des autres plus que de toi-même.

Mon radar détecte une mine.

— Tu dis ça parce que je te laissais copier l'anglais.

— Pas uniquement...

Sa femme nous rejoint. Elle a l'air adorable. Ce genre de fille qui ne laisse rien au hasard, de la blancheur de ses dents à la moindre boucle de ses jolis cheveux qui tombent en cascade sur ses épaules dénudées juste ce qu'il faut. Elle a raison de ne pas laisser traîner son Antoine. À sa place, je ferais pareil. Lui et moi échangeons quand même un regard qu'elle ne pourra pas comprendre. Notre moment n'aura pas duré longtemps, mais c'était drôlement bien. Les gentilles fourmis nous séparent et nous emportent, antennes au vent, prêts à d'autres contacts.

En discutant avec la plupart de ceux dont j'ai partagé l'adolescence, je m'aperçois que les années n'ont rien modifié de ce que nous sommes au fond. Chacun s'est taillé un costume social, pas toujours sur mesure. Toutes et tous ont appris à donner le change et à jouer un rôle, dont nous avons souvent vécu les répétitions lors de nos années fondatrices. Mais si l'on gratte un peu, la matière brute n'est jamais loin, et c'est cette partie-là que je préfère. Tout le jeu consiste à savoir si nous sommes du même bois, d'une santé de fer ou face à des cœurs de pierre.

Le docteur Lamart a manifestement raison : en grandissant, nous apprenons à maîtriser nos émotions, mais ce soir je mesure à quel point il est agréable de désactiver ces filtres pour n'être que soi-même. Face à ces gens qui vous connaissent depuis si longtemps, à travers des liens noués à l'époque où nous ne savions pas encore faire semblant, il devient inutile de mentir ou dissimuler. Les autres savent qui vous êtes souvent mieux que vous-même, et s'ils vous acceptent, vous n'avez plus besoin de douter de vous. Vous pouvez exister.

Nous avons tous tellement à raconter que la musique reste en sourdine et que personne ne boit trop. Sauf Noah qui, le pauvre, a sans doute besoin de cela pour supporter le difficile constat que, contrairement à tous ses potes, lui n'a pas trouvé sa voie. Certains miroirs sont douloureux. Il n'est bien sûr pas le seul ici à être dans cette situation. J'espère que prendre conscience que son cas n'est pas rare pourra le soulager. Je suis prête à lui raconter ma vie pour qu'il aille mieux.

Sonia prend la parole. La soirée n'en est qu'à son début et pour cette grande occasion, Jonathan a préparé une projection de ses réalisations en Afrique ainsi qu'un florilège de ses conditions de vie parfois rocambolesques. Amanda et Tiffany ont de leur côté réalisé une compilation de photos et de petits films exhumés d'un passé pas toujours glorieux ! J'ignore qui a eu l'idée de mélanger les deux, mais le résultat est absolument génial. À une photo de puits creusé entre des huttes traditionnelles – sobrement légendée par Jonathan – succède la tête de Thomas en pleine période revival disco avec option acné furieuse, qui se passe de tout commentaire. Nous découvrons un rond-point écrasé de soleil, puis un numéro de danse au gala du lycée. Une tronche d'abruti qui en porte un autre en équilibre, puis un pont couvert d'autochtones fiers de ce qu'ils ont bâti. Tout le monde paye cher ! Mélange des genres pour un même plaisir. Grâce à Jonathan, nous découvrons un autre monde et avec nos photos, nous retrouvons un autre temps.

Comme pendant les exposés au lycée, je me suis placée au fond, contre un pilier. Pour m'offrir du recul dans tous les sens du terme, une vue d'ensemble sans personne derrière. Afin que chacun puisse assister à ce diaporama délirant, on a éteint les lumières, et seul l'écran irradie sa clarté sur la salle. L'assistance alterne émotions, fous rires et applaudissements spontanés. Jonathan a réellement vécu des années fantastiques au service de gens qui se battent pour se développer dans un monde qui veut s'approprier le peu qu'ils ont, et nous avions vraiment des têtes impossibles, mais de l'énergie et des idées tordues à revendre.

Tout à coup, à cause de la surchauffe ou parce qu'il n'a pas supporté la tête de Valentin au soir de sa première cuite, le projecteur tombe en panne, plongeant la salle dans une obscurité complète. Personne ne panique, beaucoup sifflent et s'esclaffent. Joli moment suspendu qui ajoute encore à la légende de cette mémorable soirée.

C'est là que j'entends cette voix. Je me dis d'abord qu'elle est due à l'un de mes « charmants dysfonctionnements ». Mais aucune hallucination ne vous parle jamais comme ça.

32

— Bonsoir Laura.

Je me tourne vers la voix, mais l'obscurité m'empêche de distinguer quoi que ce soit. Je perçois cependant une présence, proche. Animée par l'esprit léger de la soirée, je suis simplement curieuse.

— Qui c'est ?

— Qui je suis n'a pas d'importance. Ce qui compte, c'est ce que je peux devenir pour toi. Disons que je suis un potentiel.

Sans être inquiétante, la voix a quelque chose d'extrêmement sérieux. J'ai un mouvement de recul.

— N'aie pas peur. C'est moi qui risque le plus. Je suis à ta merci. Mais l'occasion est trop belle et j'attends depuis si longtemps...

— Que voulez-vous ?

Dans le noir, je songe à chercher de l'aide, mais l'attention de ceux qui me tournent le dos est accaparée par les tentatives de réparation du projecteur en panne.

— J'ai toujours redouté de t'avouer mes sentiments, Laura. Mais ils n'ont jamais varié.

— On se connaît ?

— Je te connais. Toi, tu ne m'as jamais témoigné que de la sympathie. Quel mot horrible, lorsque c'est tout ce que l'on obtient de celle que l'on aime...

Je suis coincée contre le pilier. S'il pose la main sur moi, je lui griffe la figure.

— Je repose ma question : que voulez-vous ?

— Une chance.

— Une chance de quoi ?

— D'être pris au sérieux par la femme que tu es devenue.

— Que savez-vous de celle que je suis ?

— Je t'observe depuis des mois. Je suis rarement loin de toi. J'ai eu peur pour toi lors de ton accident. Je suis venu te rendre visite lorsque tu étais inconsciente à l'hôpital. Je pouvais alors t'approcher sans crainte. Ce soir, j'ai entendu chacun des mots que tu as prononcés pour d'autres.

— Vous m'espionnez. C'est extrêmement grossier, et c'est illégal.

— Je sais, mais aucune autre alternative n'était possible. Aujourd'hui, si on vous fait la cour, vous prétendez qu'on vous harcèle et on est d'emblée coupable de tous les vices. D'un autre côté, si on ne vous témoigne aucune attention – ce qui est à peine moins condamnable – vous nous accusez de ne pas vous donner la place qui vous revient, et on est alors catalogué homo ou impuissant.

— Les femmes ont de bonnes raisons de se méfier.

— C'est vrai. Mais alors, que faire quand on est un homme qui ne ressemble pas aux crétins qui salissent notre image ? Devons-nous accepter de payer les crimes commis par d'autres au seul prétexte que nous sommes du même sexe ? Comment s'y prendre pour ne pas se retrouver interdits de séjour auprès de vous à cause des pires bestiaux de notre espèce ?

— Il suffit peut-être de nous parler simplement, en plein jour, et pas de cette façon.

— Impossible. Je risque trop. Non parce que j'ai quelque chose à me reprocher, mais parce que tu es tellement importante pour moi que j'ai peur d'échouer à te convaincre.

— Me convaincre de quoi ?

— De me laisser t'aimer en attendant que tu apprennes à m'aimer en retour.

— Ce n'est pas ainsi que cela fonctionne. L'amour doit être réciproque. Nous ne sommes plus à l'époque des mariages arrangés. Nous sommes libres de choisir !

Il m'énerve. Je souffle et grogne :

— Mais pourquoi suis-je en train de parler de ça avec un type dont je ne sais rien et qui se terre dans l'ombre ?

— Tu réagis à mes propos parce qu'ils provoquent quelque chose en toi. Trouver l'autre constitue le cœur de nos vies, n'est-ce pas ? C'est la seule vraie réponse à nos peurs, à nos limites. Une fois que l'on navigue à deux, tout devient possible. Seul, on finit toujours par se perdre. J'en suis convaincu. Pas toi ? Je n'ai pas l'intention de te choisir contre ton gré, de m'imposer, j'ai juste envie de te proposer ma candidature sans avoir à subir de préjugés. Cela doit te parler, j'imagine...

Bien que je sois très mal à l'aise et sur mes gardes, ses mots résonnent en moi. Je murmure :

— Pourquoi moi ?

— Depuis le premier jour où je t'ai remarquée, j'ai aimé celle que tu es. Chaque fois que je t'ai vue agir, je me suis un peu plus attaché. Instinctivement. Sans me poser de questions. Puis nos routes se sont séparées et j'ai tenté ma chance ailleurs. J'ai vécu de jolies histoires, mais au fond de moi, je dois avouer que je comparais toujours celles que j'espérais aimer à ce que tu représentais pour moi. La réponse m'a toujours empêché d'aller plus loin. Alors j'ai cessé de chercher ailleurs ce que je savais où trouver. La question qui se pose serait plutôt : pourquoi t'approcher maintenant ?

— Dites toujours.

— Parce que j'ai pris le temps d'envisager, parce que tu es célibataire, et surtout parce que je sais que tu doutes aussi. Nous ne sommes plus à l'âge des décisions aveugles.

Pour un mec qui se déclare dans le noir, l'image est gonflée. Si seulement j'étais équipée de capteurs optiques infrarouges...

— Jeune, j'ai senti ta valeur, ajoute l'inconnu. Aujourd'hui, je la mesure pleinement.

— C'est gentil. Je me demande quand même si tout ceci n'est pas une blague... Mathieu, si c'est toi, je te jure...

Il s'esclaffe.

— Je ne suis pas Mathieu. Et ça n'a rien d'une blague.

D'après les commentaires à l'autre bout de la salle, je devine que le projecteur est sur le point d'être ranimé. Si la lumière revient, je vais enfin savoir à qui j'ai affaire.

— Je ne plaisante pas, Laura. Pardon pour les circonstances de cette annonce, mais tu es la femme de ma vie. Pas question de te forcer... j'éprouve juste l'envie d'un élan qui pourrait être partagé. Je me doute de ce que cette révélation peut avoir d'étrange. Pour toi, elle est brutale, inattendue, probablement malvenue. Pour moi, elle marque l'aboutissement d'un parcours solitaire. Dans ta poche, tu trouveras un numéro de portable qui t'est exclusivement réservé. Tu peux m'appeler quand tu veux, à n'importe quelle heure du jour ou de la nuit. Je serai toujours disponible pour toi. À compter de cette minute, je n'ai plus rien d'autre à faire que t'espérer. T'attendre ne me pose aucun problème, parce que je sais que tu existes.

Sa phrase fait disjoncter mon cerveau. Je l'ai déjà pensée, au mot près.

— À quel moment nous sommes-nous connus ?

Il ne répond pas.

— Dites-moi au moins cela…

La lumière se rallume. Je suis prête à bondir, mais il n'y a personne auprès de moi. D'un œil suspicieux, j'inspecte mes voisins mâles les plus proches. Se peut-il que mon mystérieux prétendant soit l'agent immobilier frisé comme un mouton ? Ou alors son voisin, le violoniste ? Tous sont occupés à rire des photos qui viennent de faire leur grand retour.

J'ai dû rêver. Je suis folle. Comme si ma vie n'était pas comblée avec Kayane et notre aventure balbutiante. Il faut vraiment que j'arrête de me faire des films. Où vais-je chercher tout ça ? Le type qui brûle d'amour pour moi dans le noir ? Si au moins c'était une lumière, j'aurais pu le voir ! N'importe quoi. Grandis un peu, Laura !

Avant de rejoindre la foule, je vérifie ma tenue. En glissant machinalement la main dans ma poche, je me pique l'index sur l'angle d'un bristol. Un frisson dévale mon dos.

Tremblante, j'extirpe un petit rectangle de papier cartonné sur lequel je découvre un numéro de téléphone. Je n'ai pas rêvé. C'est un cauchemar.

33

Lucie se frotte les mains comme s'il s'agissait d'une aubaine.

— Un garçon s'interesse à toi ! Les affaires reprennent ! En piste, jeune aventurière !

Aussi fascinée qu'incrédule, je la regarde s'exciter toute seule. Si elle s'emballe davantage, elle va encore couiner comme un caribou.

— Comment peux-tu te réjouir de ce qui m'arrive ? Je te raconte que j'ai un psychopathe aux trousses et toi, tu es folle de joie !

— Certes, sa méthode d'approche est peu orthodoxe, mais d'après ce que tu me confies, il n'a eu ni gestes déplacés, ni propos menaçants. Il t'a même dit des choses que je rêve d'entendre...

Je suis scandalisée par sa réaction.

— D'après toi, j'ai de la chance ? Explique-moi en quoi, s'il te plaît. Tu me reproches de vouloir fréquenter Kayane, un beau garçon qui, lui, ne cache pas son nom, qui me demande pardon pour ses erreurs passées – que j'ai d'ailleurs oubliées – et qui veut m'inviter en vacances... Tu as même cherché à me « désintoxiquer » à coups de portemanteau parce que j'avais osé aller boire un verre avec lui, et là...

Lucie dresse l'index en l'air et proteste :

— Techniquement, il s'agissait davantage d'un désenvoûtement – voire d'un exorcisme, même si l'emploi du mot « désintoxiquer » est intéressant et que le portemanteau n'était pas l'outil le plus approprié...

— Peu importe ! Toujours est-il que je suis supposée me méfier et renoncer à cet homme dont le comportement est idyllique, alors que je devrais sauter de joie pour un type qui se planque dans le noir, espionne mes conversations et se permet même de m'approcher pendant que je suis dans les vapes à l'hôpital, au risque de me faire subir toutes ses turpitudes ! T'es malade ou quoi ?

— Évidemment, présenté sous cet angle... Mais puisque tu laisses une chance à ce Kayane dont tu es la seule à avoir oublié les méfaits, pourquoi ne pas en laisser une à cet inconnu ? Il t'a donné son numéro ? Une ligne rien que pour toi, jour et nuit, comme les agents secrets en cavale et les super-héros. C'est quand même méga romantique !

— Tu oublies un point fondamental, Lucie : j'ai envie de Kayane, il me fait de l'effet. Alors que le mystérieux gugusse ne m'intéresse absolument pas. Il l'a admis lui-même, je ne lui ai jamais témoigné d'attention particulière. Il doit bien y avoir une raison ! Pourquoi devrais-je me forcer aujourd'hui ?

— Dans ces conditions, pourquoi m'en parles-tu ?

— Parce que je flippe et que je veux que tu flippes avec moi ! Je me sens totalement démunie ! Je suis tellement stressée depuis son petit numéro que chaque fois que j'éteins la lumière, j'ai peur d'entendre sa voix. Grâce à ce crétin, j'ai à nouveau peur du noir ! Figure-toi que j'ai installé une veilleuse dans ma chambre...

— Les toubibs ont bien dit que tu étais retombée en enfance.

— Ne mets pas cela sur le compte de mon accident. D'ailleurs, puisque nous en sommes à l'analyse de cas, quel genre d'homme s'avance masqué à ce point quand il veut se faire connaître d'une femme ? Quel genre d'homme utilise la ruse et l'espionnage pour séduire celle pour qui il éprouverait soi-disant un sentiment si fort ?

— Un timide ?

— Plutôt un pervers ! Ou un mec tellement moche qu'il est obligé de ne parler aux gens que dans le noir !

Lucie blêmit.

— Tu as raison. C'est terrible. Si ça se trouve, il est intégralement difforme. Il est tellement laid qu'il repousserait une mouche à vaches. Il a des tentacules, des gros yeux à facettes et six trous de nez. Il s'est échappé d'un laboratoire d'expérimentation et il a jeté son dévolu sur toi. Il dit qu'il t'aime mais il veut juste te manger. Ou alors tu es la première qu'il a vue et il te prend pour sa mère.

Soudain, Lucie se fige. On la dirait pétrifiée. En général, elle fait sa tête d'empaillée quand elle réfléchit violemment, juste avant de m'annoncer une des solutions miracles dont elle a le secret. Elle s'anime à nouveau.

— T'en fais pas, Laura ! Je vais venir dormir chez toi. Je monterai la garde dans le couloir avec un fer à friser brûlant et un moule à gaufres.

— Pourquoi un moule à gaufres ?

— Tu verras bien quand il se pointera avec ses six trous de nez...

Elle me prend tout à coup les mains et implore :

— Pardon, Laura. Pardon. Jamais je n'aurais dû t'abandonner pendant cette soirée. Tout est de ma faute. Si je n'étais pas allée batifoler ailleurs, il n'aurait pas pu t'importuner. Je suis impardonnable. J'aurais dû rester auprès de toi, ne pas te lâcher, comme je m'y suis engagée au nom de notre amitié. J'ai failli à ma mission.

Elle se frappe la poitrine et se tord les mains, les traits torturés par le remords.

— Vilaine Lucie, se maudit-elle, vilaine ! Si j'avais tenu ma place, j'aurais pu m'interposer. À nous deux, on aurait réussi à le capturer, ce poulpe visqueux !

— Ne te mortifie pas. C'était bien que tu puisses retrouver Lucas.

Lucie reprend instantanément son expression joyeuse, comme si ce que nous venions de dire n'avait jamais existé.

— C'est vrai que c'était formidable ! fait-elle, béate. Nous avons parlé, nous avons dansé ! Il a été adorable ! J'ai même réussi à lui toucher les fesses !

Lucie se met à se gondoler sensuellement au milieu du couloir, comme si elle revivait un de leurs slows. Je fronce les sourcils.

— Lucie, calme-toi ou je vais chercher un portemanteau...

— Inutile, rien ne sera possible entre Lucas et moi. Je ne suis pas son genre. Les hommes parfaits ont toujours une bonne raison d'aller voir ailleurs que chez nous.

— Il est casé ?

— Avec un autre beau mec. Je te raconte pas le choc quand j'ai pris conscience que leur bonheur nous retirait d'un seul coup deux candidats de choix. Quelle cata !

— Relativise. Il n'est pas le seul gars bien sur cette planète. Considère vos retrouvailles pour ce qu'elles sont : une excellente surprise. Ne t'en fais pas, quelque part, celui qui est vraiment fait pour toi doit déjà t'attendre.

— Il doit même commencer à s'impatienter, depuis le temps qu'on se cherche...

Elle me sourit tristement, avec dans le regard quelque chose qui ressemble à ce que j'avais remarqué dans les yeux du docteur lorsque nous avions évoqué l'amour.

— Heureusement que tu es là, Laura, soupire-t-elle. Il n'y a que toi pour me rassurer.

Soudain, elle se mange les mains en étouffant un cri.

— Laura, ce monstre qui t'a parlé dans le noir, il t'a bien donné un numéro de téléphone ?

— Oui, pourquoi ?

— Surtout, ne le compose pas ! Sous aucun prétexte. Détruis-le. Brûle ce maudit papier !

— Mais...

— Je viens de piger son plan diabolique. Il arrive d'une autre planète. Il file son numéro à des pauvres créatures en perdition...

— Tu sais ce qu'elle te dit, la créature en perdition ?

— Il compte sur le fait que tu vas finir par l'appeler et comme c'est un numéro surtaxé d'une autre galaxie, ça va te coûter ton plan épargne logement pour entendre de la pub en vénusien !

34

Pour l'anniversaire d'Antonin, Théo et Vanessa nous ont invités chez eux.

Assise face à mon père et à Viviane, j'ai pu noter que bien que n'étant pas, eux, de jeunes mariés, ils ont été tentés à plusieurs reprises de se prendre la main, mais se sont finalement abstenus. Si c'est parce que nous aurions été témoins de ce geste de tendresse, c'est dommage.

Mon père est ému. Par trois fois, il a répété que cela faisait plus de neuf ans que ses enfants n'avaient pas été réunis autour de lui à une même table.

On discute de tout et de rien, on prend des nouvelles. Un peu plus en détail parce qu'on a davantage de temps. Vanessa s'est donné du mal pour préparer le repas. Je suis vraiment heureuse d'être là, mais je reste quand même un peu spectatrice de ce moment particulier. Un pied dedans, un pied dehors.

Que me vaut l'honneur d'être ici ? À quoi tiennent les liens privilégiés que j'entretiens avec ceux qui sont présents à cette table ? L'appartenance à un clan ? Un patrimoine génétique identique ? Une histoire commune ? Notre proximité s'explique-t-elle par tout ce qu'ils ont accompli pour moi ou que j'aurais fait pour eux ? Ces questions méritent d'être posées.

Voilà seulement quelques mois, mes proches étaient de parfaits inconnus. J'étais incapable de les reconnaître. Des étrangers. Pourtant, ils sont mes frères, mon père, ma belle-sœur et ma belle-mère. Que recouvrent ces noms parfois barbares qui forment une famille ?

Théo, Antonin et moi avons grandi ensemble, sous le même toit, souvent dans les mêmes chambres. Nous avons partagé les fêtes, les vacances, les paquets de bonbons et les microbes. Nous avons été les témoins réciproques de nos premiers pas dans la vie. Eux s'en souviennent très bien. Moi, je n'ai récemment récupéré que quelques bribes de ces années communes. Mon père, quant à lui, s'est chargé de nous nourrir, de nous protéger. Il nous a logés, vêtus et envoyés à l'école. Il nous a aussi souvent fait part de ses convictions et de sa vision de la vie, avec une constante sincérité. Par un curieux hasard, il avait toujours envie de nous parler sérieusement au moment où le feuilleton que nous attendions comme des fous allait commencer à la télé. Même si je ne me souviens pas précisément de ses propos, j'en garde une impression forte et je sais qu'ils ont influencé ma personnalité. J'ai toujours perçu mon père comme bienveillant, raisonnable, mais aussi rempli de failles ou de fissures. C'est sans doute pour cela que l'on dit que certaines personnes sont fêlées. Avec le recul, je m'aperçois que j'ai toujours connu mon père à deux doigts de tomber en morceaux.

Finalement, je connais Vanessa et Viviane de façon plus complète et cohérente, paradoxalement parce que notre histoire est récente. Je dispose en mémoire de tout ce que je sais d'elles.

J'entretiens avec chacun une histoire unique. Tous contribuent à faire de moi ce que je suis, parce que mon père m'a donné la vie et son nom, parce que mes frères sont les premiers êtres – et accessoirement les premiers hommes – que j'ai côtoyés. Quelle étrange sensation de me savoir officiellement si proche, alors que parfois, je doute encore de ma légitimité parmi eux...

J'ai souvent l'impression d'être une usurpatrice, de ne pas mériter la place que l'on m'accorde. Qui suis-je pour que l'on me demande mon avis au travail ? Au nom de quoi suis-je supposée faire partie des différents groupes auxquels j'appartiens ? Pourquoi me prend-on au sérieux ? À quoi tient notre position ? Je pourrais très bien me retrouver à ce même genre de table, pour célébrer autre chose, avec d'autres gens. Des anniversaires, il y en a des milliers tous les jours, et des gens, on en trouve partout. Qu'est-ce qui fait qu'un jour, on sait que l'on est exactement là où l'on doit être ? À quel moment se dit-on que personne ne pourrait se substituer au peu que l'on est, avec probablement plus de talent ?

Les questions se bousculent dans ma tête. Est-il normal de douter ainsi de tout, même de soi-même ? Qui nous donne confiance et nous aide à résoudre ces questions existentielles ? Est-ce un chemin que nous faisons tous étant jeunes et que je recommence parce que ma perte de mémoire m'a renvoyée à mes débuts ?

Malgré l'intimité qui nous lie, nous n'avons abordé que des sujets anodins. La météo, l'état de tante Aliénor qui se dégrade – impossible de me souvenir d'elle. On parle projets de vacances, problèmes de voiture ou de chaudière. Ils ont même fait un quart d'heure sur les produits chimiques dans les fibres des tissus qui provoquent des irritations cutanées. Maintenant, je vais aussi me méfier de ça en plus du reste...

Au moment de changer les assiettes pour le dessert, Antonin s'est spontanément levé pour aider. Je l'ai imité. Je suis fascinée par le cérémonial que représentent les repas dans notre mode de vie. Je l'avais constaté au mariage, mais il n'y a pas besoin de grande occasion pour que le phénomène se manifeste. Même avec les copines du service social, lors de notre traditionnel déjeuner du premier lundi du mois, ou même ici, manger constitue chaque fois toute une affaire. Prendre l'apéritif sur le sofa en dégustant des canapés – à moins que ce ne soit l'inverse. S'asseoir sur la bonne chaise, déterminée par tout un protocole souvent non dit. Ne pas mettre les mains sous la table. Ne pas poser les coudes dessus. Ne pas chanter. Ne pas verser d'eau dans le verre à vin, vin qui ira avec tel plat et pas avec tel autre. Le couteau à droite. Ne pas se servir la première, à moins d'être la plus âgée. Ne pas prendre la dernière part, à moins d'être le chien. Mais plus important que tout, le sacrosaint principe gravé en lettres d'or au-dessus de la totalité les autres : dire que c'est bon même quand ça vous révulse les papilles et vous détraque l'estomac. N'en faites pas trop cependant, sinon on vous invitera à en reprendre... J'ai vu Lucie se faire avoir. Le lendemain, elle avait des boutons que je ne croyais possibles que sur des farfadets dans les contes de fées.

Tous ces principes, qui ont dû s'empiler les uns sur les autres au fil des siècles, me fatiguent. J'avoue que parfois, même si je déteste la solitude, je préfère manger seule. Ce que j'aime, dans l'ordre qui me plaît, avec les doigts. Tellement plus facile.

Vanessa a confectionné une tarte aux pommes. Simple mais très appétissante. Rien à voir avec les gâteaux d'anniversaire délirants que l'on peut voir dans les films. J'en ai vu dans lesquels on trouve des filles nues qui attendent de sortir ou des bombes qui attendent d'exploser. Celui-là est bien plus modeste, mais j'aime bien la tarte aux pommes. En général, je me méfie des plats dont je n'identifie pas les ingrédients. Anaïs prétend que c'est un reste de mes tendances animales primaires. Selon elle, je suis « une adolescente préhistorique attardée ». Allez vous reconstruire avec ça. Au néolithique, ils ne devaient effectivement pas beaucoup cuisiner avec des additifs chimiques, et tout le monde se fichait de la chaîne du froid. Mais comment diable faisaient-ils pour survivre sans chantilly ?

Aujourd'hui, voilà exactement vingt-sept années qu'Antonin existe à l'air libre. À vingt-sept ans, est-il un jouvenceau chevronné, un homme débutant ou un adulte stagiaire ? Est-il encore seulement jeune ? La réponse, toute relative, dépendra forcément de celui qui pose la question, à l'aune de ce qu'il aura lui-même vécu. Il semble naturel qu'à son âge, Antonin s'habille désormais seul et sache parfaitement nouer ses lacets. Il peut aussi décider par lui-même quand aller chez le coiffeur. Il est légalement habilité à conduire un véhicule et peut détester ceux qui l'ont arnaqué, en ayant parallèlement connu bien plus de relations amoureuses que moi. Mais pour le reste ? Qu'est-il censé maîtriser à son âge ? Que faut-il avoir réussi pour passer dans la classe supérieure ? Cette vie que je découvre d'un œil neuf me laisse perplexe plusieurs fois par jour.

Durant les premières années de l'existence d'un individu, on sait exactement quelles aptitudes il est supposé acquérir, étape par étape, pour correspondre à un développement standard. J'ai lu plusieurs livres sur le sujet, histoire de savoir où je me situais moi-même. Mais dès l'adolescence, les critères se barrent en cacahuète et le fil se perd. Plus aucune étude sérieuse n'est là pour vous dire à quoi vous attendre. Après l'épisode des boutons sur la figure, chacun fait ce qu'il peut, écartelé entre ses envies et ses moyens !

Il n'y a aucune bougie sur le gâteau d'Antonin. Ce type d'ornements incendiaires est réservé aux plus jeunes, ou aux très vieux. Entre les deux, on se contente de manger sans souffler avant. Je le regrette. Après tout, c'est le premier anniversaire dont je me souviens ! Les copines ne fêtent pas le leur. Elles disent que ça leur flanque le cafard. J'aurais été d'autant plus heureuse de voir mon petit frère s'épuiser à éteindre le feu que l'on aurait allumé exprès pour. Quand on y pense, c'est bizarre.

Une fois la tarte découpée, vient le temps des cadeaux. Antonin s'en réjouit, mais plus par principe que par réelle envie. Papa et Viviane ont préparé un « chèque ». Théo et Vanessa lui offrent un coffret renfermant un bon supposé lui permettre d'aller se jeter dans le vide du haut d'un pont. Pauvre gosse. Pour qu'il ne puisse pas se sauver, on m'explique qu'il sera attaché à un élastique et qu'il rebondira dans les airs. C'est horrible. Je n'ai pas osé demander à quelle coutume cela correspondait.

Moi, je lui ai trouvé une vraie surprise, pas un papier qui paye ou qui promet. Je lui offre du bonheur au présent. Je ne sais pas pourquoi, mais je me suis souvenue qu'il en avait eu terriblement envie et je crois qu'il n'en a jamais possédé.

— Bon anniversaire, Antonin !

Il saisit le paquet, le soupèse et le secoue légèrement pour en évaluer le contenu. Je m'en fiche, ça ne casse pas. Intrigué, il déballe, et se fige lorsqu'il découvre la boîte sous le joli papier multicolore. Je suis contente de mon effet. C'est vrai qu'il est beau, ce bateau de pompiers avec tous ses équipements. Plus de vingt-cinq accessoires, dont une pompe qui projette vraiment de l'eau ! Il est aussi livré avec trois personnages articulés dont les mains peuvent tenir des outils.

Mon petit frère sourit. Il est surpris, mais, plus important encore, je crois qu'il est heureux. Les autres ont des murmures variés, allant de l'étonnement à une pointe de jalousie.

Antonin se lève et vient m'embrasser. Je suis fière d'avoir réussi à lui faire plaisir. Il va pouvoir jouer dans son bain.

— Il n'y a que toi pour trouver ce genre d'idée, Laura. C'est excellent. Voilà longtemps que je n'avais pas reçu de jouet !

Pendant que Vanessa sert le café, Théo et Antonin, tout en évoquant leurs problèmes professionnels, jouent avec le bateau. Mon père s'est même emparé de l'un des bonshommes et s'amuse à le faire grimper le long d'une bouteille pendant qu'un autre est en embuscade derrière le sucrier. Je crois qu'il le fait sans même s'en rendre compte. Le temps passe. J'écoute. J'ai l'impression que le bateau rouge était le seul élément qui ne répondait pas à des codes préétablis.

Papa et Viviane sont repartis en fin d'après-midi. Je suis restée pour aider à ranger. Je ne le regrette pas, car c'est à ce moment-là que j'ai pu poser la seule question vraiment importante de cette réunion familiale trop tiède pour moi. On a toujours mieux à faire que de changer les assiettes en parlant des substances chimiques qui grattent.

35

— Savez-vous pourquoi maman nous a abandonnés ?

Mes frères me regardent comme si je leur avais
annoncé que le Père Noël n'existait pas. Vanessa,
qui a parfaitement saisi l'importance du sujet, se
fait discrète et s'éclipse dans le salon en nous lais-
sant tous les trois dans la cuisine.

— Pardon si la question vous semble abrupte,
mais si j'ai su quelque chose, je ne m'en souviens
plus, et c'est la première fois que nous nous retrouvons tous les trois sans papa, devant qui je ne veux
pas en parler. Le sujet est extrêmement sensible
pour lui.

Théo se cale contre le rebord de son évier. Visiblement, ma question le remue, mais c'est Antonin
qui prend la parole le premier :

— J'étais vraiment petit quand c'est arrivé. Je ne
me souviens de rien. Pour moi, on a grandi sans
maman, c'est tout.

— Tu ne t'es jamais posé de question ?

— Bien sûr que si, mais à l'école, je voyais bien
que je n'étais pas le seul à vivre une situation atypique. Entre ceux qui subissaient des gardes alter-
nées conflictuelles, certains autres qui prenaient
des coups... Notre mode de vie était loin d'être le

pire, et notre mère n'était pas la seule de toutes les mamans à être absente. Par rapport à d'autres, nous ne manquions de rien. Je vous avais, toi et Théo, et papa assurait.

— Tu n'as jamais eu envie de savoir pourquoi elle était partie ?

— Peut-être que ça te paraîtra bizarre, mais non. Évidemment, j'ai imaginé des choses – un autre homme, une faute de papa, une incapacité à accepter la charge que nous représentions... Mais personne ne semblait vouloir en parler. Ce n'était pas moi, le plus jeune, qui allais remuer tout ça pour obtenir une réponse qui, de toute façon, ne changerait rien.

Théo soupire et lâche :

— Une fois, j'en ai parlé à papa. Nous étions en vacances. Nous revenions avec vous deux d'une longue marche dans les montagnes. Antonin jouait dehors et tu étais partie prendre ta douche. Je devais avoir quinze ans à l'époque. Quelque temps auparavant, j'avais entendu papa pleurer au téléphone. J'ignore à qui il parlait, mais je suis certain que c'était à une femme. Il n'a pas su que j'avais entendu, mais ça m'a travaillé. J'y pensais tout le temps, surtout la nuit. Je ne sais pas pourquoi, mais j'ai eu l'impression que cet appel était directement lié à notre mère.

— Tu ne m'en as jamais parlé, intervient Antonin.

— À quoi bon ? Je n'avais pas envie de te plomber avec des problèmes auxquels moi-même je ne comprenais rien.

Je le presse :

— Qu'a dit papa quand vous en avez discuté ?

— À ce retour de randonnée, j'ai eu l'impression que les conditions étaient propices pour une discussion. Je suppose qu'inconsciemment, j'attendais le bon moment. C'était le sujet le plus délicat que j'aie jamais abordé avec lui. À côté, même les poils ou les filles, c'était du gâteau. J'ai simplement demandé où était notre mère.

— Qu'est-ce qu'il a répondu ?

— Pas grand-chose. Il s'est assis. Il a pleuré plus qu'il n'a parlé. J'ai d'abord cru que mes questions lui faisaient mal, mais j'ai fini par m'apercevoir que la simple évocation de celle qui avait été sa femme avant d'être notre mère suffisait à l'anéantir. Il a mis un bon moment à formuler une phrase compréhensible. Il m'a simplement confié que notre mère était partie parce qu'elle l'avait jugé préférable pour nous tous, et qu'il ne fallait pas lui en vouloir.

Je réagis :

— Quand moi-même je lui en ai parlé, il a tenté de prendre sa défense de la même façon. Je trouve ça incroyable. Il ne t'a rien dit de plus cette fois-là ?

— Rien.

— Tu n'as pas insisté ?

— J'étais mal. Je me sentais coupable de l'avoir fait pleurer en abordant un sujet interdit. J'ai entendu ta douche s'arrêter. Tu allais revenir. Je ne voulais pas gâcher notre journée. Je n'ai eu ni le temps, ni l'envie d'insister. J'avais déjà le sentiment d'avoir semé la pagaille alors que nous passions de si bonnes vacances. Elles ne devaient pas l'être tant que ça pour papa étant donné la vitesse à laquelle il s'est effondré lorsque j'ai mentionné sa femme. Le pauvre devait vivre avec une cicatrice béante en lui.

— Je crois qu'elle l'est toujours.

— Je l'ignore. Le fait est que je n'ai plus jamais osé aborder le sujet.

— Il va mieux depuis qu'il a rencontré Viviane, commente Antonin.

J'interviens :

— Quelqu'un m'a dit qu'à défaut de vivre le bonheur, on s'en fabrique un qui y ressemble autant que possible. Vous n'avez aucune idée de ce qu'a pu devenir notre mère ?

Les deux garçons restent une nouvelle fois sans voix. Ils ne s'étaient apparemment même pas posé la question. Ce n'est sans doute pas une préoccupation pour eux. Les hommes sont ainsi : contrairement à nous, ils ont cette salutaire capacité de ne plus se soucier de ce qui leur complique la vie.

J'insiste :

— L'idée qu'elle puisse être vivante quelque part ne vous interpelle pas ?

Ils ne répondent rien, mais leur corps semble exprimer ce qu'ils n'arrivent pas à verbaliser. Tels que je les vois réagir, ils n'ont finalement peut-être pas renoncé à cette question. Ils se sont contentés de l'enterrer. Le docteur Lamart a raison. On n'oublie rien, on porte tout. On peut juste recouvrir ce qui nous fait mal. Mais cela ne dure qu'un temps.

36

Jusqu'à m'en brûler les yeux, je lis et relis l'énig-matique numéro de téléphone. Mon comportement s'explique d'autant moins que cela fait des jours que je le connais par cœur. Pourquoi cette fascina-tion ? Sans doute pour les mêmes raisons qui font que l'on adore jouer avec le feu, celles qui nous ordonnent de nous pencher au bord du gouffre pour regarder au fond, celles qui nous certifient que nous allons avoir mal mais qu'il serait quand même tout indiqué de vérifier à quel point.

Je prononce son numéro sur tous les tons. Comme une incantation, comme un secret, comme une menace. À voix basse devant mon miroir ou en discutant avec la boule de bowling. Je le chante même comme un refrain populaire...

L'inconnu n'a rien laissé au hasard. Un numéro de portable, les plus compliqués à localiser. Il a aussi évité d'écrire les chiffres à la main, sans doute pour empêcher les experts graphologues de la police scientifique de l'identifier. J'ai d'ailleurs rendez-vous avec eux à 19 heures pour un épi-sode qui s'annonce captivant, puisque Brooke est à deux doigts de coincer l'assassin de son père – qui va mourir car il a, dans la réalité, été viré par la production.

Sans doute influencée par les craintes extra-terrestres de Lucie, j'ai placé le rectangle de bristol sous une cloche en verre. Je le contemple, telle une relique ensorcelée qui va me valoir une malédiction pourrie si je le compose. Un truc à entendre des prophéties sataniques si je lis mes textos à l'envers.

Quelqu'un frappe à ma porte. Dire que je sursaute ne serait que le pâle reflet de la vérité. Je pense que c'est à partir d'une trouille de ce genre que Superman a appris à voler. Il était peinard à feuilleter un magazine de déco sur ce qu'il est possible de faire avec des slips rouges, et un truc lui a foutu les chocottes à un tel point qu'il a décollé direct en crevant son plafond. Depuis, pour un oui pour un non, il vole. Moi, avec ma chance, je me suis juste mangé mon mur dans le dos en me jetant en arrière à la vitesse d'un avion à réaction. Je glisse au sol. J'ai le train d'atterrissage tordu et mon siège éjectable ne fonctionnera plus jamais dans cette vie. Je vais rester prisonnière de cette enveloppe corporelle jusqu'à ce qu'elle se désagrège. Ensuite, et seulement ensuite, j'atteindrai mon stade ultime de réincarnation et je serai enfin une libellule au pelage soyeux avec un beau sac à main.

On frappe de nouveau à ma porte. Plus fort que la première fois. Je réalise qu'il ne s'agit pas de quelqu'un qui a sonné à l'entrée de l'immeuble, mais bien d'une personne qui se trouve là, à moins de deux mètres de moi, juste derrière ce mince panneau de bois.

Je sais ce que ferait Superman, mais moi, je vais juste avoir le superpouvoir de m'évanouir. Que faire si le poulpe venu des confins de l'espace a rampé jusque-là ? Pourquoi moi ?

— Laura, tu es là ? C'est Audrey.

Ma voisine ? Qu'est-ce qu'elle veut ? J'espère qu'il n'y a rien de grave.

Je me relève. Je m'apprête à lui ouvrir lorsque je me ravise soudain. Un Vénusien capable de m'espionner est certainement en mesure d'imiter la voix d'une de ses victimes. Le monstre qui m'a parlé dans le noir a dévoré ma gentille voisine et gratte à ma porte.

— Audrey, je suis désolée mais je dois m'assurer qu'il s'agit bien de toi.

— Quoi ?

— Donne-moi la preuve que tu es bien celle que tu prétends.

— Regarde par l'œilleton !

Ben tiens, pour me prendre un coup de laser qui va me fondre ce qui me reste de cervelle !

— Pas question.

— À quoi tu joues ? Les carbonara des enfants vont cramer et ce sera l'enfer !

Un Vénusien ne dirait jamais ça. Une mère de famille, si. J'ouvre.

— Pardon, mais je devais être sûre.

— Tu es certaine que ça va ?

Elle aperçoit mon couloir en bazar suite à ma chute.

— Tu t'es battue ?

— Avec mes idées tordues. Ça m'arrive tout le temps.

Elle ne fait aucun commentaire.

— Je suis venue te demander un service…

— Dis-moi.

— Samedi, les enfants et moi partons en vacances. Enfin ! Tu n'imagines pas comme j'en suis heureuse.

232

— Génial.

— Sauf que les deux affreux se sont ligués pour me forcer à prendre un animal de compagnie...

Une orque ? Un chanteur à la mode ? Une autruche ? Pas un poulpe, j'espère...

— Si tu as une minute, je vais te la présenter...

Elle m'entraîne jusqu'à son appartement, et entrouvre sa porte.

La garce, la méchante marâtre. En m'emmenant voir sa bestiole, elle savait parfaitement ce qu'elle faisait. C'est un piège infâme !

Sur le sol, je découvre une créature à laquelle je n'étais absolument pas préparée. Un adorable petit minet d'à peine quelques mois qui me regarde avec ses grands yeux. Des moustaches qui n'en finissent pas, des cils à tomber, et assez de poils pour provoquer l'admiration de toutes celles qui s'épilent. Aucun doute, ce n'est pas un poulpe, et si mon Vénusien a pris cette apparence-là pour me séduire, je veux bien lui laisser sa chance. De toute façon, à quoi bon résister ? Je suis déjà sous le charme. On partagera le même lit dès la première nuit et je lui gratouillerai son petit ventre tout doux. C'est affreux, je m'aperçois que je suis prête à coucher au premier rendez-vous.

Audrey constate que la magie opère. Elle a gagné. Je vais tout accepter pour ce chat sur lequel je me retiens difficilement de me jeter.

— Comment s'appelle-t-il ?

— C'est une femelle, et s'il te plaît, ne fais aucune remarque au sujet de son nom. Ce sont les enfants qui ont choisi. Ça vient d'une série stupide dont ils se gavent.

Audrey prend une inspiration et lâche :

— Cubix 22.

— Pardon ?

— Cubix 22. C'est une intelligence artificielle qui aide les dieux à protéger le monde des guerriers maléfiques venus du fond des âges.

— J'en prends bonne note.

Je me laisse tomber à genoux. Cubix 22 est la forme de vie la plus craquante qu'il m'ait été donné de rencontrer depuis que je me souviens. Si l'expression « méga mimi tout chouchou » désignait un objet, ce serait ça. Si les papouilles n'avaient pas été inventées, je les créerais sur-le-champ pour cette petite merveille.

— Ce qui m'arrangerait dans l'idéal, c'est que tu passes matin et soir pour lui remettre de l'eau, un peu de terrine ou des croquettes et noter ce qu'elle a pu faire comme dégâts. Je t'ai laissé un bloc de cent pages sur le buffet. J'espère que ça suffira...

— Aucun problème, tu peux compter sur moi.

Je suis déjà occupée à lui faire des bisous. Je frotte mon nez dans le creux de son petit cou. Mes doigts se perdent dans son pelage. On dirait du duvet. C'est un canard mutant. La petite boule de poils joue avec mes doigts. Elle vient d'ailleurs de me planter une de ses griffes jusqu'au sang. Peu importe. Ses moustaches chatouillent ma paume et elle me regarde comme si j'étais la plus belle chose du monde, ou une tranche de pâté de foie, ce qui revient un peu au même pour un chat.

Audrey précise :

— Les croquettes sont rangées au-dessus du frigo et je crois que désormais, tu sais à nouveau te servir d'un robinet... Je te déposerai les clés en partant.

— Pas de problème.

— Merci encore, c'est vraiment sympa.

J'ai du mal à détacher mon regard de Cubix 22.
Elle aussi. Je suis déjà pressée qu'Audrey se barre
en vacances avec ses mioches.

37

Il est exactement 9 h 28. J'ai ajusté mon casque, positionné mes énormes épaulières et tendu au maximum les sangles du plastron dans lequel je flotte. Le moment est venu d'abaisser la grille d'acier qui protège mon visage.

Depuis mon retour dans le service, j'ai vu les collègues s'en prendre plein la figure. Pas question de subir le même sort. Servir les gens : oui. Servir de punching-ball aux rageux : non. Je suis prête pour la rencontre. J'espère que le match sera amical, mais si on m'entraîne sur d'autres terrains, je suis la quarterback la mieux préparée qu'aucun service social ait jamais employée. Si quelqu'un me balance des insultes, des formulaires ou même des légumes, tout rebondira.

— Vous pouvez ouvrir les portes, les filles !

Pour la première fois, j'accueille le public. Amour est adossé contre le mur du fond et pleure de rire. J'ai bien peur d'en être la raison. Il applaudit à moitié, tout en s'efforçant de reprendre son souffle. Dounia porte un tee-shirt sur lequel est écrit : « Pas de vie sans abeilles », mais j'ignore ce qu'elle pense derrière ses yeux globuleux.

Une jeune femme noire se présente à nos comptoirs. Je vois bien qu'elle est décontenancée

par mon apparence, mais elle n'a pas le choix :
il n'y a que moi.

Résignée, elle s'avance, grande et maigre dans
une robe que ses épaules osseuses retiennent
à peine. Son beau visage révèle une immense
fatigue.

— C'est bien ici le service social ?

— Oui madame, asseyez-vous, je vous en prie.

Elle prend place sur la chaise, mais s'installe
tout au bord. C'est un signe. Elle n'arrive pas à
me regarder dans les yeux. Mon accoutrement la
perturberait-il ?

— En quoi puis-je vous être utile ?

Elle ne répond pas. Dans ce silence gêné, j'entends toujours les rires étouffés d'Amour, qui se
mêlent bientôt à des éclats de voix venus de l'arrière. Mélanie déboule sur mon flanc. Le rythme
de sa démarche me renseigne sur sa détermination. Je sais ce qu'en diraient les commentateurs
sportifs : « Très belle tentative de l'ailier pour lui
piquer le ballon. » Le public du stade applaudit,
mais je ne suis pas du genre à céder.

— Laura, qu'est-ce que tu fais ?

Sans lâcher ma visiteuse des yeux, je lui réponds
en marmonnant, tournant seulement ma bouche
vers elle pour éviter qu'on nous entende.

— J'accueille le public, coach. Laisse-moi faire
mon travail, je suis prête.

— Laura, s'il te plaît, regarde-moi.

« Tentative de diversion. Excellente feinte de
l'équipe adverse. » Je lui fais signe de reculer. La
défense ne faiblira pas. Je lui glisse :

— Reste en touche. C'est toi qui m'as expliqué
qu'il ne fallait pas être plus nombreux que ceux
qui nous rendent visite.

La mâchoire crispée, elle demande :

— Qu'est-ce que tu fous déguisée en footballeur américain ?

— Ce n'est pas un déguisement, c'est une authentique tenue. Un pote de lycée me l'a prêtée.

— Tu ne peux pas accueillir le public ainsi !

— Pourquoi donc ? Aucun texte ne stipule que c'est interdit. J'ai vérifié. Tu m'as toi-même précisé que l'accueil était un sport de contact. Je t'ai écoutée, coach.

— Arrête de m'appeler comme ça, c'est ridicule.

Je me frappe la poitrine avec le poing fermé, comme un gladiateur.

— Je suis prête ! Lâchez les lions !

La jeune femme noire n'est pas bien. Je crois qu'elle hésite à s'enfuir en courant. Peut-être suis-je devenue un problème plus important que celui qu'elle était venue nous exposer ? J'aime bien l'idée. Je l'aide à relativiser, c'est déjà ça. Voilà une méthode intéressante qui mériterait d'être étudiée et généralisée. Si on parvient à terrifier plus que ce qui effraie, on soigne déjà ! Je viens de me rendre compte que la terreur guérit la peur. J'adore le concept ! Le mieux est peut-être l'ennemi du bien, mais le pire est aussi l'ennemi du mal !

Elle roule des yeux. Mélanie lui explique :

— Je vous prie d'excuser cet incident, chère madame. Ma collègue se remet d'une longue maladie... Si vous le permettez, je vais vous recevoir moi-même, au comptoir voisin. Voulez-vous me suivre ?

Trop heureuse, ma visiteuse s'enfuit avec Mélanie.

La coach m'a fauché mon ballon ! Le premier de la saison ! Dès la fin du match, je vais la tabasser dans les vestiaires. On verra bien qui aura la plus longue maladie. D'ailleurs, je vais aller lui demander des explications immédiatement. Je me lève en faisant un bruit de chevalier en armure de plastique. Mélanie m'arrête net :

— Tu ne te mêles plus de ça. On en discutera après.

Je me rassois, me repositionne bien droite face à l'entrée, en me frappant une nouvelle fois la poitrine.

— Je suis parée ! Balancez les fauves !

Je crois qu'Amour vient de tomber par terre. J'entends d'autres collègues s'esclaffer avec lui. Ils ne pourront pas dire que je ne prends pas mon travail à cœur.

Tout à coup, une silhouette se dessine dans l'entrée. Avec ma grille devant les yeux, je ne vois pas bien, mais dès qu'il approche, je reconnais Sébastien, notre chauffeur fou. Il arrive droit sur moi.

— Laura, je suis bien content d'avoir affaire à toi.

Il s'assoit direct sur la chaise, bien au fond. Il ne remarque même pas mon costume. On dit que les hommes ne font attention à rien, mais parfois, ça simplifie bien la vie.

— Je vais essayer de faire vite, commence-t-il, je suis garé devant la bouche d'incendie...

— En quoi puis-je t'être utile ?

— Je ne viens pas pour moi, mais pour une fille qui habite ma résidence. Je ne sais pas ce que tu pourras faire, mais elle m'inquiète vraiment. Je ne la connais pas plus que ça. Elle vit seule. Elle était déjà là quand j'ai emménagé, ça va faire trois ans.

J'essaie de prendre des notes mais il parle trop vite, alors pour gagner du temps, je fais un schéma. Un immeuble, une fille et la voiture de Sébastien. Comment dessine-t-on trois ans ?

— Au début, elle était toujours bien habillée, assez mignonne, souriante, et puis je l'ai vue se...

Il cherche ses mots.

— Dégrader ?

— Exactement ! Le mois dernier, pour la première fois, j'ai eu l'impression qu'elle avait bu et quelques jours plus tard, je l'ai surprise à fouiller dans les containers d'ordures. J'ai d'abord pensé qu'elle avait perdu quelque chose, mais en y prêtant attention, je me suis aperçu qu'elle le faisait très régulièrement.

Il se penche vers moi et, en baissant d'un ton, précise :

— Elle cherche de la nourriture.

Je ne dessine plus. Je me gratte le casque.

— Quel âge ?

— À peu près comme moi, peut-être légèrement plus jeune.

— A-t-elle perdu son emploi ? Subi une rupture sentimentale ou familiale ?

— Aucune idée. J'ai pourtant essayé de lui parler. Mais elle est sur ses gardes. Elle doit s'imaginer que je cherche à la draguer. Je suis même allé jusqu'à jeter des paquets de gâteaux neufs dans les poubelles pour qu'elle les trouve...

— Pas bête.

— Est-il possible de faire quelque chose ? Est-ce que ton service a le droit d'intervenir même si ce ne sont pas les gens eux-mêmes qui en font la demande ?

— Absolument. Tu as bien fait de m'en parler. Tu vas me donner son nom et son adresse, je vais me renseigner, et je pense qu'il faudra aller lui rendre visite. Tu m'emmèneras ?

Pourquoi ai-je proposé cela ? Pourquoi a-t-il sauté sur l'occasion pour accepter ? Sa pauvre voisine ne s'en sortira pas parce que ses deux sauveteurs auront fait une sortie de route, deux loopings et onze tonneaux avant d'exploser.

Sébastien semble soulagé. La question pour laquelle il était venu étant réglée, notre jeune mâle arrive à nouveau à penser à autre chose. Il me regarde enfin, fronce les sourcils et dit :

— Tu pratiques le football américain ?

— Non, j'ai juste emprunté le costume au cas où ça chaufferait ce matin. Je rejoue en ligne de front pour la première fois.

— Cool. Rassure-moi, ce n'est pas toi qui as choisi le nom de l'équipe ?

— Ben non.

— Tant mieux, parce que « Cougar », ça pourrait être mal interprété...

38

Une délicieuse sensation de picotement sur la peau. Une douce lueur rougeoyante à travers mes paupières fermées. Une chaleur vers laquelle semble tendre chaque fibre de mon corps. Je suis sous l'emprise du soleil.

J'avais oublié cette sensation. Je profite du premier vrai jour de printemps. Assise sur un banc, dans le square du centre-ville, je savoure. À cette minute, je suis une petite bête et Mère Nature se montre clémente envers moi.

Je suis aussi une pauvre bête parce que j'ai la trouille de tout. Particulièrement de mon mystérieux soupirant. À cette seconde, il est peut-être en train de m'épier. J'ouvre un œil et inspecte les environs. Je suis éblouie, je plisse les yeux à m'en froisser le visage. Ça doit me donner un charme fou. Aucun suspect en vue. Me voilà rassurée, au moins pour quelques instants.

Depuis que je sais qu'il existe, je vérifie sans cesse que je ne suis pas suivie dans la rue. Je change régulièrement d'itinéraire. J'ai banni les habitudes. Pour m'y retrouver, j'ai même fait un planning, tel jour, tel magasin par tel chemin, en mélangeant toutes les variables. Ça m'a pris plusieurs heures. Si l'état-major adverse tombe sur ce document hautement stratégique, on perd la guerre. Ce pot de colle me rend complètement paranoïaque. Je suis une cible en fuite, constamment en mouvement. J'évite aussi de m'approcher des fenêtres ou même de me pencher au-dessus de l'évier. J'ai trop peur qu'il ne surgisse du conduit. J'ai vu ça dans un film. Un navet aussi peu malin que moi et aussi retors que lui, avec un méchant ver de terre diabolique.

Comment faire pour me protéger de celui qui me convoite malgré moi ? Comment l'empêcher de me rôder autour ? Je peux évidemment recruter des gardes du corps. Quatre. Des bien baraqués qui, comme leur nom l'indique, veilleront sur mon corps pendant que je me douche. Mais qui va prendre en charge leur salaire ? Accepteront-ils d'être payés en madeleines au citron ou en histoires que je leur raconterai avant qu'ils s'endorment ?

J'envisage un instant d'engager un sosie qui s'exposera à ma place. Si mon mystérieux inconnu ose s'en prendre à ma doublure, je surgirai de l'ombre tel le vengeur masqué pour le taper avec un portemanteau. C'est très utile, dans de nombreux cas : désenvoûtement, retour de l'être aimé, réussite aux examens, besoin d'argent, permis de conduire... Cela reste quand même compliqué. Je sais où trouver le portemanteau, mais pas le sosie.

Plus simplement, il me suffit de modifier mon apparence. Me déguiser, changer de coiffure, parler avec un accent, me casser une dent sur deux avec un petit marteau pour ressembler à un pirate. C'est plus économique, d'autant que moi, j'accepterai sans problème de me payer en confiseries.

Le petit nuage rebondi qui masquait le soleil vient de se décaler. Me voilà à nouveau en pleine lumière. En rayonnant de tous ses feux, l'astre solaire parvient à me distraire de mes inquiétudes. Il est rare qu'un élément positif soit assez puissant pour vous arracher à vos soucis. D'habitude, c'est l'inverse. Un petit rien vous gâche ce que vous vivez de beau. Pas là. Le petit bonheur remporte haut la main le match contre les ennuis. Je me sens comme les arbres dont les feuilles s'épanouissent jour après jour dans la saison qui commence. Comme eux, on a besoin de racines et on tend désespérément les bras vers le ciel. Je m'abandonne au rayonnement bienfaisant. C'est tellement bon que je pourrais sécréter de la chlorophylle en absorbant du CO_2. J'ai toujours rêvé d'avoir un bilan carbone neutre.

Je sais ce que dirait Lucie : « Trop s'exposer au soleil est mauvais pour la santé. Toutes les études le prouvent. Si tu restes comme ça, tu vas attraper un éclatement du rectum. » Fichues études. Toujours là pour vous faire peur. Il y en a des tonnes pour vous dégoûter ou vous dissuader, mais beaucoup moins pour vous donner l'envie ou le courage. Peut-être parce que les gens aiment analyser le négatif, quitte à s'y complaire. Peut-être parce que le merveilleux ne se mesure pas dans des tubes à essai. De toute façon, je m'en fiche. Le soleil vient encore de prendre le dessus. Je suis bien.

Tout à coup, une idée de génie s'impose à moi. Une évidence qui coche toutes les cases en une fois. Le bonheur assuré, avec en cadeau bonus la fin des ennuis.

Pour que l'inconnu qui me tourne autour aille voir ailleurs si quelqu'un d'autre y est, il suffit qu'il me croie en couple. Si la place est prise, il me laissera tranquille ! Or, pour être en couple, je n'ai qu'à accélérer la manœuvre avec Kayane et le fréquenter autant qu'il le demande. Une fois que nous serons officiellement ensemble, l'autre s'en ira, et même mes amies cesseront de vouloir s'en prendre à lui.

Nous vivrons alors chez lui ou chez moi, enfermés, nus, et nous inventerons des mots inconnus pour nous dire à quel point nous nous aimons. Glapeteu, Ramichouni, Triglycéride. Mon imagination s'envole déjà pour emménager au huitième ciel alors que mon corps habitera juste à l'étage du dessous, au septième. Je suis pressée d'y vivre avec mon Kayane. Chacun sera l'île paradisiaque de l'autre, et nous ne laisserons plus personne accoster. Un éternel été. Nous vivrons de désirs avoués et de rêves assouvis. Quelle magnifique perspective ! Pour me sortir d'affaire, je n'ai qu'à céder aux avances de celui que j'aime. La vie me sourit enfin. Je n'ai plus aucun problème. Je vais me lever et aller danser avec le jardinier municipal en chantant avec la fille qui joue sur son téléphone.

39

Il faut savoir qu'avec les chats, placer les objets que vous voulez protéger en hauteur ne sert à rien. Ils arrivent sans problème à les atteindre, surtout si vous n'êtes pas là de la journée pour les surveiller et qu'ils n'ont ni devoirs, ni travaux de maçonnerie à effectuer. Après tout, ils ne gagnent pas leur vie et peuvent consacrer la totalité de leur temps à dormir ou à faire des bêtises, suivant leur humeur.

Est-ce qu'il leur viendrait à l'idée de balayer la cuisine ou de plier le linge pour aider un peu ? Jamais. Ils aiment la laine mais ne tricotent pas. Ils adorent les radiateurs mais ne les nettoient pas. Ils se foutent de nous. Sauf Cubix 22, qui offre sa beauté et sa douceur à notre monde qui en manque cruellement.

En attendant, l'intelligence artificielle qui protège le monde des guerriers sanguinaires a réduit en lambeaux le rouleau de papier toilette d'Audrey. Elle a aussi mordillé des affaires de ses enfants. Elle a en plus fait ses besoins sous un meuble tellement bas que je me demande si elle ne les a pas faits ailleurs avant de les y transporter. Petite vicieuse.

Chaque matin, avant de partir, je passe chez ma voisine. Cubix 22 ne dort jamais au même endroit.

Il faut donc d'abord que je la débusque, ce qui n'est pas toujours évident. Hier, je l'ai découverte au fond d'une armoire, dans une boîte à chaussures dont elle avait viré le contenu en se faisant délicatement les griffes dessus au passage. Ces escarpins-là ne serviront plus qu'à faire du jardinage ou de la peinture.

Je la réveille, prends le temps de la câliner et lui donne à manger. Elle s'étire, me plante ses adorables griffes qu'elle ne maîtrise toujours pas complètement sur les mains, dans les joues, sur la tête. Elle se suspend aussi à mes vêtements. Je pense que c'est en exerçant ses griffes qu'elle est restée accrochée à un couvre-lit désormais foutu. Le soir, après le travail, je retourne la voir et je commence par nettoyer et tenter de rattraper ses méfaits du jour. Au début, je les notais sur le bloc prévu à cet effet, mais maintenant, j'essaie de les cacher pour que la mignonne minette ne se fasse pas gronder. C'est drôle, un chat. C'est malin. Cubix 22 est loin d'être stupide. Avant-hier, elle a réussi à allumer la télé et à faire tourner une lessive alors qu'elle n'a que trois mois. Il m'a fallu presque plus de temps pour y parvenir. Trop fort, le félin !

J'aime bien passer du temps avec elle. Je lui raconte ma journée. On joue aussi beaucoup ensemble. Ça n'a pas arrangé le canapé, ni l'abat-jour, mais on s'est bien marrées. Je déteste le moment où je dois repartir et la laisser. Elle s'assoit dans l'entrée, me regarde avec ses beaux yeux, ses petites pattes avant si douces placées côte à côte, sa queue encore pointue parfaitement enroulée autour de son petit derrière. Elle ne comprend pas pourquoi je la laisse. Je l'abandonne. C'est monstrueux. La savoir seule dans cet appartement désert avec de moins en moins de choses à détruire m'effondre le moral.

— À demain matin, petit fauve.

Elle vient d'incliner la tête. Je crois que je vais pleurer. Mais je ne peux pas rester plus longtemps, parce que j'ai rendez-vous avec l'homme dont je lui ai même montré une photo volée faite avec mon portable. On ne voit que la moitié de son visage et une épaule floue, mais c'est bien suffisant pour aiguiser l'appétit. C'est comme de la terrine de poisson en gelée, mais pour les filles.

40

Devant mon miroir, j'achève de me maquiller. Je ne me souviens pas de l'avoir jamais fait avec autant de soin. Voilà des jours que je m'entraîne en prévision de ce grand soir. Je veux être sublime, dans la limite des stocks disponibles ! Pour y parvenir, j'ai regardé sur Internet. Il a fallu faire un peu de tri parce que sur certains sites, on se demande vraiment ce qui passe par la tête des filles. Soit c'est carnaval, soit elles sont daltoniennes, soit elles veulent faire peur à quelqu'un, soit les trois. J'en ai même trouvé une qui pratique la « déstructuration cosmétique » pour créer « le choc de la séduction réinventée ». Elle se met du rouge à lèvres autour d'un œil, des faux cils sur la lèvre supérieure et du mascara autour des narines. Pourquoi fait-elle ça ? Quand j'ai vu le résultat, j'ai cru que mon écran était marabouté. Ça lui faisait un pif de bouche d'aération de sanisette. « Le choc de la séduction réinventée ». Merci bien. Je ne veux pas voir la tête du mec qu'elle va choper avec sa tronche d'art moderne.

Le plus simple pour moi aurait été de demander un coup de main aux copines, mais Mélanie ou Lucie se seraient immédiatement doutées de ce que je préparais. Alors je me suis débrouillée toute seule. Le résultat n'a rien à voir avec les jolies filles des magazines ou de la télé, mais si je bouge la tête en permanence, façon vibration de machine à l'essorage, mon Kayane n'y verra rien d'autre qu'une « beauté fugace insaisissable » qui ne demande qu'à se faire attraper.

Pour organiser ce rendez-vous dans des conditions de sécurité optimales, il m'a fallu déployer des trésors d'ingéniosité et de ruse. J'ai menti, et pas qu'une fois. Tout le monde me croit chez une copine de lycée qui n'existe pas. J'ai inventé un nom, et même toute une histoire. Son numéro de téléphone est celui d'une vieille dame sourde qui répond, mais sera incapable de dire si mon amie imaginaire existe ou si elle est sortie. Je n'ai rien laissé au hasard, et connaissant Lucie et son talent à mettre le doigt sur ce qu'il ne faut pas, c'était nécessaire.

Une fois l'alibi mis au point, j'ai proposé à Kayane de nous retrouver à l'autre bout de la ville pour ne pas risquer d'être vus. Il m'a assuré qu'il s'occupait de la réservation mais à chaque fois, les établissements contactés affichaient complet. C'est fou quand on y pense. On s'est donc retrouvés à n'avoir que le choix de se voir chez lui ou chez moi. Lorsque je lui ai demandé ce qu'il préférait, il m'a dit que par égard pour moi, c'était mieux de « jouer à domicile ». Quel galant homme.

En prévision de sa visite, j'ai tout rangé, tout briqué. À tel point que j'ai découvert des endroits de mon appart que je ne connaissais pas. Je ne prétends pas avoir trouvé une chambre en plus, mais je n'avais jamais remarqué la vue que l'on a de la fenêtre lorsqu'on rampe sous le canapé. J'ai bossé comme une folle, mais je suis satisfaite. Si pour une raison que j'ignore, nous roulons sous l'évier ou glissons derrière la commode de l'entrée, il se rendra compte que c'est propre. Bien joué, Laura !

J'ai passé la journée dans un état second. Au travail, j'étais tellement excitée que j'ai eu peur que Lucie ne se doute de quelque chose. Je l'ai évitée toute la journée. Josiane m'a bien aidée. J'ai passé beaucoup de temps enfermée avec elle. On s'entend de mieux en mieux. Elle me fait du recto verso à présent. J'y vois un signe. On est en train de devenir amies. Quand Kayane et moi on se mariera, je l'inviterai au vin d'honneur.

En passant dans ma chambre, j'aperçois mon réveil. L'heure approche. La pression monte. Touche finale à ma tenue, j'ai mis mon petit trèfle porte-bonheur. Il m'accompagne désormais dans toutes les étapes importantes de ma vie. C'est-à-dire quasiment tous les jours ! Il me rassure.

Dernière vérification dans le miroir, ultime inspection des plats dans le frigo. Tout est paré et en grande pro, je ne souffre plus du « syndrome de la marge de sécurité démesurée avant l'heure fatidique ». Seulement un quart d'heure d'avance, et plus trois heures ! Je progresse.

Je l'ai vu approcher par la fenêtre. J'ai remercié le ciel une première fois. Il a sonné à la porte de l'immeuble exactement à la seconde où je m'attendais à ce qu'il le fasse. J'ai remercié le ciel une seconde fois. Dans l'interphone, il a prononcé les mots que je brûlais d'entendre : « C'est moi, tu ouvres ? »

Il est monté aussi vite que j'en rêvais et lorsqu'il a frappé à ma porte, je n'ai pas eu peur. J'ai même éprouvé l'enivrante sensation que ses coups lançaient mon cœur, qui pour la première fois, se mettait à battre pour de vrai.

Alors que je lui ouvre, je n'ai jamais été aussi vivante.

41

— Salut.

Pas le temps de lui répondre qu'il se colle déjà à moi en m'embrassant fougueusement.

Sa poigne sur mes bras, son corps contre le mien, son parfum sans doute cancérigène... Tout de lui me fait chavirer.

Il m'embrasse si longuement que je finis en apnée. D'un coup de talon mâle, il referme ma porte, qui claque. Tout l'immeuble a dû entendre. Peu importe. Nous sommes désormais seuls au monde.

Il me relâche un bref instant et je reprends mon souffle. J'essaie de garder la tête froide. Disons tiède.

Il est arrivé les mains vides. C'est merveilleux. Il a compris ce que j'éprouve envers les fleurs. Il ne s'embarrasse plus de ces codes uniquement nécessaires à ceux qui ne s'aiment pas vraiment. Nous sommes au-delà de ça. Nous l'avons toujours été puisqu'il ne m'a jamais rien offert. Il place notre amour au-dessus de la basse réalité matérielle. Il nous envisage comme je nous rêve : denses, purs, absolument indissociables et payés sur quatorze mois. Notre histoire comme une épure. Une quintessence que nous vivrons à deux pour ne devenir qu'un. À ce niveau, pourquoi aurait-on besoin de s'encombrer de cadeaux habituels ou de témoignages communs ?

Qu'est-ce qu'il est beau ! Il l'est encore plus maintenant que je sais qu'il peut devenir mien. J'aime la façon dont il pose ses yeux sur moi. Il m'enveloppe... tout en me déballant. Rien que son regard pourrait me faire tomber enceinte. Je vais rougir. Mais chaque chose en son temps. Si notre amour est déjà éternel, on a bien vingt minutes.

J'ai envie de lui en dire davantage sur moi, de lui livrer ce que je suis. Lui faire visiter le lieu où je vis me semble une bonne approche. Cela ne prendra pas longtemps, mais c'est important. C'est un peu de moi qu'il va découvrir.

J'ai soigneusement choisi tout ce qui peut lui servir d'indice. Les livres, les photos, les objets, et même les pages auxquelles les magazines qui « traînent par hasard » sont ouverts. Il ne faut simplement pas qu'il ouvre le placard du fond dans ma chambre, sinon tout ce que j'y ai entassé lui tombera dessus – les crèmes dépilatoires, les fiches régime, les bonnets de douche, le jogging informe, et toutes ces preuves accablantes qui attestent que je ne suis pas uniquement une femme fatale...

— Tu veux faire un tour dans mon appart ?

Il se plaque à nouveau contre moi.

— Ce n'est pas ton appart que je suis venu visiter.

Une fois encore, il a raison. Il est dans le vrai et moi je suis dans le couloir. Je suis certaine que papa appréciera cet homme qui va directement à l'essentiel.

Avec une puissance que je savais déjà capable de stopper un Caddie en pleine course, il me repousse vers le salon. Je suis submergée d'émotions contradictoires. J'arrive à me dégager un instant pour mieux le contempler. Ce soir, quelque chose a changé en lui. Nous ne sommes plus au début de notre histoire et je le perçois. Je sens sa confiance, sa détermination, son appétit. S'il était un train lancé sur les rails de notre amour, je dirais que ses freins ont lâché. Quant à moi qui l'attends pour monter dès la prochaine gare, je commence à redouter l'erreur d'aiguillage. Un déraillement est-il possible ? Je fais signe au machino, mais la locomotive est en roue libre. Tchou tchou !

Un sentiment ambigu s'immisce en moi. N'y a-t-il que de l'amour et du romantisme dans son attitude ? Étrangement, la seule phrase qui me vient pour décrire son visage est de Lucie : « Il a la tête d'un mec qui a mis un slip neuf et qui veut le montrer. »

Je tressaille. Pas uniquement d'exaltation, mais avec maintenant un soupçon de peur. Cela ne m'inquiète pas vraiment. J'ai vu dans des films que certaines femmes commencent par redouter celui à qui elles succombent ensuite. Je suis peut-être de celles-là. Le docteur a raison, c'est l'autre qui vous révèle votre façon d'aimer.

Je parviens à placer une question :

— Tu as faim ? Je t'ai préparé ma spécialité.

— Moi aussi.

Il m'embrasse dans le cou et commence à dégager mon épaule en tirant sur ma robe. Quel grand fou ! Est-ce toujours ainsi que cela se passe entre un homme et une femme qui s'aiment ? Je suis un peu surprise, mais je ne suis pas une spécialiste. Il a forcément plus d'expérience que moi. Lui aussi cède à la passion, pourtant je dois le raisonner. Nous ne devons pas aller trop vite. Il ne faut surtout pas brûler les étapes au moment où les fondations de notre futur commun se mettent en place. J'arrive à reculer mais vu la taille de mon salon, je ne vais pas pouvoir jouer à cela longtemps.

— Je te sers quelque chose à boire ?

Il ne répond pas mais me regarde avec une étrange intensité. Je crois qu'aucune des répliques en usage au début d'un rendez-vous ne servira plus à rien. Je me demande s'il n'a pas une idée plus triviale que l'amour courtois derrière la tête. C'est bien connu, les hommes sont parfois le jouet de leurs pulsions. Mais le savoir n'implique pas que je veuille y céder.

Il avance à nouveau vers moi. Je suis coincée, réduite à grimper sur le canapé pour échapper à ses assauts. Je n'avais jamais apprécié la vue d'ici non plus. Décidément, c'est la fête des surprises !

Il est devant moi. Ainsi perchée, j'ai les yeux à la hauteur des siens. Je suis troublée, mais désormais inquiète aussi. Je ne veux pas que notre symphonie débute par une fausse note.

— Laura, je te veux.

C'est direct, synthétique, extrêmement informatif et sans aucune ambiguïté.

Il tente de m'étendre sur mon canapé. Je résiste, mais il est trop fort. Il me plaque sans me laisser le choix. C'est avec ce genre de comportement que les colis arrivent abîmés. Heureusement qu'il y a des coussins. Il s'allonge sur moi. Je sens son poids, son souffle. Je dois admettre que j'avais envisagé cette situation mais pas ainsi, pas si vite, pas sans moi. Je suis très mal à l'aise. Je crois que j'ai fait mes pains-surprises pour rien. Est-ce que j'ai bien mis de l'eau à Cubix 22 ?

Alors que, voilà cinq minutes, je mourais d'envie de le voir, j'ai désormais envie qu'il disparaisse. Que personne ne s'avise de me sortir « Souvent femme varie... » sinon je lui explose la tête. J'ai beau avoir l'expérience amoureuse d'une ado de quinze ans, je n'ai aucun doute sur ce que je pense de son comportement. Il abuse franchement et je ne peux que m'interposer. Je m'entends lui dire :

— Tu sais, Kayane, je serais très heureuse de vivre cette étreinte avec toi, mais j'ai ce petit problème de maladie...

Il s'arrête net et se redresse.

— Quelle maladie ?

— Trois fois rien, le docteur m'a dit que ça passera vite, mais pour le moment...

Il se relève. Je respire à nouveau. Il remet le pan de sa chemise dans son pantalon et regarde son téléphone.

— Bon sang ! J'avais oublié ! J'ai un rendez-vous urgent !

Il désigne la sortie.

— Tu ne m'en veux pas si je suis obligé de filer ?

— Non, bien sûr, je comprends.

Il est déjà dans le couloir.

— On s'appelle dans la semaine. Soigne-toi !

— Je vais...

La porte claque. Il est déjà parti. Tout l'immeuble est au courant et peut désormais en conclure que je fréquente soit des hommes qui ne maîtrisent pas leur force, soit des lapins, parce qu'il a dû rester moins de dix minutes en tout.

Je me retrouve seule, assise sur mon canapé, débraillée. Le ménage n'a servi à rien. Ma cuisine n'a servi à rien. Mes espoirs ne servent plus à grand-chose non plus. À mes pieds, je contemple le cadavre de ma naïveté froidement assassinée.

Ce soir-là, je suis retournée voir Cubix 22. Dans l'enfer que je vivais, j'avais bien besoin d'une intelligence supérieure capable de me protéger des guerriers maléfiques venus du fond des âges. Je lui ai tout raconté en pleurant pendant qu'elle lacérait le bas d'un rideau. Je n'ai eu la force de rentrer chez moi qu'au milieu de la nuit. J'avais trop peur de retourner dans un décor qui aurait dû être celui d'une somptueuse histoire d'amour et qui n'était que le cadre d'une désillusion magistrale.

Au moment de quitter la minette, elle m'a encore sorti le grand jeu, les yeux, les papattes et tout ça. C'est là que je lui ai proposé de venir. Elle n'a pas hésité. Elle s'est aventurée dans le couloir en trottinant derrière moi. Je pourrai au moins me mentir et me souvenir que j'ai reçu une visite agréable ce soir-là.

Je me suis laissée tomber sur mon lit, le visage dans l'oreiller. Cubix est venue se blottir contre mon cou. Elle n'a pas joué, pas griffé. Elle s'est simplement couchée avec son dos tout rond et s'est mise à ronronner.

Paradoxalement, des solitudes qui se rencontrent pèsent beaucoup moins lourd à deux qu'isolées.

42

— C'est vraiment écœurant.

— Personne ne prétendra le contraire, ma pauvre Laura, mais c'est ainsi.

L'intensité de ma colère est loin de retomber depuis hier soir, c'est même l'inverse. Pourtant, mon désarroi est encore plus grand que ma rage. Le comportement de Kayane me révolte viscéralement, mais il me brise encore davantage. Je suis anéantie par ce que j'ai vécu lors de ce rendez-vous dont j'attendais tellement.

Je n'ai pas dormi et ce matin, j'ai tiré Lucie du lit pour tout lui raconter. Elle qui, d'habitude, met deux heures à émerger, a tout de suite connecté ses capteurs lorsqu'elle a compris de quoi il s'agissait. Elle ne semble pas surprise. Je crois même qu'elle essaie de me dire que ce genre de comportement n'est pas rare. Moi, je tombe de l'armoire.

— Sans rire ? Les hommes sont capables de nous raconter ce qu'on veut entendre dans le seul but de nous séduire ?

— Pour une bonne part d'entre eux, j'en ai bien peur.

— Tu imagines ? Profiter de nos espoirs pour abuser de nous ? Baratiner pour coucher ?

— Ça s'est déjà vu...

— Est-ce que les femmes font ça aussi ?

— Certaines, sans doute, mais la vraie différence, c'est que les hommes se bercent moins d'illusions. Alors ils se font moins avoir. Ils ne sont pas aussi dupes que nous. Ils se contentent de sauter sur les opportunités qui se présentent à eux.

— Jessica est une de ces femmes, une opportunité sur laquelle les mecs sautent ?

— On peut le résumer comme ça, mais ne le dis à personne d'autre qu'à moi.

— Où sont les hommes qui n'agissent pas ainsi ?

— Déjà pris.

— Alors on doit se méfier de tous ceux qui restent et se résigner à finir seules ?

— Pas forcément, mais il va falloir chercher mieux en prenant quelques précautions.

Je suis scandalisée.

— Tu te rends compte ? Il n'en avait rien à faire de moi ou de ce que j'avais préparé. Il n'avait plus rien à dire, il n'écoutait plus. Tout ce qu'il voulait, c'était coucher !

— Le marché que les hommes nous proposent est souvent le même : ils nous donneront peut-être plus tard ce que nous espérons, si on leur donne immédiatement ce qu'ils désirent...

Je suis à la fois effarée et choquée.

— Je me suis bien fait berner !

— Sans vouloir être cruelle, Laura, c'est la deuxième fois que tu te fais avoir. Qui plus est, par le même mec, et de la même façon. Bravo, c'est un genre de record ! En général, on change de voiture après un accident, mais toi non. Tu remontes dans l'épave toute cabossée et tu fonces direct dans le même mur !

Je ne peux rien lui opposer. Elle ajoute :

— Tu es un cas d'école, tu peux devenir une icône. Cruche, deux fois. Et avec le même blaireau ! Trop forte, ma copine.

Elle éclate de rire. Cela faisait un moment qu'on n'avait pas ri de moi. Je râle :

— Tu trouves ça drôle ?

— On t'avait toutes prévenue. Sur ce coup-là, tu as fait ce que tu as voulu, comme une grande, et en prenant soin de nous le cacher avec un talent plutôt rassurant sur ton degré de guérison. Je trouve quand même dommage de récupérer la faculté de mentir avant d'avoir retrouvé la pleine conscience de ce pour quoi on est amené à le faire.

— Je suis désolée. J'y ai vraiment cru. Il avait l'air si sincère...

— Dis plutôt que parce qu'il est beau, tu avais envie de le croire.

Sa remarque ouvre une porte dans ma tête. J'y réfléchis.

— Tu penses que c'est parce qu'il est physiquement attirant que je me suis laissé aveugler ?

— Franchement, s'il avait eu une tête de pou, tu lui aurais cavalé après de la même façon ? Tu as un doute ? Soyons objectives : si tu n'avais pas été aussi distraite par sa jolie petite gueule, t'aurais un peu plus réfléchi aux niaiseries qu'il te servait !

Elle prend une voix bizarre :

— « Ce qui compte, c'est ton bonheur. » Quel homme déclame ce genre de foutaises, à part des acteurs payés, et cher encore ? « J'allais régler la note mais j'ai oublié mon portefeuille... » Sérieusement ? Si les hyènes savaient parler, c'est exactement ce qu'elles diraient.

Elle n'a pas tort. Mais ça fait mal.

— Lucie, pourquoi on ne nous enseigne pas cela quand on est jeune ? Pourquoi personne ne nous apprend à discerner leurs manœuvres ?

— Parce que depuis la nuit des temps, celles qui nous ont précédées se sont bien rendu compte que nos sentiments annihilaient tous les bons conseils qu'elles pouvaient nous donner. On apprend, on apprend, et dès qu'ils nous balancent une molécule de phéromone, on oublie tout ! Les hommes comme Kayane prospèrent sur nos illusions. Quand ils ont eu ce qu'ils voulaient, ils vont butiner ailleurs. On dit bien que ce sont des chasseurs-cueilleurs. Sauf que c'est nous qu'ils chassent et qu'ils cueillent. Après la partie – de chasse ou de jambes en l'air – on reste seules, détruites, cernées par les débris de nos espoirs disloqués.

— C'est déprimant. Je suis effondrée. Ils ne veulent rien d'autre que coucher ?

— Pas tous. Mais le plus souvent, leur esprit se borne à consommer, posséder, profiter, et se faire croire qu'ils valent mieux que ce qu'ils sont vraiment.

— Impossible de construire ?

— Pas avec les spécimens les plus basiques d'entre eux. Rends-toi compte, même les filles les plus sublimes et les plus désirées du monde finissent par se faire larguer ou tromper !

— C'est épouvantable. Ça ne me soulage même pas. Qui pourrait s'en réjouir ?

— Aucune femme digne de ce nom. On est toutes dans la même galère et on rame. Ce n'est pas un cœur qu'on a, c'est une pagaie ; il y a du courant et au bout, on finit dans les chutes du Niagara.

— Est-ce que je savais tout ça avant mon accident ?

— Oh que oui ! C'est d'ailleurs Kayane qui te l'avait en grande partie fait comprendre.

— Je suis retombée dans le même panneau. Si j'avais un blason, ma devise serait « Rebelote, pauvre pomme ».

— Tu commençais à t'en remettre, tu t'en remettras une fois de plus. C'est aussi notre force.

Elle pose sa main sur la mienne.

— Ne t'en fais pas, ma grande.

— Lucie, puisque j'en suis là, fais-moi gagner du temps, aide-moi à grandir à nouveau. Mais cette fois, d'un seul coup. Tous les vaccins en une seule injection. S'il te plaît, dis-moi tout ce qu'on ne nous enseigne pas.

43

— Sérieux ? Là, maintenant ? Te révéler les secrets de la vie devant ton bol de chocolat alors qu'on doit être en mairie dans une demi-heure ?

— S'il te plaît.

— On aurait dû poser une journée...

— Y a-t-il tant de choses à savoir pour ne pas se faire avoir ?

Elle soupire, se cale au fond de sa chaise et plonge ses yeux dans les miens.

— Laura, je vais essayer d'aller à l'essentiel. Il faut que tu sois très concentrée parce que ça va faire beaucoup.

Je me frappe la poitrine avec mon poing fermé.

— Je suis prête, lâche les lions.

— On va commencer par du facile.

— D'accord.

— Il arrive que les autorités ou même les gouvernements élus supposés nous protéger se laissent corrompre par des intérêts particuliers, trahissant ainsi ceux qu'ils devraient servir.

Je démarre au quart de tour :

— C'est dégueulasse !

Elle m'arrête d'un geste péremptoire de la main.

— Stop. Tu te calmes. C'est comme ça. Tu m'as demandé de te dire, je te dis. Ne nous fais pas perdre de temps avec tes révoltes d'idéaliste à la noix. On n'en est plus là. Là tout de suite, ton but n'est pas de changer les choses, mais de les comprendre.

Je m'efforce de faire bonne figure. Petit sourire crispé.

— D'accord.

— Je continue : dans la vraie vie, ceux qui utilisent le mieux les lois ne sont pas les plus honnêtes.

Je me contiens.

— Pigé.

— Les casinos, les lotos et les jeux de hasard sont des leurres. Les quelques gagnants entretiennent l'espoir de tous ceux qui se font avoir. La chance n'existe pas, il n'y a que des statistiques. À la fin, la banque gagne toujours.

— C'est moche.

— C'est ainsi. Puisqu'on en est aux trucs moches, tu dois savoir que parfois, de grandes firmes – pharmaceutiques ou alimentaires – préfèrent empoisonner leurs clients plutôt que de gagner un peu moins.

— Entendu.

Elle hausse les sourcils, surprise que je ne réagisse pas plus que ça. Mais je me gère tant bien que mal. Rictus de douleur contenue.

— Dans certains pays, enchaîne-t-elle, il arrive que des gens volent un rein à leurs proches en leur faisant croire qu'ils sont malades pour revendre l'organe à des trafiquants, qui leur donnent de quoi s'acheter une voiture rouge.

— Mais c'est...

Elle m'interrompt à nouveau d'un geste.

— J'étais certaine que ton calme n'était qu'apparent ! Si tu veux connaître les réponses, contente-toi d'écouter. Personne ne s'énerve sur son livre d'histoire et pourtant, il y aurait de quoi ! Là, tout de suite, c'est moi ton livre d'histoire.

— D'accord, j'ai compris. Je redescends en pression. Regarde.

Je souffle façon cours de yoga alors que je suis d'humeur ceinture noire millième dan. Je l'invite à poursuivre d'un mouvement du menton.

— En voilà une qui va te plaire, reprend-elle : les crèmes supposées nous empêcher de vieillir ne marchent pas. Même les plus chères.

— Tu déconnes ?

— Non.

— Alors ça veut dire qu'on finira toutes ridées ?

— Ben ouais.

J'accuse le coup, mais je suis décidée à faire face. Je lui fais signe d'envoyer la suite.

— Tu tiens le choc ? demande-t-elle.

Je serre les dents en me forçant à sourire.

— Ça va.

— Alors passons à plus lourd : quelles que soient nos croyances, nous ne sommes pas certains – et personne ne peut le garantir – qu'il y a bien un paradis après la mort.

Curieusement, je ne suis pas surprise. Je hasarde une question :

— Et l'amour ? Est-ce qu'il existe ?

Ma question l'embarrasse visiblement.

— Tu touches au cœur... du problème.

— Il n'existe pas ? C'est ça, hein ? C'est un gros mensonge, mais tu ne veux pas me l'avouer.

Elle fait la moue.

— C'est compliqué... Ce qui est certain, c'est que nous y pensons en permanence. On peut même parler d'obsession. On le cherche, on le traque, on l'espère. On en guette les signes. Certaines racontent qu'elles l'ont trouvé, mais elles sont incapables de nous le montrer. L'amour est un drôle de machin qui n'est visible qu'aux yeux de ceux qui en bénéficient. Un peu comme les gentils lutins que seuls les enfants sages peuvent voir. Il faut avoir trouvé l'amour pour savoir qu'il existe.

— Ça pue le pipeau. Tu y crois, toi ?

— À voir la tête épanouie et la mine superbe de celles et ceux qui assurent l'éprouver, j'aurais tendance à dire que oui, j'y crois.

Je souffle. Ça fait beaucoup d'un seul coup, mais je suis heureuse d'y voir plus clair.

— Si j'ai bien compris, Lucie, ce monde est un bordel sans nom rempli de pièges dans lequel tout est fait pour que nous tombions.

— C'est ça. Chaque opportunité est un potentiel traquenard mortel. Mais voyons les choses du bon côté : ça nous distrait efficacement en attendant de se prendre la météorite géante sur la figure !

Je suis complètement abattue.

— C'est pire qu'épouvantable… On te bassine avec des grands principes en espérant que tu les croiras pour mieux te rouler dans la farine. C'est bien connu, ceux qui ne savent pas qu'autre chose est possible ne se révoltent pas. De toute façon, on finit tous par crever à plus ou moins brève échéance.

— C'est ça, ma copine, on est des flétans panés condamnés à griller.

— Où donc est la beauté de la vie ? Pourquoi, face à tant de cruauté et de souffrance, s'accroche-t-on désespérément à l'existence ? En quoi est-ce une chance d'être sur terre ?

— Pour les gens, Laura. Les gens. Tout est là. Méfie-toi des systèmes ou des groupes, mais observe les individus. Lorsqu'ils acceptent de partager, quand ils offrent sans raison, lorsqu'ils s'oublient pour une idée, quand ils tendent la main, ils sont plus beaux que tout. Quand ils dépassent leurs petits intérêts, quand ils poussent un de leurs semblables pour qu'il s'en sorte mieux qu'eux, quand ils font équipe, ils sont grands. Ils sont même immenses. C'est en étant témoin de leurs élans que l'on trouve la force de tout endurer. C'est pour eux que l'on reste. La beauté d'une vie réside au creux de ces conjonctions. Regarde-les pleurer parce qu'ils sont trop émus, partager l'eau dans le désert ou s'unir face au pire. C'est bouleversant. Dans ces engagements souvent modestes, d'autant plus discrets qu'ils sont authentiques, nous puisons la force de continuer à y croire. C'est à cela qu'il faut être sensible, c'est cela qu'il faut protéger. Tout le reste n'est que le parasitage de notre nature profonde.

Je suis émue. Cette femme qui a peur des rallonges électriques m'impressionne. Ses mots me font du bien. J'aime sa façon d'envisager le monde. Elle me redonne foi en l'avenir et en l'humanité. Pour la première fois, au fond de moi, une voix intime me souffle que cet espoir-là ne repose sur aucune illusion.

— Merci, Lucie. C'est magnifique. Tu as lu ça dans un livre ?

— Non, Laura, c'est toi qui me l'as appris, juste avant que tu ne l'oublies.

44

Je suis en train de relire l'argumentation que j'ai eu toutes les peines du monde à rédiger pour une demande d'aide. Il ne me manque que la conclusion et je pourrai passer à la suivante. Pas de temps à perdre. Le malheur ne prend jamais de vacances.

Mélanie me dépose une pile de dossiers sur l'angle de mon bureau. Est-ce pour ne pas me déconcentrer qu'elle le fait avec des gestes si doux ? Espère-t-elle vraiment que je ne vais pas la remarquer ?

La voilà qui s'éloigne sans un mot, ce qui n'est pas son habitude. Je ne la connaîtrais pas aussi bien, je jurerais qu'elle s'enfuit après s'être débarrassée d'une patate chaude.

Je jette un œil aux documents. Une dizaine de cas que j'ai personnellement suivis et qui ont dû passer en commission ce matin.

— Merci Mélanie ! C'est bon, ils sont validés ?

Elle s'arrête mais évite de se retourner.

— Non, Laura. Tous ont été rejetés.

Je grogne. Je passe rapidement en revue les noms pour me remémorer les situations. Je suis perplexe. Que des configurations évidentes, indiscutables, et pour lesquelles je préconisais des montants d'aide tout à fait raisonnables.

Mélanie se retourne. Je découvre son visage dépité. Elle n'est pas fière.

— Que s'est-il passé ? Comment ont-ils pu être refusés ?

— Je te promets, on les a défendus de toutes nos forces. Valéric a été super.

— Je n'ai aucun doute, ni sur vous, ni sur elle.

— Je crois que Dutril n'a pas apprécié que tu le mouches devant tout le monde lors de la dernière session. Il a systématiquement démonté les dossiers sur lesquels figurait ton nom...

Je monte aussitôt en pression.

— Ce crétin a fait payer son orgueil froissé à des gens qui n'y sont pour rien ? Ils n'ont pas déjà assez de problèmes comme ça ?

— Il s'en fiche. Il s'est offert un sacrifice rituel pour apaiser sa petite fierté. Dix victimes.

Je fulmine :

— Il a courageusement attendu que je ne sois pas là pour accomplir son forfait.

— Si le courage était une de ses vertus, ça se saurait...

Ma tendance naturelle serait d'aller lui fracasser sa vilaine tête de fourbe. Avec une grosse tenaille pour lui faire une ablation de la stupidité. Mais j'ai grandi. Je sais désormais que le combat n'est utile que lorsqu'il arrive au bon moment. Mes ascendances de princesse ne sauraient mentir !

— Je vais me le farcir...

— Ne t'énerve pas, Laura. Il est intouchable.

— Je sais. Je cherche d'abord une solution pour sauver ces dossiers malgré sa manœuvre.

Rassurée, Mélanie respire.

— Mais dès que le sort de ces gens sera sécurisé, je te jure qu'il va le sentir passer...

— Comment veux-tu arranger les choses ? fait Mélanie, de nouveau inquiète. Ces demandes ont été rejetées, on n'a pas le droit de les représenter.

Je réfléchis. Comme depuis quelque temps lorsque je suis désemparée, j'en appelle à la sagesse des personnalités bienveillantes qui peuplent notre inconscient collectif. À ma place, qu'aurait fait Mère Teresa ? Qu'aurait fait Gandhi ? Sissi impératrice ? Shrek ?

Objectivement, je pense que tous auraient mis le feu et que Mère Teresa lui aurait en plus asséné un coup de pied tournant en pleine poire. Si ma mémoire est bonne, Gandhi ne se séparait jamais d'un bâton...

— Laura ? À quoi tu penses ? Tu me fais peur quand tu as cette tête-là...

— Tu dis qu'il a bloqué ces dossiers simplement en voyant que c'étaient les miens ?

— Il s'est acharné dessus comme sur aucun autre.

— Il ne les a donc pas vraiment étudiés ?

— Une fois qu'il avait repéré ton nom sur la page de garde, plus rien d'autre ne comptait.

— Donc, si je n'y suis plus rattachée, il ne devrait ni les reconnaître, ni poser aucun problème...

— Probable.

— Parfait. Admettons que notre directrice les représente en urgence sous son patronyme...

Mélanie vient de comprendre. Son visage s'éclaire.

— Les mêmes dossiers, présentés par la chef... Ça peut marcher !

— Tu montes m'aider à convaincre Valérie ?

— Avec plaisir !

45

En arrivant à la hauteur de la porte de mon immeuble, je vérifie une fois encore que je n'ai pas été suivie. Parce que même si je n'ai plus d'illusions concernant Kayane, j'ai toujours l'autre boulet qui doit continuer à me surveiller. Celui-là n'est pas près de me coincer sur mon canapé. Y a pas marqué « *Baby, two more times* » sur mon blason.

Personne de suspect à l'horizon. Je me précipite sous le porche, compose le code et m'engouffre à l'intérieur. Quel stress ! Si au moins je savais à quoi il ressemble...

Malgré tout ce que je traverse, étonnamment, mon moral se maintient. Le fait d'avoir rendez-vous chaque soir chez moi y est pour beaucoup. Bon, d'accord, c'est avec un chat, mais c'est quand même un rendez-vous. Cela peut paraître dérisoire, mais Cubix 22, du haut de ses quelques mois et de sa frimousse, a malgré tout réussi l'exploit de me rendre mon appart à nouveau vivable. Ce n'est plus le traumatisme de la visite de Kayane qui imprègne mes murs, mais le doux ronron de ma colocataire à quatre pattes – et le parfum de son bac à litière que je devrais vider plus régulièrement. Je suis vraiment redevable à cette petite bête. Son pouvoir est immense. Le lendemain du drame, lorsque j'ai eu tant de mal à rentrer chez moi, c'est grâce à elle que j'ai trouvé le courage d'aller reconquérir mes terres. Sans Cubix 22, je les aurais abandonnées aux ténèbres et serais allée dormir chez Lucie, qui m'aurait encore montré des films d'horreur.

J'ouvre ma porte. Cubix est sagement assise dans le couloir, exactement là où je l'ai laissée ce matin. Si je n'avais pas vu de quoi elle était capable chez Audrey, je pourrais croire qu'elle a passé sa journée à m'attendre. Elle miaule en faisant le dos rond. Elle se glisse et se frotte dans mes jambes au risque de me faire tomber. J'inspecte chaque pièce, avec elle qui tricote une trajectoire entre mes pas. Elle n'a apparemment fait aucun dégât. Bien sûr, si elle a utilisé le téléphone pour appeler des confrères persans, birmans, ou des chats de gouttière expatriés, je ne m'en rendrai compte qu'à ma prochaine facture, mais je lui fais confiance.

Je la soulève et la serre contre moi.

— Tu m'as manqué, petite chipie. Ta journée s'est bien passée ?

Elle ronronne. Elle se blottit. Elle me demande ce que j'ai le plus à donner : de l'amour. Ça tombe bien parce que si elle voulait de l'argent, notre histoire ne durerait pas longtemps.

— Viens avec Tata Laura. Elle doit faire quelque chose d'important et tu vas l'aider.

Je me dirige vers mon bureau et j'ouvre le tiroir, sur lequel Cubix 22 braque aussitôt ses grands capteurs optiques de prédateur. Je saisis la toupie en bois et je gagne le salon, où je la pose sur la table. Je m'assois devant et la regarde attentivement.

La minette saute à côté et jauge l'objet. Les couleurs ne sont plus aussi vives qu'au temps où ma mère a dû me l'offrir. Les toupies aussi prennent des rides. Cubix 22 la pousse avec sa patte. Je me concentre pour essayer de me souvenir du moment où ma mère me l'a donnée. J'ai beau faire mon possible, cela ne donne rien. Je peux toujours me consoler en me disant que ma mémoire est convalescente, mais il est aussi possible que je l'aie déjà oublié avant mon accident.

J'attrape mon ordinateur. Ce soir, je suis décidée à utiliser tout ce qu'Internet et les réseaux sociaux permettent pour tenter de découvrir ce qu'est devenue ma mère et où elle se trouve. Je m'attends à tout : meneuse de revue à Calcutta, mariée à un espion russe qui l'a obligée à choisir entre nous et une vie d'aventure, rouleuse de cigares à Cuba, retenue prisonnière au fin fond d'une vallée perdue de l'Himalaya parce qu'il n'y a qu'elle pour savoir faire du riz au lait aussi bon dans un rayon de six jours de marche... Tout est possible, mais j'ai envie de savoir. Je n'ai pas parlé de ma démarche à mes frères, et surtout pas à mon père. C'est une quête personnelle, mais je sens que je ne serai vraiment en paix que lorsque j'aurai la réponse.

D'elle, je sais peu de choses. Son nom de jeune fille, sa date de naissance et la période à laquelle elle a quitté notre foyer. Rien d'autre. Pas même une vieille photo. Si le souvenir de la toupie daignait remonter à la surface, l'image de son visage reviendrait peut-être lui aussi. Cubix 22 s'amuse pendant que ma mémoire refuse obstinément de fouiller dans les cartons du fond.

J'attrape la toupie.

— Tu veux voir comment ça marche ?

Je la pince entre mes doigts et la fais tourner exactement comme lorsque j'étais enfant. Le geste m'est revenu, intact. Ma mère m'a sans doute vue le pratiquer de nombreuses fois. Une émotion étrange m'envahit. Cubix 22 est intriguée par l'objet, qui semble immobile tellement il tourne vite sur lui-même. Elle avance la patte. La toupie réagit au premier contact et gicle en biais. Je l'attrape juste avant qu'elle ne tombe de la table.

Assez joué. Je prends le chat sur mes genoux et je commence à entrer le nom de ma mère dans le moteur de recherche. On n'imagine jamais ce que taper quelques lettres sur un clavier peut déclencher.

46

— Vous n'avez rien à craindre. C'est mon métier d'aider les gens.

— Vous ne devez pas chômer...

— Commandez tout ce qui vous fait envie. Allez-y de bon cœur. On réfléchit mal le ventre vide.

— Je vous l'ai dit, je n'ai pas d'argent.

— Ne vous souciez pas de ça. Mangez à votre faim, c'est tout ce qui compte pour le moment.

J'observe la jeune femme qui salive en parcourant la carte du restaurant. Comme une bête sauvage apeurée, elle me jette des coups d'œil furtifs. Ses mains tremblent. Elle est maigre et ses amples vêtements abîmés ne parviennent pas à le masquer. Ses poignets, son cou, son visage aux traits tirés, sa peau diaphane, ses cheveux sans éclat... J'ai déjà vu beaucoup de gens dans cet état-là. Il faut très peu de temps pour transformer les plus stables des individus en ces pauvres bougres affaiblis et craintifs de tout. N'importe qui peut dévisser à une vitesse que l'on ne soupçonne pas avant de la subir.

La serveuse approche.

— Prêtes à commander ?

Alice ne sait pas quoi répondre. Je prends les devants. Je choisis du poisson, mais aussi de la viande, et je prends déjà une option sur les desserts. La serveuse me regarde bizarrement, mais je lui fais un clin d'œil. Elle doit me croire enceinte.

— Apportez tout en même temps, on se débrouillera.

Elle hoche la tête et se tourne vers mon invitée.

— Et vous ?

— La même chose.

Je n'avais pas prévu que mon invitée doublerait la mise. Je pensais partager. On va prendre dix-huit kilos, surtout moi. Jamais je ne pourrai avaler tout ce que j'ai commandé ! La serveuse repart déjà sans que je puisse rectifier. Tant pis. Je me reconcentre sur le plus important.

— Racontez-moi ce qui vous arrive.

— Ça vous intéresse vraiment ?

— Pour être en mesure d'aider, il faut d'abord comprendre.

Alice prend une inspiration et commence, la voix légèrement tremblante :

— Mon histoire est d'une affligeante banalité. Tout est parti de travers sans que j'y puisse rien. Étape après étape... sur tous les plans. Chaque jour réussit à être pire que le précédent. Une dégringolade permanente.

— Je crois savoir que vous aviez un travail ?

— Un CDD. Mes patrons m'ont demandé de donner le maximum parce que j'étais débutante. Je devais « faire mes preuves », qu'ils disaient. Ils m'ont promis des tas d'avantages, un avancement rapide. J'ai tout donné, sans compter. Mais le moment venu, ils m'ont jetée pour en prendre une autre à qui ils ont joué la même comédie. C'est leur façon de faire. Ça m'a écœurée. C'est là que j'ai commencé à plonger.

— Votre famille vous a soutenue ?

— Ma mère vit dans le Sud mais le vrai problème, c'est que depuis la mort de mon père, elle s'est trouvé un compagnon avec lequel je ne m'entends pas du tout. C'est une brute, un sale type. Il impose sa loi et maman n'ose plus bouger le petit doigt. Trop peur de finir seule. J'ai eu le malheur de dire ce que je pensais de lui... Mon « beau-père » – ce nom ne lui va vraiment pas – m'a interdite de séjour et coupé les vivres. Je n'ai pas parlé à ma mère depuis près d'un an.

— Des frères et sœurs ?

— Je suis fille unique.

— Votre entourage ?

— Mes seules amies étaient au travail et on leur a interdit de m'adresser la parole sous peine d'être virées.

Les plats arrivent. La table n'est pas assez grande pour tous les poser. J'ai à peine le temps de lui souhaiter bon appétit qu'elle a déjà attaqué.

— De toute façon, quand vous n'avez plus le loisir de sortir parce que vous bossez du matin au soir, les relations se lassent et s'éloignent. Lorsqu'en plus vous n'avez pas assez d'argent pour mener un semblant de vie sociale, c'est mort. Je me suis retrouvée de plus en plus isolée. Ça fait trois mois que je n'ai même plus de téléphone. Factures impayées, prélèvements rejetés, agios, interdiction bancaire... La spirale.

Elle parle la bouche pleine, avale comme une affamée. On dirait qu'elle a même perdu l'habitude de se servir de couverts. Je parie que si elle était seule, elle y mettrait les mains.

Je réfléchis.

— On va monter un dossier. Je vais vous aider. S'il le faut, nous contraindrons votre mère à vous aider financièrement.

— Légalement, elle n'est plus obligée à rien. J'ai vingt-six ans.

Son âge me fait réagir. Seulement un an de moins qu'Antonin. Comment, dans un même pays, à quelques kilomètres d'écart, deux vies peuvent-elles être si différentes ?

Elle dévore maintenant son deuxième plat. Je n'ai même pas touché à mon premier. Elle me regarde pour la première fois dans les yeux.

— De toute façon, je ne vais pas rester long-temps ici. Mon proprio a entamé une procédure d'expulsion. Avec le printemps et la fin de la trêve hivernale, je ne vais pas tarder à voir débarquer les huissiers, puis les flics. J'ai vu comment ça se passe, c'est arrivé à une dame au bout de mon couloir...

Je sais exactement de quoi elle parle. On me l'a raconté tant de fois. J'en ai même été témoin. J'ai du mal à m'en tenir à une réaction strictement professionnelle. Mes émotions et ma conscience sont en train de rentrer dans la danse. Peut-être parce que je la vois manger. D'habitude, je reçois les gens dans nos locaux, sans partager un repas, sans les voir dans des circonstances quotidiennes où leur détresse apparaît aussi nettement. Je ne vais pas arriver à considérer cette jeune femme comme un cas de plus. C'est au-dessus de mes forces. Face à ce qui l'accable, je ne peux pas me contenter de remplir des formulaires. Si on veut empêcher qu'elle ne sombre définitivement, il faut agir vite, lui lancer une bouée. Tout de suite. Je saute à l'eau.

— Je vais régler le loyer pour vous. Il faut éviter que vous vous retrouviez à la rue ou en foyer. Je vais contacter votre propriétaire et ça calmera le jeu dans un premier temps.

Elle arrête de mâcher.

— Ça fait partie de votre métier ? fait-elle, dubitative.

— D'une certaine façon.

— Merci. C'est sympa.

Elle désigne mon plat.

— Vous ne finissez pas ?

Je n'ai même pas commencé. Je pousse mon assiette vers elle. Elle en a plus besoin que moi.

47

J'aperçois Lucie qui dépose ses bordereaux dans le casier. Sa tenue attire aussitôt mon attention. Son joli chemisier est barré de grandes lettres écrites au marqueur noir. La stupeur m'écarquille les yeux. C'est tellement mal tracé qu'on dirait une lettre anonyme, mais d'un genre nouveau : gribouillée sur quelqu'un. Elle a écrit : « Méfiez-vous des rallonges électriques qui peuvent tuer ! »

À cause de la longueur du message, les mots s'étalent non seulement sur sa poitrine mais jusque sur son flanc. Étrange. Du coup, de profil, avec les plis du tissu qui masquent certaines lettres, j'ai cru un instant qu'il était question de « sales songes qui puent »...

Elle s'approche.

— Salut Laura ! Comment tu vas ?

— Mieux que ton chemisier. Il était joli avant que tu le barbouilles...

— J'ai décidé de m'engager dans la prévention.

Elle tend le tissu sur sa poitrine pour bien me le montrer, fière du résultat.

— C'est Dounia qui m'en a donné l'idée avec ses tee-shirts, mais contrairement à elle, je n'en ai pas trouvé à vendre sur les thèmes qui me tiennent à cœur. Alors je me le suis fabriqué, comme une grande. À croire que personne ne veut parler des rallonges qui tuent.

— Maintenant que tu le dis, c'est étonnant, en effet...

— Il doit certainement exister un groupe occulte qui complote derrière cette omerta. Si ça se trouve, ils m'ont déjà repérée et nous observent en ce moment même. Sache que s'il m'arrive quelque chose dans les jours qui viennent, ce sera un assassinat déguisé.

— Alors je te vengerai et je reprendrai le flambeau de la vérité.

— Rigole. En attendant, les gens lisent le message.

— Forcément, ce n'est pas tous les jours qu'on en voit des comme ça ! On déjeune toujours ensemble ce midi ?

— Avec plaisir, j'ai plein de trucs à te raconter.

— Ça marche !

Elle repart vers son bureau.

« Ça marche. » Voilà à peine une semaine, j'aurais été incapable d'utiliser une expression comme celle-là. Mais je fais des progrès. Même si j'ai toujours peur des sèche-cheveux, j'ai retrouvé la maîtrise de nombreuses locutions qui n'avaient plus pour moi que leur sens littéral : « quand les poules auront des dents », « une bande de bras cassés », « aux petits oignons », « prendre ses jambes à son cou », « peigner la girafe », « des bâtons dans les roues »... Le simple fait d'imaginer ce que cela pouvait donner concrètement me réveillait la nuit.

À force de lire mon dictionnaire – j'en suis à la lettre *P* : patate, pianissimo, plaquée, plateau-repas, proton, psychose –, je sais à présent exactement dans quel contexte les utiliser. Je partais de loin parce que la dernière fois que Mélanie m'a lancé que « je pouvais toujours me gratter », je l'ai fait. Comme s'il n'était pas assez compliqué d'utiliser les mots pour leur sens, il faut encore se colleter avec les interprétations tirées par les cheveux de derrière les fagots ! Vous imaginez la scène ? Qui a encore des fagots ?

Tout semble calme ce matin dans le service. La routine a du bon. On peut avancer efficacement. Mais je suis désormais assez expérimentée pour savoir que la nature a horreur du vide. Si c'est calme, cela ne le reste jamais longtemps !

C'est le petit martèlement des talons hauts, très inhabituel dans le service, qui a d'abord attiré mon attention.

Une superbe jeune femme vient de faire son entrée dans notre espace de travail. Une beauté un peu tapageuse, cheveux longs en crinière de lion, décolleté à y perdre ses clés et jupe serrée – d'où les petits pas et le martèlement. Si on était dans un film, elle se serait trompée de plateau. Ici, on tourne *Cette chienne de vie m'a encore éclaté* alors qu'elle est sans doute attendue dans *Les Aventures de princesse Glamour et son string catapulte*. Tout le monde semble la connaître, mais elle ne me rappelle rien. Comme quoi j'ai encore des trous dans le gruyère.

Sans vérifier si des administrés sont présents au comptoir, elle hurle à la cantonade :

— Eh, les filles, vous en voulez une bien croustillante ?

Mélanie redouble d'attention pour ses comptes rendus et me souffle :

— Ne réponds pas. Ne la relance surtout pas. Fais comme si elle n'existait pas.

Mais à mon jeune âge, vous savez à quel point on a soif d'apprendre.

— C'est quoi, « une bien croustillante » ?

Mélanie serre son crayon au point de le briser. La jeune beauté m'a entendue. Elle roule des fesses jusqu'à moi.

— Salut Laura ! Je vais te l'expliquer par l'exemple grâce au scoop de la semaine. Accroche-toi, c'est énorme : la petite nouvelle aux archives de l'état civil, Morgane, la bombasse qui tous les matins doit avoir beaucoup de mal à faire rentrer ses seins dans ses tops riquiquis, eh bien elle sort avec Étienne, le beau gosse qui vient d'être titularisé à l'urbanisme !

Je lui demande :

— Qu'est-ce qui est énorme ? C'est ça, un scoop ?

Mélanie me bombarde du regard. La fille saute sur l'occasion.

— Laura, je sais que tu es en rééducation de la tête mais lui, c'est le *hot boy* et elle, c'est la nouvelle *it girl* ! Tu te rends compte ?

— Pas bien. Tu passes dans tous les services pour l'annoncer ?

Ma question la désarçonne. La fille sourit comme une star, retouche sa coiffure qui n'en avait pas besoin et prétexte du travail pour nous quitter.

Je me tourne vers Mélanie et demande :

— Qui c'est ?

— Olga, à la communication, mais tout le monde l'appelle « Pas de culotte ».

— Pourquoi ?

— Pourquoi on l'appelle comme ça, ou pourquoi elle n'a pas de culotte ?

— Les deux.

— Il faut vraiment que je te fasse un dessin ?

— C'est une de ces occasions sur lesquelles les hommes sautent ?

— Ils n'ont même pas à se donner cette peine, elle prend les devants.

Discrètement, je sors mon petit carnet sur lequel je note les expressions qui m'interpellent. « Prendre les devants. » J'ai peur d'être encore trop petite pour en connaître la véritable signification sans rougir.

J'aperçois Sébastien qui me fait signe à l'entrée du service. Je l'ai prié de passer me voir. Je me lève pour le rejoindre. Je préfère aller faire quelques pas dehors, un peu d'air frais me fera du bien et nous serons mieux loin des oreilles indiscrètes. J'ai un truc particulièrement délicat à lui demander...

48

— Merci Laura, c'est vraiment excellent ce que tu as fait pour ma voisine.

Il ne sait même pas que j'en suis de ma poche et c'est tant mieux.

— Je t'en prie. Continue à garder un œil sur elle et tiens-moi au courant. Tu dois pouvoir renouer le dialogue maintenant. Nous avons parlé de toi, elle ne te soupçonnera plus de vouloir la draguer.

— Entendu.

— Sébastien, tant que je te tiens, j'aurais un service à te demander. Mais c'est un peu particulier...

— Une livraison ? Tu veux que je t'accompagne quelque part en voiture ?

— Pas exactement. Voilà, c'est assez gênant à expliquer, mais je suis importunée par un homme que je ne connais pas et qui me fait peur. Il passe son temps à me suivre et à m'espionner...

Il se redresse bien droit et bombe le torse.

— Tu veux que j'aille le calmer ? Lui casser la gueule ?

— Si seulement c'était faisable...

— Il est si costaud que ça ? Pas de problème, j'y vais avec les potes et on te le plie en huit. Il te laissera tranquille.

— C'est très gentil, mais ce n'est pas aussi simple. En fait, j'ignore à quoi il ressemble.

Sébastien s'efforce de ne rien laisser paraître, mais la légère inflexion de sa lèvre inférieure et la vibration de son sourcil gauche sont sans équivoque : il me prend pour une timbrée.

— Un type te suit, et tu ne l'as jamais vu ?

Il a soigneusement articulé chaque syllabe pour s'assurer que je comprenais bien.

— Exact.

— C'est l'homme invisible, ou…

— Je sais, ça paraît absurde mais je te jure qu'il existe.

— Comment sais-tu qu'il te piste si tu ne l'as jamais repéré ?

— Il m'a parlé dans le noir et m'a certifié qu'il n'était jamais loin de moi. Il m'en a même donné des preuves…

Sébastien est maintenant mal à l'aise.

— Tu sais, Laura, en général, les femmes qui entendent des voix finissent bonnes sœurs. Si c'est ça que tu veux, alors c'est génial, mais méfie-toi quand même, j'ai entendu parler d'une certaine Jeanne qui a été brûlée vive par des Anglais en vacances en France pour ça.

— Je devine ce que tu penses, mais je ne suis pas folle.

— OK. Qu'attends-tu de moi ?

— Je suis certaine que s'il me voit en couple avec un autre, il me laissera tranquille. Alors je me disais…

Je prends une profonde inspiration et me lance :

— Accepterais-tu de faire croire que nous sommes ensemble ? Pour un soir, un seul soir. On sortirait, on irait au restaurant, ou même seulement boire un pot ; l'essentiel serait qu'il puisse nous voir.

Sébastien est blême. Pour être parfaitement honnête, je dirais même qu'il a la nausée. Je vais oublier de mentionner ce détail auprès de mon amour-propre. Mais ne voyons pas tout en noir, j'ai au moins réussi à lui faire l'effet qu'il provoque en nous toutes lorsqu'il conduit : il a l'estomac au bord des lèvres. Vengeance !

— Je t'aime vraiment bien, Laura, je te promets. Tu es mignonne et tout. Ne le prends pas personnellement, mais j'ai déjà une copine...

— Non non non, il ne s'agit pas de sortir avec moi pour de vrai ! Juste de faire semblant pour m'aider à me débarrasser de lui. Je ne souhaite rien d'autre. Je me doute bien que tu as ta vie.

Il reprend des couleurs.

— Tu m'as fait peur. J'ai cru que...

S'il me dit que je pourrais être sa mère – ce qui est complètement faux – je le ligote, et sous ses yeux, je torture sa voiture en lui crevant le radiateur, en lui remplissant le réservoir d'aspartame et en gravant sur le capot : « Ne me dis plus jamais non, mon bonhomme. »

— Tout ce que je te demande, c'est de t'afficher avec moi quelques heures. Ce sera déjà un immense service dont je te serai éternellement reconnaissante.

Il plisse les yeux.

— Vous êtes vraiment bizarres, vous les filles.

— Ça veut dire oui ?

Il opine de la tête. Bien qu'il l'ignore, il vient de sauver la vie d'un innocent véhicule.

49

Alors c'est ça, le sport ? On gigote sans arrêt en se disant que ça fait du bien même si ça fait mal. On porte, on court, on tire, on soulève, on se contorsionne. On fait la même chose que des déménageurs pourchassés par une unité d'élite, mais sans rien avoir à se reprocher et sans déplacer le moindre carton. Bouger pour bouger. Si j'ai bien compris, le but de la manœuvre consiste à s'activer pour brûler ce qu'on n'était pas obligé de manger. C'est dingue ! Encore un concept un tantinet barré né de l'esprit tordu d'une personne qui n'était sans doute pas assez occupée. Aucun autre animal que nous ne fait du sport. Vous imaginez, une mésange à la salle de muscu, qui lève de la fonte avec ses petites ailes, ou une fouine sur une balle de Pilates ?

En attendant, je cours à côté de Valérie. Ou plutôt, je me démène pour éviter qu'elle ne me sème. Je suis en nage, mon tee-shirt est à tordre et mon corps me hurle d'arrêter le massacre. Il fait beau, le soleil brille, mais je m'en fous parce que je souffre trop. Je suis une bestiole que Mère Nature torture. On va quelque part mais je ne sais pas où et de toute façon, on n'a rien à y faire parce que notre but consiste uniquement à parcourir le chemin. Après, on reviendra à notre point de départ. Ni vu ni connu. Pour des prunes. En ayant en plus bien morflé. Quatre mille ans de civilisation pour en arriver là.

Nous ne sommes pas les seules à courir comme ça. Plus on s'éloigne du centre-ville, plus d'autres coureurs apparaissent de partout. Valérie parle d'« effet printemps », mais je commence plutôt à soupçonner une catastrophe chimique qui aurait provoqué la fuite de tous ces gens. Car sans nous concerter, nous fonçons tous dans la même direction. C'est un phénomène qui ne trompe pas. Tous ces gens mieux informés que nous s'écartent rapidement d'une coulée radioactive. Elle doit être effrayante, étant donné la vitesse à laquelle certains détalent. Valérie, perdue dans son monde de licornes et de yaourts de soja, prétend qu'il n'y a pas à s'inquiéter et que l'on se dirige tous vers le bois. Ben voyons. Il a bon dos, l'appel de la nature. D'abord, il fait mal partout, et de toute façon, si on s'y retrouve trop nombreux, il n'y aura même pas assez d'arbres pour que chacun puisse y faire son nid.

Parmi nos compagnons d'infortune, quelques couples, des pères avec leurs enfants, des groupes. Les tenues sont toujours moulantes. Moi, je n'ai pas voulu. Ainsi, les gens penseront que je flotte dans mon jogging parce que j'étais énorme et que j'ai déjà bien maigri. Courage les filles, si j'ai réussi, vous pouvez y arriver aussi !

On se fait maintenant doubler par des gens à vélo et par les chiens. Ils accompagnent souvent des hommes. Aucun chat ne court avec les femmes. Je me demande bien pourquoi.

Valérie est fraîche, rose, sa foulée est idéalement cadencée pour être efficace. Aucune sueur ne perle sur son front alors que moi, j'envisage des travaux de grande envergure pour endiguer le flot qui me ruisselle jusque dans les yeux. Un bassin de rétention sur l'épaule droite avec une auto-pompe me semble approprié. Valérie ne donne aucun signe de fatigue. Ça m'énerve. Si je savais où trouver un porte-bébé, je lui demanderais de me balader sur son dos.

Valérie se comporte ici de façon plus naturelle qu'au bureau. À l'époque où j'avais encore du souffle, c'est-à-dire huit mètres après avoir commencé notre course, nous avons échangé quelques propos personnels. Elle m'a demandé comment j'allais, moi aussi. Chacune a vraiment écouté la réponse de l'autre.

Mais depuis que notre équipée est devenue sérieuse, nous ne parlons plus. Mes poumons sont retournés comme des chaussettes et bien que je sente ma fin approcher, ma vie ne défile même pas devant mes yeux puisque je ne m'en souviens pas.

Entre deux immeubles, j'aperçois la cime des arbres. Les bois se profilent enfin. À la seule idée de faire le même trajet pour revenir, je peux pleurer comme quand j'ai cru que le gentil dauphin du film était mort. Il me semble entendre des hennissements de chevaux au loin. Je n'apprécie pas ce son, il me stresse.

Valérie ralentit et me fait signe de remonter à sa hauteur. Elle ne se rend pas compte de ce qu'elle me demande.

— Tu tiens le rythme ?

— Je vais mourir. Je te lègue mon pot à crayons.

Elle rit. C'est humiliant. Ce n'est pas qu'elle se moque de moi qui me choque, mais qu'elle ait encore suffisamment de souffle pour se permettre le luxe de s'esclaffer.

— Avant mon accident, on se tapait vraiment ce type de course tous les dimanches matin ?

— Sauf exception, oui. Tu disais que ça te permettait d'évacuer.

— Je me débrouillais mieux qu'aujourd'hui ?

— Nous étions du même niveau.

Ma vie est un échec. J'ai tout perdu. Ma forme olympique, mes illusions, et la notice de mon aspirateur.

— Ne prends pas ça au tragique, c'est une reprise. La sortie de l'hiver ajoutée aux mois durant lesquels tu n'as pas couru... Ta tête de tomate s'explique tout à fait !

Elle rit encore. Dès que j'aurai repris des forces, c'est-à-dire dans environ deux ans, je l'assomme pour m'avoir traitée de tomate.

Je suis quand même prête à frôler l'asphyxie pour lui dire ce que j'avais prévu :

— Je te remercie d'avoir sauvé mes dossiers.

Initialement, j'avais envisagé de lui faire un vrai discours, émouvant, avec de la gratitude et tout et tout, mais étant donné ce que chaque mot me coûte en alvéoles pulmonaires, c'est déjà un miracle d'arriver à prononcer toutes les consonnes. Alors plutôt qu'un long blabla, je vais la gratifier d'une tape amicale sur l'épaule qui va quand même me cramer mes trois dernières molécules de sucre. Et hop !

Elle semble s'en satisfaire. Repose en paix, petit sucre, tu n'es pas mort en vain !

— Je t'en prie. Ton idée de les présenter une seconde fois sous mon nom était excellente. Face à ce qui nous entrave, on doit se serrer les coudes pour réussir ce en quoi l'on croit.

C'est beau. Il faut au moins dix litres d'oxygène pour articuler un message aussi fort. Je n'ai la force que d'approuver de la tête. Et encore. Non seulement j'ai l'air d'une marionnette dont le manipulateur est en train de se gratter le nez, mais en plus, je fais maintenant un drôle de bruit que je n'arrive absolument pas à contrôler.

On se fait encore doubler par un chien qui court avec son maître. Mignon d'ailleurs. Le maître autant que le chien. Mais vu mon état, j'ai plus de chance avec le canidé qu'avec le bonhomme. Je me sens déjà proche du clébard. À deux doigts du coup de foudre. On brisera nos chaînes ensemble, on se sauvera en creusant sous la clôture, on fouillera les poubelles. Nous serons libres et nous vivrons à poil ! Surtout lui. Pour nos noces de croquettes, il m'offrira un magnifique collier... antipuces. Ouaf !

Comme lui, j'ai la langue qui pend parce que j'ai soif. Et si je levais la patte pour marquer mon territoire ?

Valérie ralentit à nouveau pour m'attendre.

— À propos de Dutril, tout à fait entre nous, il va certainement nous poser un gros problème.

— Il n'y a pas qu'à moi qu'il en veut ?

— Non, et cette fois il fait fort. Je te demande de n'en parler à personne dans le service avant de savoir si c'est sérieux.

— Là, tu m'inquiètes...

— Il veut réduire les effectifs du service social pour le fusionner avec les services généraux.

— Quoi ?

L'information me fait l'effet d'un coup dans le ventre. J'avais bien besoin de ça.

— Tu as bien entendu. Mais sa volonté de réorganisation dissimule une autre ambition. Ce qu'il veut vraiment, ce n'est pas notre élimination, c'est notre bâtiment. Il a des vues sur cette belle maison qui nous héberge. Selon lui, on est des privilégiées – ce qui n'est pas faux – et de son point de vue, il y aurait bien mieux à faire de cette jolie bâtisse que d'y abriter des « bouffe-subventions »...

— Tu es sérieuse ?

— Tout à fait. Son plan est simple : il nous fait intégrer la mairie principale en nous entassant au deuxième étage, puis il transforme notre local pour le vendre. Le projet immobilier est apparemment déjà bouclé. Certains soupçonnent des accointances avec le promoteur... Personne ne devrait être au courant, mais une amie des services techniques a surpris une réunion et m'a alertée.

Je suis énervée. J'ai envie de crier, mais j'en suis incapable. Plus de souffle. Tant pis, je vais aller boire dans la grande flaque avec ce beau labrador.

50

Sébastien est méconnaissable. Depuis qu'il travaille en mairie, je l'ai toujours vu habillé en jeans
usés aux genoux, tee-shirt et baskets. Mais ce soir,
lorsqu'il descend d'un petit coupé sport bien plus
esthétique que sa fourgonnette, ce n'est plus le
même homme. Au point que je ne l'ai pas identi-
fié immédiatement. Coiffé, rasé de près, chemise
cintrée, veste ajustée, petite ceinture, chaussures
classes. Même son sourire semble différent. Il a
donc bien une autre vie et plusieurs facettes. Moi
pas. Quel que soit le jour ou l'heure, quelles que
soient les circonstances, je suis toujours la même.
Il va falloir que je m'interroge sérieusement sur
ce point.

Je lui ai demandé de passer me chercher au pied
de mon immeuble, afin d'être certaine que mon
soupirant masqué puisse nous repérer. Car ne nous
trompons pas : l'unique but de cette soirée est de
me donner en spectacle. Une seule représentation
exceptionnelle, taillée sur mesure pour celui qui
doit y croire.

Sébastien m'invite à prendre place dans son
bolide. J'ai déjà vu ce genre de voiture dans des
films, mais je ne crois pas m'y être jamais installée,
surtout pas à côté d'un si joli garçon.

Nous voilà donc partis pour une soirée de faux-semblants et de mensonges dont il est l'acteur principal et l'alibi. J'espère que sa belle apparence et mon scénario dégoûteront la voix de l'ombre qui me poursuit malgré moi. Quelle histoire ! On se croirait dans une bluette brésilienne avec des bombasses et des machos qui jouent à cache-cache. Si j'avais voulu tourner dans un film, ça n'aurait pas été de ce genre-là, mais on ne choisit pas toujours. Me voilà donc figurante dans *Princesse Glamour 2 : Adieu vilain boulet aux hormones*.

Sébastien conduit bien moins brutalement qu'avec la fourgonnette de la mairie. Peut-être fait-il payer à l'utilitaire communal le fait d'être moins séduisant ? Les hommes sont décidément impitoyables en matière de châssis.

Nous prenons la route d'un quartier branché situé à la limite de la ville, un lieu de fête créé sur une zone d'anciens entrepôts réaménagés, au bord d'une rivière.

Même si nous ne faisons que semblant d'être ensemble, Sébastien a eu l'élégance de m'inviter. Comme quoi les hommes qui n'attendent rien de nous peuvent aussi être les plus généreux.

La fin du trajet emprunte des chemins moins aménagés ; il faut connaître. D'autres voitures nous suivent. Celui que je veux convaincre est sans doute à bord de l'une d'elles.

Nous arrivons enfin sur un parking improvisé, immense et déjà bien rempli. À peine ma portière ouverte, je perçois déjà les échos d'une musique syncopée venue des grands bâtiments industriels qui s'alignent le long des berges.

— Quel endroit étonnant ! Tu viens souvent ici ?

— Assez, oui, avec les potes ou ma copine. J'aime bien. On peut danser, dîner ou boire un verre. Parfois il y a des spectacles. Tu trouves toujours quelque chose qui correspond à ton humeur. Tu vas voir, l'ambiance est assez spéciale. Plein d'univers dans un même lieu.

Je regarde autour de nous. D'autres jeunes gens arrivent. Pour une fois, je me suis habillée comme il fallait. Nous franchissons une porte symbolique marquée par d'immenses vasques dans lesquelles brûlent de grands feux. Je n'avais jamais vu autant de visages éclairés par la lueur des flammes. C'est beau. J'évite de m'approcher des brasiers parce que je n'ai pas envie de finir comme la poupée folklorique au visage fondu que j'ai rangée dans la poubelle.

La pénombre ambiante n'aide pas à repérer l'homme qui pourrait nous espionner. Sébastien et moi passons devant un premier hangar envahi de danseurs qui se démènent sous des lumières psychédéliques. On ne fait que les entrevoir au-delà d'une entrée gardée par les deux mecs les plus baraqués que j'aie jamais vus. Je ne crois pas qu'il soit utile d'y pénétrer, d'abord parce que même si j'ai su un jour, je ne sais plus danser, et ensuite parce qu'avec cette foule compacte, il serait impossible de m'observer en galante compagnie.

À quelques pas de là, dans une ambiance musicale tropicale, des tables décorées de bougies accueillent de nombreux couples.

Juste à côté se tient une exposition de toiles peintes et de sculptures. Nous nous y aventurons. L'endroit est plus éclairé, ce qui permet d'être mieux vus. Je me demande si certaines de ces œuvres ne sont pas présentées à l'envers. Je n'y comprends rien. Mais y a-t-il quelque chose à comprendre ?

Sébastien m'a pris la main mais s'est aussitôt ravisé. J'ai fait celle qui ne s'était aperçue de rien. Sans doute, emporté par cette atmosphère festive, s'est-il cru en compagnie de sa petite amie ? Curieuse situation que cette comédie dont j'espère qu'elle aura au moins un spectateur.

Je me rapproche de lui. Je souris à mort en tournant la tête, pour que mon bonheur soit visible dans toutes les directions. Pathétique. Comment se comporter pour être crédible vis-à-vis de celui qui m'épie sans incommoder mon chevalier servant d'un soir ? Si mon poulpe vénusien m'observe aussi assidûment qu'il le prétend, il sait que j'ai encore récemment eu rendez-vous avec Kayane. Puisqu'il ignore que je ne veux plus le fréquenter, il doit penser que je cours deux lièvres à la fois... Joli tableau : à demi amnésique, chaudasse, avec en prime une tête de tomate. Je vais pouvoir refaire mon CV et devenir la mascotte des marchés bio !

Moi qui me demande souvent quelle est ma place sur cette terre, c'est encore plus aigu ce soir. J'oblige Sébastien à jouer un rôle dont il ne veut pas et j'usurpe la place de sa petite amie. Je n'aime pas ça. J'ai d'autant plus mauvaise conscience qu'il se prête au jeu avec la meilleure volonté du monde. Il n'a rien dit lorsque je me suis agrippée à lui parce que des cracheurs de feu m'ont effrayée. Des hommes-dragons, couverts de tatouages. Il se montre attentionné et me demande régulièrement si je vais bien. Qu'il doit être bon de faire équipe avec ce genre d'homme... Il va même jusqu'à m'aider à surveiller les alentours pour tenter de repérer l'importun. Je sens que seuls son sens du devoir et son amitié envers moi le motivent à agir ainsi. Il n'en est que plus admirable et je n'en ai que davantage honte.

— L'endroit te plaît ?

— C'est surprenant. Rien à voir avec la réalité quotidienne.

— Il se passe toujours quelque chose d'inattendu ici. J'aime bien le côté spontané. Tu tombes sur des musiciens, des expos, des débats. Une fois, je suis revenu dans la journée, et tout était désert, vide, comme si rien n'avait jamais existé. Ça m'a tellement perturbé que je me suis même demandé si le souvenir que j'en avais n'était pas une hallucination. Mais le soir, comme par enchantement, tout était à nouveau en place. Le bruit, le feu, la foule. C'est à la tombée de la nuit que ce monde apparaît.

— Ces lueurs dans l'obscurité, ces différentes musiques mêlées, tous ces univers qui se côtoient... On se croirait dans un rêve.

Nous déambulons. Alors que nous quittons une zone où l'on propose des massages et des tacos vegan, nous entrons dans une autre où des femmes habillées comme pour l'hiver avec ce qui pourrait être de vieux tapis promettent de nous révéler l'avenir.

— Tu t'es déjà fait lire les lignes de la main ? me demande Sébastien. Ou tirer les cartes ?

— Je n'en ai pas le souvenir.

À peine ai-je le temps de lui répondre qu'il m'entraîne vers une dame d'un certain âge au visage mat et buriné. D'après l'écriteau qui trône sur sa table, elle se nomme Magdalena et serait l'héritière de célèbres dons de voyance ancestraux. Il est précisé qu'elle a le pouvoir de lire le tarot, les lignes et les boules. Je vais lui confier celle de bowling qui encombre mon couloir.

— Bonsoir, jolie demoiselle.

L'accent est marqué, sans doute de l'Est. Elle roule les « r ». Son regard clair est difficilement soutenable. Elle m'invite à m'asseoir à sa petite table. Sébastien s'amuse gentiment de la situation. La femme me saisit directement la main et en observe la paume.

— Magdalena va lirrre en toi. N'aie aucune peur.

Si elle trouve mon code de carte de crédit, Lucie sera furieuse.

— Magdalena perçoit grande préoccupation. Confie tes problèmes à Magdalena.

— Sérieux ? Tous ? Vous fermez à quelle heure ?

De son index, elle parcourt l'un des sillons. Ce contact intime me perturbe. Personne ne me touche jamais l'intérieur des mains. À part Cubix, bien sûr, avec ses coussinets ou ses griffes.

— Je vois clair dans ta destinée. Toi trrès limpide. Femme de cœur, tu aimes sans compter. Ton âme est douce et tu portes la bonté. Tu es courageuse même si la vie est compliquée. Toi trrès impatiente de ton futur. Tu veux savoir si tu seras heureuse, si tu auras des enfants, si ta famille sera en sécurité et ne manquera de rien…

Je suis bluffée au point de sentir ma mâchoire se décrocher. Comment sait-elle cela ? Cette magicienne lit dans ma main avec une déconcertante facilité et une réelle justesse. Elle jette un regard à Sébastien et ajoute à mon intention :

— Tu as enfin trouvé l'amour après bien des souffrances.

— Pas vraiment. C'est même mon principal problème, avec les cafetières et les boissons gazeuses.

Elle ne se démonte pas.

— Pourtant, je vois juste et tes lignes ne mentent pas à Magdalena. Malgré ce que tu crois, l'amour de ta vie n'est pas loin. Tu penses que ce sentiment t'est interdit, mais tu te trompes. Il va entrer dans tes jours plus vite que tu ne l'imagines.

Son ton affirmatif et la conviction dans son regard me fascinent. Je suis certaine qu'elle dit vrai. Cette femme a vraiment un don fabuleux.

— Pouvez-vous m'en dire davantage sur l'homme que je dois rencontrer ?

— Lignes de vie et de cœur très marquées. Tu vivras une passion et tu seras comblée. Mais la ligne de chance est plus difficile... Besoin de plus de visions.

Elle ferme les yeux longuement. Lorsqu'elle les ouvre à nouveau, elle me fixe :

— Avec le tarot et un billet de vingt, Magdalena peut te répondre.

Sébastien fait signe qu'il est d'accord et sort l'argent. Quelle chance de pouvoir accéder à la vérité pour si peu ! Grâce à cette étonnante sorcière, ma vie va retrouver un peu de lumière, et moi de l'espoir...

La voyante tire trois cartes qu'elle aligne méthodiquement sur sa nappe usée. Le pendu, l'amoureux et le chariot. Cela ne me dit rien de bon. Que vont-ils pouvoir faire ensemble ? Partir en vacances parce que le pendu possède une petite maison de campagne au bord de la mer et qu'ils peuvent y aller en charrette ? Et moi, je suis qui là-dedans ? La cinquième roue du chariot ?

Elle marmonne des paroles incompréhensibles dans une langue mystérieuse.

— C'est grave ? Que voyez-vous ? Mon amoureux me trompe dès notre premier anniversaire de mariage avec son médecin traitant ?

Elle m'apaise d'un geste et me fait choisir deux cartes de plus. Le diable et une impératrice. Toute l'histoire de ma vie. Je suis bien contente de ne pas avoir tiré le clown et le démonte-pneu. Elle se concentre. Je suis à l'affût du moindre signe que son corps pourrait envoyer. Après un instant, tel un oracle, elle écarte les mains en majesté. Je suis prête pour la révélation.

— C'est un bel homme, m'annonce-t-elle. Gentil. Pas très riche, mais qui travaillera dur pour toi. Vous aurez de beaux enfants. Vous irez en vacances au soleil.

— Fantastique ! Où habite-t-il ? À quoi ressemble-t-il ?

— Il n'habite pas loin...

Si je lui redonne de l'argent, peut-elle me fournir son adresse et son portable ? Mais déjà, elle ajoute :

— ... et tu l'as déjà vu.

L'information me fait l'effet d'un choc.

— Je l'ai déjà vu !

Je me tourne vers Sébastien, haletante :

— Elle dit vrai ! Je l'ai déjà vu !

Sébastien fronce les sourcils.

— Je croyais que tu ne savais pas à quoi il ressemble ?

— Lorsqu'il m'a parlé dans le noir, il m'a dit que nous étions allés au lycée ensemble. Ça correspond ! Tout colle parfaitement !

Je fais des bonds sur ma chaise. Magdalena tapote une de ses cartes et précise :

— La présence de la roue de la fortune annonce grrros nuages sur chemin du bonheur, mais vous les surmonterez.

— Des complications ? Quelles complications ?

— Magdalena fatiguée. Vision se brouille. Mais toi vas avoir belle vie. Je le vois dans les cartes et dans ta main.

Je suis dans tous mes états. Cette femme m'a dit des choses extrêmement puissantes qui résonnent incroyablement dans ma réalité. Tout est écrit. Nous ne sommes que les marionnettes des dieux ! Que je sois venue la voir avec Sébastien répond à un schéma cosmique. Que je me sois assise sur une punaise jeudi dernier aussi. Les astres, les lignes, et même les cartes me sont favorables ! Merci pour tout ! J'y crois de toutes mes forces !

Je ne sais pas ce qui m'a pris. J'ai embrassé la vieille et sauté au cou de Sébastien.

51

— Alors Laura, comment vous sentez-vous ces jours-ci ?

— Je ne sais pas trop, docteur. Tout va si vite... Mais je suis rudement contente de vous voir.

— Installez-vous et racontez-moi.

Je me laisse tomber sur la chaise face à son bureau. Je n'enlève même pas mon manteau. Il faut que ça sorte, il faut que je me confie, sans attendre.

— La santé va bien, mais la tête... Ça part dans tous les sens. Par moments je suis folle de joie, et la minute d'après je sombre dans la dépression la plus complète. Je me fais peur.

— Vos souvenirs ?

— La mémoire continue de me revenir, sauf pour tout ce qui est matériel. De ce côté-là, c'est encore l'enfer, et chaque apprentissage me coûte toujours une humiliation. S'il n'y avait que cela, je m'en accommoderais. Non, le plus grave n'est pas là. Le fait est que je suis en voie de guérison mais que paradoxalement, sur le fond, je n'ai vraiment pas l'impression d'aller mieux. Plus je redeviens consciente de la réalité du monde, plus je me sens fragile, patraque. Docteur, à vous je peux le dire : si j'en avais le pouvoir, j'oublierais sur-le-champ tout ce que j'ai appris ces derniers mois. Je retournerais avec bonheur à cette ignorance naïve qui me convenait bien mieux que cette clairvoyance déprimante.

Le docteur Lamart pose son stylo, se lève, contourne son bureau et vient s'asseoir sur le fauteuil voisin du mien. C'est la première fois qu'elle fait cela. Nous sommes à présent toutes les deux du même côté. Le rapport s'en trouve modifié. La frontière que constituait le bureau entre le médecin et le patient n'existe plus. Ne restent que deux humains.

— Laura, je comprends ce que vous ressentez. Mieux, je l'explique. Il n'y a pas lieu de vous inquiéter. La masse d'informations que vous avez eu à traiter en quelques mois est phénoménale. Entre ce que vous avez retrouvé en vous et ce que vous avez réappris de votre environnement, il est normal que vous arriviez à saturation.

— Voilà trois jours, j'ai découvert mon avenir grâce à une voyante ; avant-hier, un perroquet m'a dit que j'étais jolie, et le soir même, j'ai mangé des crêpes en feu. Je ne sais plus où j'en suis.

— Je me doute que ce n'est pas simple. Contrairement aux enfants, vous ne bénéficiez pas d'un refuge parental où tout est géré pour vous. Vous ne pouvez jamais vous reposer. Cela impacte votre vie privée, mais aussi quotidienne et professionnelle... La gestion mentale de toutes les données est une tâche assez gigantesque pour faire chanceler n'importe qui.

— Je le sais bien, mais cela ne m'aide pas pour autant. Je suis submergée, docteur. Chaque jour, des illusions qui volent en éclats et chaque jour, de nouveaux espoirs. J'ai l'impression de me recevoir une avalanche en permanence. Ensevelie sous les protocoles, les devoirs, les usages, les bienséances, les principes, sans parler de tout ce que l'on découvre qui se cache derrière... J'ai l'impression que toutes les règles qu'on nous impose ne sont là que pour étouffer notre nature, pour faire taire nos élans. Il faudrait ne rien dire, ne rien changer, se conformer, et jouer un jeu qui n'est pas le nôtre. Je n'ai pas envie d'en apprendre plus sur ce monde. J'ai de quoi déprimer pour au moins dix vies !

— Vous êtes arrivée à un point crucial. Vous avez eu à intégrer une quantité de données hors du commun. Il vous a fallu reconfigurer d'innombrables comportements que vous aviez effacés. Cela exige une incroyable sollicitation intellectuelle. Vous êtes légitimement épuisée. Un individu lambda met plusieurs années à prendre en compte ce que vous avez intégré en si peu de temps. Vous êtes gavée !

— C'est exactement ça : gavée. Une oie avant les fêtes. Je vais finir au milieu de la table de banquet où je me ferai dévorer.

— Laura, il faut vous laisser le temps...

— Mais je ne l'ai pas ! Je suis traquée, épiée, sans parler du fait que des gens viennent me voir tous les jours parce qu'ils sont au bord du gouffre. Chaque seconde compte ! Plus je suis consciente, plus je sais que je n'aurai pas le temps. Pire, je me dis que le peu que je pourrai faire ne servira à rien dans ce monde. Je vois aussi se profiler le spectre de l'échec personnel : je n'arriverai sans doute pas à vivre quelque chose de beau pour moi-même... Je suis convaincue que plus on réfléchit, plus il est difficile d'être heureux. Voire impossible.

Les larmes me viennent. Je n'y peux rien. Ça doit être le trop-plein de sueur de l'autre jour qui s'évacue par les yeux.

Le docteur se penche vers moi.

— Laura, on va se voir plus souvent.

— Cliniquement, vous en avez fini avec mon cas. Ce n'est pas parce que j'ai offert un cadeau à Josiane ou que j'ai donné de l'argent à un pigeon que je mérite que vous perdiez votre temps avec moi. À part vous faire rire, m'étudier ne vous servira plus à grand-chose. Je suis guérie, et c'est bien mon drame. Avouez quand même que c'est un comble. Je suis guérie et je pleure ! Quelle poisse !

— Laura, votre situation est inédite. Ce traumatisme qui vous a privée de votre mémoire n'était que le déclencheur. Votre reconstruction vous place aujourd'hui dans une situation particulière, unique, qui n'est peut-être pas une pathologie mais qui mérite la plus grande attention. Vous êtes décalée. Par rapport à votre âge, par rapport à votre vécu...

— Par rapport au monde, docteur. Je me sens en complet décalage avec presque tout ce dont je suis témoin.

— Cela nous arrive à tous, malheureusement. À ce stade, vous ne devez ni vous fixer d'objectifs préconçus, ni vous mettre la pression.

— Ce n'est pas moi qui me la mets, c'est cette garce de vie ! Saviez-vous que des gens volent les reins de leurs proches et que les hommes mentent pour coucher ?

— Je suis au courant.

— Et pour les ananas qui chantent, vous savez ? Elle est perplexe.

— Non... Que se passe-t-il avec les ananas qui chantent ?

— Ils n'existent pas, docteur, ils n'existent pas ! J'éclate à nouveau en sanglots.

— On a piétiné tous mes rêves d'enfant, et ceux que l'on me propose à la place sont scandaleux. Je veux voir des licornes ! Je veux mon coup de foudre ! Je veux que les prédictions de la voyante se réalisent !

— Le monde n'est pas de tout repos, c'est certain.

— Alors comment arriver à tenir debout ? Comment croire en l'avenir ? Faut-il être anesthésié de la tête pour continuer ? Les malades et les fous sont-ils les seuls qui voient encore le vrai ?

— Avant toute chose, vous devez déjà reprendre votre calme. Je comprends tout à fait votre état et il me paraît cohérent au regard de ce que vous vivez. Je vais vous aider.

— Je ne veux pas prendre de médicaments. Je refuse catégoriquement. Je n'ai pas envie de basculer dans la drogue, le désespoir me suffit amplement.

— Ce n'est pas ce que je vous demande. Ma prescription est tout autre. On va se revoir dès la semaine prochaine, ailleurs que dans ce cadre très formel. Vous êtes une fille bien, Laura. Je le sais parce que depuis que je vous connais, vous m'avez toujours répondu avec une franchise d'enfant révélant paradoxalement un esprit d'une grande maturité. Vous êtes aujourd'hui en déséquilibre. Ne basculez pas. Pour commencer, ne vous souciez que de ce qui vous fait vraiment envie. Consacrez-vous uniquement à ce qui compte réellement pour vous.

Elle tend la main vers moi et avec délicatesse, me relève le menton.

— Laura, regardez-moi et répondez à une question. Vous devrez vous la poser chaque jour, jusqu'à ce qu'elle soit devenue sans objet.

— Une question de plus ou de moins, je ne suis pas à cela près. Je m'en pose déjà tellement...

— Celle-là est essentielle.

— Je vous écoute.

— Si vous deviez mourir demain, que feriez-vous de cette dernière journée ?

Une nouvelle porte vient de s'ouvrir en grand dans ma tête. Elle est monumentale et donne sur un horizon infini. Plusieurs pistes me tendent aussitôt les bras. À quoi pourrais-je employer mes dernières vingt-quatre heures ? Plonger dans un bain de Jell-O la bouche ouverte. Courir sous un orage à la poursuite des éclairs pour vérifier que l'on peut recharger son téléphone gratos. Braquer une confiserie et bouffer tout mon butin. Dire merci à Lucie et Mélanie. Serrer Cubix 22 dans mes bras et faire d'elle ma légataire universelle. Aller tabasser la vendeuse qui m'a vendu un pantalon taille seize ans. Téléphoner aux plus grands acteurs et actrices du monde pour leur dire qu'ils m'ont fait croire à ce qu'il y a de plus beau dans la vie et les en remercier. Voir si un balai peut entrer en entier dans l'arrière-train de Dutril.

Non, plutôt dîner une dernière fois avec mes frères, mon père et Viviane, et leur dire à quel point je les aime. Leur rendre mes trésors d'enfance car, hormis le petit trèfle porte-bonheur avec lequel je veux être enterrée, rien ne m'appartient. Ensuite, à condition qu'il me reste un peu de temps, faire des blagues idiotes au téléphone à Lucie.

Je n'arriverai sans doute pas à tout faire en vingt-quatre heures, comme retrouver ma mère, mais il y a au moins un truc auquel je viens de penser et qui est parfaitement à ma portée...

52

Plus un bruit dans l'immeuble, plus aucune circulation dans la rue. Le monde entier fait dodo. Sauf moi. Cubix 22 est blottie contre moi et respire paisiblement. Petit trésor velu. Je bouge le moins possible pour ne pas la réveiller.

Je devrais logiquement profiter de la nuit pour reprendre des forces, mais j'ai bien plus urgent à faire. Mon réveil programmé à 2 h 30 du matin n'a servi à rien, car j'avais émergé bien avant qu'il ne m'en donne l'ordre. Trop impatiente.

Hier soir, j'ai soulevé la cloche en verre et osé prendre le papier sur lequel figure le numéro maudit. Puisque le docteur m'a conseillé de ne faire que ce qui me tente vraiment, je suis décidée à le composer. À défaut de comprendre les lois qui gouvernent l'univers, j'aurai au moins la réponse à cette énigme-là. L'inconnu qui m'a parlé dans le noir s'est vanté d'être à ma disposition nuit et jour. C'est le moment de vérifier. Cramponne-toi, mon gars.

Je tape les chiffres, le cœur battant. Première sonnerie. Si ça ne répond pas au bout de la vingtième, je raccroche. Si je tombe sur un répondeur, je ne laisse aucun message. Je n'ai pas envie qu'il se sente autorisé à me rappeler. S'il décroche aux

alentours de la cinquième sonnerie, je le consi-
dérerai comme réactif et il marquera un point.
Quand il en aura accumulé 100 000, je consentirai
peut-être à lui accorder un rendez-vous.

Je m'égare dans mes hypothèses alors qu'il
répond déjà. Il a réagi à la troisième sonnerie.
Admettons que cela mérite deux points.

— Bonjour Laura.

— Bonjour.

Bien que j'aie eu l'intention de le surprendre, sa
voix est bien plus assurée que la mienne.

— Merci de me téléphoner. J'en suis heureux.

Sa diction est claire, posée. J'ai l'impression que
je ne l'ai même pas tiré du sommeil. C'est peut-être
une chauve-souris gardienne de phare...

— Je ne sais même pas pourquoi je vous appelle.

— Par curiosité sans doute, mais aussi parce
que tu n'as toujours pas trouvé le compagnon qui
te convient. Tant mieux pour moi.

— Comment pouvez-vous affirmer une chose
pareille ?

— Parce qu'une femme réellement amoureuse
ne téléphone pas à un autre homme au beau milieu
de la nuit.

Petit effronté. J'ai failli en faire fouetter pour
moins que ça. Afin de lui donner une bonne leçon,
je suis tentée de lui raccrocher au nez. Mais dans
quel état serais-je ensuite ? La satisfaction risque
d'être de courte durée. Je n'aurais rien appris qui
me permette de le démasquer. Si seulement j'avais
la force de ne rien en avoir à faire...

— Cet appel n'a pas de sens, je ne sais rien de
vous...

— Pose-moi des questions, j'y répondrai
honnêtement.

— Comment vous appelez-vous, et où nous sommes-nous connus ?

Il éclate de rire. Un rire franc, tout en énergie et en spontanéité. Pas un rire de poulpe.

— Pardonne-moi, Laura, mais ces réponses sont classées « confidentiel ». Il est encore trop tôt pour te les communiquer.

— Alors de quoi discuter, si le strict minimum est confidentiel ?

— De tout sauf du « strict minimum ». Parlons du superflu, de l'accessoire, de l'inavouable – de l'essentiel, en somme. As-tu remarqué qu'il est souvent plus facile de parler de choses profondes ou très personnelles avec de parfaits inconnus plutôt qu'avec ses proches ? Je te propose l'une de ces conversations libres et sans arrière-pensée. Là où tous les autres couples commencent par un soi-disant coup de foudre au premier regard, nous débuterons par ce que l'on ne se dit que trop tard : la vérité. Je trouve ça bien plus excitant que de boire un verre et danser comme des animaux lancés dans une parade nuptiale, pour finir ensemble emportés par des illusions nourries de malentendus qui finissent forcément par nous exploser à la tête.

Ça, c'est fait. Il n'a pas l'air aussi timide qu'il le prétendait, à moins que ce ne soit l'absence de face-à-face qui lui donne plus d'assurance.

— Parle-moi de ton état de santé, me demande-t-il. La mémoire te revient-elle complètement ?

— Pardon, mais c'est confidentiel.

Il rit de nouveau.

— Suis-je au moins autorisé à savoir où tu en es dans ta vie ? Puisque tu te méfies, ne me confie rien de stratégique, mais dis-moi quand même ce qui te préoccupe vraiment.

C'est exactement ce que m'a conseillé le docteur. Hors de question de lui parler de Kayane. Presque malgré moi, je m'entends tout de même lui déclarer :

— J'ai un chat, mais je vais devoir le rendre et je sais que ça va me faire beaucoup de peine. Dans ma lecture du dictionnaire, j'en suis à la lettre *R*. Savais-tu qu'une radula désigne la langue de la plupart des mollusques, sauf les bivalves ? J'aime beaucoup le mot « rare ». Sinon, j'ai des soucis au travail à cause d'un crétin qui complote. Accessoirement, je cherche aussi ma mère qui est partie lorsque j'étais petite.

Pourquoi lui ai-je balancé tous mes dossiers sensibles ? Est-ce l'heure tardive qui affaiblit ma vigilance ? Un effet secondaire de sa voix ? Le besoin impérieux d'en parler ?

— Du lourd, donc. Tu as évoqué le chat en premier. Il est avec toi en ce moment ?

— C'est une minette, elle dort contre moi. Et toi ? Qu'est-ce qui te préoccupe vraiment ?

— Une jeune femme dont je suis retombé amoureux et dont j'ai attendu l'appel pendant longtemps. Mais tout va mieux à présent puisqu'elle m'a enfin téléphoné.

Un instant, j'ai cru qu'il parlait de quelqu'un d'autre, et aussi bizarre que cela paraisse, j'en ai éprouvé de la jalousie.

— J'attendais simplement le bon moment pour te contacter.

— Un mois, six jours et un peu plus de cinq heures plus tard, donc.

La vache. Il a compté.

— Aucune importance, ajoute-t-il. L'essentiel est que nous nous parlions.

— Tu as dit « retombé amoureux ». Pourquoi « retombé » ?

— J'ai été franc envers toi. Je ne t'ai pas caché que j'avais vécu d'autres relations. Mais recroiser ta route a marqué une prise de conscience décisive, comme si je te découvrais à nouveau. Tu m'as fait encore plus d'effet la deuxième fois. J'avais sans doute besoin de ça pour admettre que personne ne pourrait t'égaler à mes yeux.

Encore un qui espère peut-être m'enfariner avec ses beaux discours...

— Merci beaucoup, c'est un bien joli compliment. Mais je ne suis plus aussi naïve qu'il y a quelque temps. J'ai déjà connu des énergumènes qui pourraient me servir de magnifiques tirades, juste pour abuser de moi. Je commence à savoir de quoi vous êtes capables...

— Soyons clairs, Laura : je veux bien payer pour les erreurs que je commettrai sans doute un jour, mais ne me reproche pas les bassesses de mes congénères. Je te propose une nouvelle histoire, pas la suite des précédentes. Juge-moi sans aucune circonstance atténuante, mais ne me condamne pas par principe. Cette habitude d'attribuer toutes les qualités à un mâle que vous êtes décidées à trouver exceptionnel, avant d'être forcément déçues, puis de ne plus jurer que par les défauts de tous les hommes de la terre, vous cause beaucoup de tort. J'ignore qui tu as pu fréquenter, et même si je suis volontaire pour soigner le mal qu'on t'a fait, je refuse d'en être tenu pour responsable. Tu sais, j'ai croisé des femmes qui ne valaient pas grand-chose humainement. Je ne les confonds pas avec les autres. Je ne m'en souviens au contraire que pour vous donner toute votre valeur.

Aucun garçon ne m'a jamais parlé ainsi. C'est fou ! J'ai même l'impression de le comprendre.

— J'en prends note. Alors de ton point de vue, explique-moi pourquoi je devrais tomber amoureuse de toi ?

— Aucune idée. Ce sera à toi de le découvrir si tu en as envie. J'ignore si tu t'attacheras à moi. Tout ce que je demande, c'est une chance. Rien d'autre. Pour ma part, je n'ai plus de doute, mais sans ton choix, le mien ne vaut rien.

— Donc si je ne suis pas intéressée, tu respecteras ma décision et tu me laisseras tranquille ?

— À regret, mais sans hésiter. Je souhaite partager ta vie, pas te retenir prisonnière.

— Si je raccroche et que je ne rappelle plus jamais, tu cesseras de me suivre ?

— Laura, je t'ai laissé un numéro pour que tu puisses me joindre. Depuis, j'ai patiemment attendu. Je ne t'ai jamais contactée. Je ne t'ai jamais harcelée.

— Et le fait de m'épier ? De me suivre partout ? Ce n'est pas du harcèlement, peut-être ?

— De quoi parles-tu ? Je ne t'ai jamais suivie. Pas une fois. Je t'ai simplement expliqué que je m'étais trouvé près de toi, mais je n'ai rien manigancé. J'ai juste profité d'heureux hasards.

— Tu ne m'as jamais espionnée ?

J'en suis baba.

— Je suis tout au plus coupable d'avoir écouté ce qui était à ma portée. Pas davantage. C'est sans doute incorrect, mais je n'ai pas pu faire autrement parce qu'il s'agissait de toi. J'avais envie de t'approcher. Mon seul crime est d'avoir profité du possible.

— Tu le jures ?

— Je veux bien jurer, mais à quoi cela servira-t-il étant donné que tu ne m'accordes aucune confiance ?

Pas faux. Pourquoi, dans ce cas, suis-je tentée de le croire ? Depuis mon accident, tout ce que je réapprends des hommes et de la vie m'incite à ne pas le faire. Pourtant... D'un point de vue technique, je suis au moins certaine de ne pas me laisser influencer par ces saletés de phéromones puisqu'elles ne passent pas par le téléphone. Ni par ses beaux yeux ou par son supposé charme, puisque je n'ai aucune idée de son apparence. Si ça se trouve, je suis en train de parler à un mainate ou à une peluche dotée de la synthèse vocale. Je m'en fiche, si c'est un oiseau parleur, je finirai bien par le piéger en parlant de graines, alors il se trahira en chantant : « Rrrô, Coco aime les caca-huètes, Coco ! »

Mais une voix intérieure me souffle autre chose. C'est bien à un homme que je parle, peut-être même un vrai. Dois-je me fier à cet instinct encore convalescent ? S'il ne ment pas, et qu'il ne m'a effectivement jamais suivie, je me suis encore fait des films. Bon sang ! Quand je repense à ces innombrables changements d'itinéraires et de tenues pour lui échapper, à ces comportements de dissidente en fuite... Sans parler de la soirée imposée à Sébastien...

— Laura, tu es toujours là ?

— Je réfléchis.

— Tu as réellement pensé que je te suivais partout ?

— J'ai même cru que tu vivais caché dans ma penderie ou que tu pouvais jaillir de mon évier.

— Extra ! J'adore ! Mais ça n'a pas dû te simplifier la vie...

— J'ai peur de tout, de tout le monde, partout. Je t'ai imaginé déguisé, planqué dans les buissons, sur les toits à l'affût avec des jumelles...

— Je suis navré, mais j'étais ailleurs, à attendre ton appel.

Il va falloir que je digère cette information. Pas évident sans bicarbonate de soude. Cette nouvelle donne remet en cause toute ma perspective. Je dois reconsidérer l'ensemble de mon récent vécu à la lumière de ce paramètre. J'en suis épuisée à l'avance. Je bâille.

— Fatiguée ?

— J'ai du rangement à faire dans ma tête. C'est une telle foire que je songe à recruter des déménageurs. Ou des pyromanes. Juste pour savoir : tu aimes les cacahuètes, mon Coco ?

Quel piège habile.

— Je ne comprends pas.

— Laisse tomber. Je ne sais plus ce que je dis. La journée n'a pas été simple et quand je pense à ce qui m'attend demain...

— Rien de grave ?

— La vie. Le travail. Les gens. Et puis je suis inquiète pour Josiane qui doit être opérée d'un tambour.

Silence au bout de la ligne. Forcément, il ne connaît pas Josiane. Je bâille à nouveau. Est-ce parce que je suis à bout de forces ou parce que je me détends ? Car le fait est que le stress que j'éprouvais au moment de composer son numéro a totalement disparu. Envolé ! Lui parler se révèle finalement plutôt satisfaisant.

— Repose-toi, Laura. Nous reprendrons notre conversation dès que tu le souhaiteras. J'attendrai.

— On ne s'est pas dit grand-chose.

— Ce qui signifie qu'on a encore beaucoup à se dire. Excellente nouvelle. Et puis tu m'as dit « tu ». Pour un premier coup de fil, c'est déjà bien plus que je n'espérais.

— Comment achève-t-on une conversation aussi étrange ?

— « Bonne nuit » me semble tout indiqué.

— Alors bonne nuit.

Je raccroche. C'est drôle, j'ai envie de picorer des cacahuètes et de faire la roue.

53

Pour la première fois depuis longtemps, je ne me suis pas inquiétée en sortant de chez moi. Plus de boule au ventre, plus de paranoïa. Drôle de sensation. Je ne soupçonne plus les gens que je croise. J'ai l'esprit tellement léger que je découvre des vitrines que je n'avais même pas remarquées jusque-là. Cette conversation téléphonique surréaliste a décidément des effets inattendus.

Après avoir raccroché, je n'ai pas dormi. En boucle, je réécoutais ses mots dans ma tête. J'ai repensé à ce que nous nous étions dit, mais aussi à la façon dont cela s'était passé. Dans une conversation, surtout de ce type, rien n'est anodin. Le phrasé, les intonations, le rythme, ces microsecondes qui trahissent l'impatience ou la volonté d'écoute. La moindre inflexion révèle l'intention non avouée d'y mettre du sien ou d'affirmer son territoire. Sa voix était bien plus convaincante que la première fois qu'il s'est adressé à moi.

Dans la rue, je me suis quand même retournée furtivement à plusieurs reprises pour vérifier que personne ne me suivait. L'habitude. Se pourrait-il que la sensation d'être épiée me manque ? Suis-je en deuil de cette attention maladive dont je pensais être l'objet ?

Je me rends compte que bizarrement, je songe déjà à lui parler à nouveau. Je ne sais pas trop quoi en penser. Il m'intrigue. Alors que je m'abreuvais sans vigilance des propos de Kayane, lui, je l'écoute. Avec quand même une pointe de méfiance.

Je réfléchis sans cesse aux questions que je pourrais lui poser. Quelle passionnante configuration : il m'autorise à lui soumettre toutes mes interrogations – sauf celles qui permettent de l'identifier. Situation inédite face à un homme qui semble capable de répondre franchement. Rien que pour cela, cette expérience en vaut la peine.

En franchissant le seuil du service, je tombe sur Lucie, qui n'a pas l'air en forme. J'ai l'impression qu'elle m'attendait. Je l'embrasse, mais elle ne réagit pas comme à l'accoutumée.

— Tout va bien ? fais-je. Tu sembles contrariée ?

Sans une parole, elle m'entraîne jusque dans les toilettes. Le jeu des miroirs placés face à face multiplie notre image à l'infini. La version de nous deux que je préfère est celle située tout au bout, où on est toutes petites. Cet effet optique m'a longtemps terrifiée et j'évitais d'aller aux lavabos.

La mâchoire crispée, Lucie me lance directement :

— Pourquoi ne m'as-tu rien dit ?

Comment peut-elle déjà être au courant que j'ai pris contact avec l'inconnu de l'ombre ? Elle serait bien du style à avoir placé ma ligne sur écoute...

— J'allais t'en parler ce matin.

— Je suis dégoûtée. Sincèrement, c'est bien pour toi, mais que tu me l'aies caché, ça me détruit...

Elle est bouleversée. Je lui pose la main sur le bras.

— Ne t'emballe pas. Il ne s'est rien passé. On a juste discuté, c'est tout !

— Quand même... C'est grave. Je nous croyais plus proches que ça.

Je ne l'ai jamais vue dans cet état-là. Triste. Anéantie. Même son côté déjanté a disparu. Des larmes apparaissent dans ses yeux. Je la prends dans mes bras.

— Je te le jure, Lucie, j'allais t'en parler à la première occasion aujourd'hui.

— Tout le monde est au courant depuis hier. De quoi ai-je l'air ? Ta soi-disant meilleure amie est la dernière prévenue...

Comment l'info peut-elle circuler depuis hier alors que ça ne date que de cette nuit ?

— Olga vous a vus vendredi, ajoute Lucie, et trop heureuse, elle le raconte à tout le monde.

Je ne comprends rien.

— Lucie, de quoi parles-tu ? Qu'est-ce qu'Olga est encore allée colporter comme ragot ?

— Que tu sors avec le coursier, évidemment ! Elle vous a vus Sébastien et toi fricoter aux entrepôts, collés l'un à l'autre, toi souriante comme si tu jouais dans une pub pour des yaourts aux fruits, et lui aux petits soins. Elle donne tous les détails à qui veut les entendre – même à ceux qui ne veulent pas, d'ailleurs. Je crois qu'elle a fait des photos...

J'ouvre des yeux trois fois plus grands que leur taille habituelle. Je suis sidérée. Lucie éclate en sanglots. Bon sang, j'avais bien besoin de ça...

— Cette grosse pouffiasse d'Olga raconte partout que je suis en couple avec Sébastien ?

— Elle n'est pas grosse.

— Je vais la détruire. Mais avant, je vais t'expliquer. Sèche tes larmes, je ne t'ai rien caché du tout.

— Vous allez vous marier ? Je te préviens, si c'est pas moi ton témoin, je mets le feu à ta robe et je roule sur vos cadeaux avec un gros 4 × 4.

Elle s'énerve et lâche dans un cri du cœur :

— Je veux être votre premier enfant !

— Calme-toi, Lucie. On ne va pas se marier ! Il n'y a rien entre Sébastien et moi. Il a juste accepté de faire semblant pour un soir parce que je voulais convaincre l'homme qui était supposé me suivre que je n'étais plus libre.

— Et c'est moi la tordue…

— Je sais, c'était ridicule, mais dans mon état, c'est tout ce que j'ai été capable d'imaginer pour me tirer d'affaire.

— Donc on peut louer Sébastien pour une soirée ?

— Non, il m'a simplement rendu service. Du coup, le pauvre se retrouve certainement dans une sale situation vis-à-vis de sa copine…

— En même temps, c'est vrai qu'il est beau gosse. Tu crois que si je lui donne de l'argent, il sera d'accord pour sortir aussi avec moi ? Au moins un petit bisou ?

— Lucie, laisse Sébastien tranquille. C'est un garçon très correct qui a déjà une petite amie.

— Je sais. Olga m'a même appris que c'est toi.

Je lui prends la tête à deux mains et plante mon regard dans le sien.

— Lucie, écoute-moi bien, c'est sérieux. Je ne sors pas avec Sébastien. Il m'a juste aidée à faire semblant d'être en couple pour décourager l'homme qui me suivait. Enfin c'est ce que je croyais parce qu'en fait, personne n'était à mes trousses. C'est ça la bonne nouvelle que je comptais t'annoncer à toi et à personne d'autre. Je lui ai parlé cette nuit, j'ai composé son numéro…

Elle fait une drôle de bobine. On dirait une taupe qui voit un arc-en-ciel pour la première fois de sa vie. Je la relâche.

— Lucie, tu m'écoutes ?

— Ben non, j'entendais rien, t'avais les mains sur mes oreilles… T'as dit quoi ?

54

Ma vie va changer. Je viens de découvrir que je pouvais régler mon fauteuil de bureau. Jusque-là, je n'avais jamais osé toucher aux manettes situées sous l'assise. J'avais la trouille que ça déclenche un siège éjectable ou que ça m'aspire dans une dimension parallèle. Mais pas du tout. Quel bonheur de ne plus être obligée d'écrire les bras tendus parce que je suis trop haute !

Je ne suis pas certaine que Lucie ait bien compris ce que j'ai tenté de lui expliquer, mais tant pis. On verra plus tard. Au besoin, je lui ferai des dessins ou même des maquettes en carton, mais pour le moment, je n'ai pas le temps parce que j'accueille le public.

Épisode 2 de la saison 2. Résumé : après un accident dramatique qui l'a privée de la plupart de ses souvenirs, la courageuse assistante sociale au grand cœur qui s'agace vite s'apprête à affronter de nouveaux cas qui vont encore mettre à mal ses idéaux. Contrairement à sa précédente tentative chaotique, elle ne portera cette fois aucune protection...

L'avis de la rédaction : un épisode passionnant remarquablement joué. Ne manquez surtout pas le début : tout au fond, vous pourrez remarquer une jeune actrice verdâtre aux yeux globuleux portant un tee-shirt condamnant les ventes d'armes et dont l'air inquiétant lui promet un bel avenir dans les films d'horreur.

Mélanie m'a bien mise en garde. Cette fois, plus de fantaisies. Elle m'a à l'œil. Je crois par contre qu'Amour m'observe discrètement parce qu'il espère malgré tout un petit dérapage. Il risque d'être déçu. Pas d'armure ce coup-là, même s'ils vont quand même lâcher les lions. Par superstition, je me frappe malgré tout la poitrine comme un gladiateur.

La première dame qui se présente ne m'est pas inconnue. Je reconnais sa démarche, sa façon de se tenir, et même son foulard de luxe qui a dû appartenir à Marie-Antoinette. Je dois avouer que malgré l'esprit positif dans lequel j'exerce ma fonction, la voir n'est pas un plaisir. Tout ce que je sais d'elle me revient en bloc : sa haute opinion d'elle-même, sa connaissance tatillonne de nos règlements, la récurrence métronomique de ses visites, sa mentalité... Elle s'installe et sort un dossier assez épais de son sac de marque.

— Bonjour. Je viens déposer une demande d'aide ponctuelle. Vous trouverez là tous les justificatifs.

Je consulte rapidement les pièces. Il n'y a pas à dire, elle se débrouille vraiment mieux que les pauvres bougres qui n'arrivent même pas à écrire leur nom. Du travail impeccable, il ne manque rien.

— Madame Sarlène, je dois vous rappeler que les aides ont été conçues pour des gens qui rencontrent de réelles difficultés...

— Mais c'est le cas, comme vous pourrez le constater en lisant mon courrier explicatif.

Elle a eu cette fois la décence de retirer ses bijoux pour venir quémander. Reste que je me demande si elle considère les vêtements qu'elle porte comme une panoplie d'indigente ou si elle a simplement mauvais goût.

— Pardonnez ma question, Madame Sarlène, mais vous n'éprouvez aucune gêne à solliciter ces sommes alors que vous êtes sans doute venue dans votre jolie berline allemande ?

— Ceci ne vous regarde pas, et je n'apprécie guère votre ton. Nous autres avons autant le droit d'être aidés que n'importe qui. Si tout le monde travaillait autant que nous, le pays n'en serait pas là.

— C'est sur votre temps de travail que vous nous honorez de votre visite ? Ou entre deux rendez-vous chez le coiffeur et l'esthéticienne ?

— Je me moque de ce que vous pensez. Nous remplissons parfaitement les critères d'attribution. J'ai vérifié. Si vous faites la moindre complication, je n'hésiterai pas à en référer à votre hiérarchie. Je connais le maire...

Tout le monde connaît le maire, pauvre tarte. C'est même son boulot, et souvent je le plains.

Je suis très fière de moi, mon sens de la responsabilité a réussi à ceinturer ma réponse spontanée avant qu'elle ne parvienne à s'échapper par ma bouche.

Je feuillette à nouveau ses pièces. J'imagine sans peine la complexité de l'usine à gaz fiscale qu'elle a dû mettre en place pour ne déclarer aucun revenu malgré son train de vie. Son fiscaliste doit lui coûter en une heure ce qu'elle espère obtenir avec son scandaleux dossier. Lucie a raison : ceux qui maîtrisent le mieux les lois et les règlements ne sont pas forcément les plus honnêtes.

Je saisis ses documents du bout des doigts, comme s'il s'agissait d'un rat crevé.

— Comptez sur nous pour étudier votre demande avec la plus grande attention. Dès que la commission aura rendu sa décision, vous recevrez un courrier.

J'ai prononcé tous les mots qui convenaient mais mon corps devait raconter autre chose, parce qu'elle se lève et s'en va sans même me dire au revoir. Ce dossier-là, je vais le présenter sous mon propre nom. Ainsi, ce crétin de Dutril le refusera à coup sûr. Bien fait.

Des pas approchent derrière moi. Je me retourne et découvre Mélanie, qui fond sur moi comme un aigle sur un steak haché.

— Bravo Laura, tu as encore fait fort.

— Je ne lui ai rien dit de mal ! Il est vrai qu'un bref instant, j'ai envisagé de l'attraper par les cheveux pour l'assommer sur le comptoir avant de traîner son corps tout flasque jusqu'à la déchetterie. Mais je ne l'ai pas fait !

— De qui parles-tu ?

— De Mme Sarlène, revenue pile un jour après le délai minimum l'autorisant à déposer une nouvelle demande. Cette femme est une insulte à notre raison d'être !

— Ce n'est pas d'elle qu'il est question.

— Alors de quoi ?

— Tu n'en as aucune idée ?

Le ton est accusateur. Tellement de réponses sont possibles. Que va-t-on encore me reprocher ? Mettre des plantes carnivores sur le comptoir pour les dresser à manger les cons n'était pas mon idée.

Mélanie me fait les gros yeux. Je suis une enfant prise en faute. Cela ne me dérange pas plus que ça, c'est si bon d'être considérée comme bien plus

325

jeune que son âge. Je crois qu'elle tente d'exercer sur moi ce qu'il convient d'appeler une « pression psychologique ». Mais comment voulez-vous être impressionnée par quelqu'un qui, la veille encore, s'étranglait en avalant un moucheron ?

Vu la façon dont la matinée a démarré, la journée s'annonce gratinée. Limite lasagnes au four. Je commence déjà à en avoir plus qu'assez.

Mélanie me souffle :

— Je te félicite, Laura, tu as piétiné le premier de tous les principes fondamentaux que l'on nous enseigne en préparant notre diplôme.

— « Ne jamais grignoter entre les repas » ?

— Non, je pensais plutôt à « Ne jamais s'impliquer personnellement dans un dossier et ne jamais – mais alors jamais ! – payer de ta poche, sous peine de finir comme ceux que nous nous efforçons de sauver ».

Il me faut quelques instants pour comprendre.

— Tu parles de l'argent que j'ai versé pour la jeune Alice ?

— Exactement. J'ai eu son propriétaire.

J'adore Mélanie, mais je vais quand même lui dire ce que je pense :

— Je ne regrette rien et si c'était à refaire, je le referais sans hésiter. Je me fous de ces règles qui bloquent tous les élans humains. On en crève. Mon accident m'a permis de prendre du recul. La mère Sarlène mérite une bonne baffe et Alice vaut la peine que l'on paye pour elle. Tout règlement qui laisse entendre autre chose est mauvais. Et maintenant, excuse-moi, je dois aller dire deux mots à cette cochonne d'Olga.

55

— Alors, ta journée ?

Eh oui, forcément, j'ai fini par le rappeler. Encore en pleine nuit. Et il me demande ça aussi naturellement que si nous vivions ensemble depuis des années. Le pire, c'est que je lui réponds sur le même ton.

— C'est tendu dans le service. Tout le monde est à cran. Nous sommes menacés. Même si rien n'est encore officiel, on va probablement sabrer nos effectifs et nous déloger pour de vilaines raisons.

— Tristement, les gens qui aident sont toujours considérés comme secondaires.

— Tu en as fait l'expérience dans ton métier ?

— Tous les jours.

Voilà un indice intéressant. Quel emploi peut-il occuper ? Je l'imagine à un poste où il faut savoir s'exprimer clairement comme il le fait, quitte à faire éventuellement preuve d'autorité, ce dont je le devine capable. Il réfléchit plutôt bien, avec une certaine droiture. Psychologue ? Contrôleur fiscal ? Décorateur d'intérieur ?

Je m'interroge en caressant Cubix du bout des doigts.

— Tu hésites à me demander quel est mon métier ? devine-t-il.

— À quoi bon ? Tu ne répondras pas.

— Plutôt que d'essayer de glaner des données sur moi, questionne-moi sur la façon dont je fonctionne.

J'attrape la liste de questions que j'ai préparées et en cherche une.

— Tu préfères les chats ou les chiens ?

— Pitié, on dirait un quiz de magazine féminin !

— Tu as promis de répondre honnêtement.

— Je préfère les chiens, mais je n'ai rien contre les chats. Et toi ?

— Les chats, mais je n'ai rien contre les chiens. En fait, j'aimais autant les deux avant de tomber raide dingue du félin que je garde. Je vais devoir m'en séparer et plus la date approche, plus je suis malheureuse. Je m'y suis attachée. Si encore j'étais convaincue que les deux enfants à qui elle appartient l'aimaient autant que moi, ça me ferait moins mal.

— Tu pourras en prendre un autre.

— Ce n'est pas d'« un » chat que j'ai envie, c'est de celui-là. On a déjà vécu énormément de choses très fortes. Et toi, tu as un chien ?

— J'en ai eu un gamin. Typhon. Mon premier meilleur copain, et mon premier vrai chagrin quand il est mort. Mais aujourd'hui, je n'ai pas la place, et puis je bouge beaucoup trop avec mon job. Je ne sais jamais à quelle heure je rentre…

Il s'interrompt. Je suis certaine qu'il n'avait pas prévu de me lâcher cette info-là. Je pourrais lui proposer de jouer à « ni oui, ni quel métier tu fais », il est peut-être aussi mauvais que moi. Mais je n'ai pas envie d'abuser de la situation.

— Pourquoi les mecs préfèrent-ils les chiens ?

— Ce n'est pas vrai de tous les hommes, mais j'ai au moins l'explication pour moi-même.

— On peut savoir ?

— Un chien est toujours partant pour te suivre. Il ne demande même que ça. Jouer, être utile, apprendre, il répond présent. Il vit les choses avec toi. Il ne change pas ta vie, il s'adapte et te permet simplement de fonctionner à un autre niveau, comme tu l'entends, sans rien compliquer. De plus, il te reste fidèle sans te juger. Les chats sont certes fascinants, mais un peu égoïstes, ils ne font que ce dont ils ont envie, quand ils en ont envie. Ils considèrent même que se laisser caresser constitue un honneur qu'ils t'accordent. Je préfère la confiance aveugle du chien à l'indépendance du chat.

— Tous les chats ne sont pas ainsi, mais ta réponse est très intéressante. En filigrane, dois-je y lire un message quant à la façon dont tu envisages la vie avec une femme ?

— Je te parle des chiens, pas des femmes. Vous n'êtes pas des animaux de compagnie. Pourquoi diable êtes-vous sans cesse convaincues que quoi que l'on dise, d'une façon ou d'une autre on parle toujours de vous ? Comprenez qu'il nous arrive de penser à tout autre chose. Vous êtes importantes, mais vous n'êtes pas tout !

Je le sens agacé. Il souffle, ronchon :

— Vous avez tellement d'idées préconçues sur nous...

— « Je veux bien payer pour les erreurs que je commettrai sans doute un jour, mais ne me reproche pas les faiblesses de mes congénères... » C'est une nouvelle histoire que tu me proposes, et depuis mon accident, je redécouvre la vie. Alors pardon de ne pas tout savoir. Je sais que vous êtes capables de nous oublier, pour une moto, un chien ou même un ballon. Pas nous. J'ai l'impression que grâce à cette faculté, vous êtes plus libres que nous ne le serons jamais. Vous avez le pouvoir de faire abstraction de tout, sauf de ce qui vous intéresse sur le moment. Vous ne voyez que ce qui vous amuse ou vous attire. Nous, nous en sommes incapables. Elle est peut-être là, l'unique chaîne qui nous retient prisonnières. Et c'est à vous qu'elle est attachée.

— « Nous voyons ce qui nous amuse », c'est vrai, mais aussi ce qui nous importe et ce sur quoi nous veillons ou travaillons – au moins pour les plus responsables d'entre nous. C'est moi le garçon qui t'ai remarquée, moi qui ai osé t'approcher malgré tout ce qu'un homme risque aujourd'hui lorsqu'il tend une main, même respectueuse, vers une femme. Théoriser sur des généralités réductrices ou les clichés de chaque camp ne m'intéresse pas, mais le fait est que si l'un de nous est enchaîné, c'est moi. Et je le suis à toi – pour mon plus grand bonheur, j'espère.

Il me fait réagir, bondir même, au plus haut point. Mais je n'ai pas envie de lui raccrocher au nez. Bien au contraire. J'ai envie de discuter avec lui jusqu'au bout de la nuit.

56

Les journées s'enchaînent sans que je les voie passer. Toujours à faire, toujours à apprendre, à l'ombre d'une conviction grandissante qui ne simplifie rien : plus on en sait, plus il est difficile d'être heureux.

Je remporte quand même de petites victoires : j'ai enfin compris que « chauve » n'était pas une couleur de cheveux.

Retrouver la mémoire n'est plus mon obsession. Tant pis pour les trous, tant pis pour mes inaptitudes. Ce qui m'importe désormais, c'est de comprendre qui je suis aujourd'hui.

Ai-je achevé de devenir celle que je dois être ? Suis-je enfin capable d'agir autrement qu'en réagissant à ce qui m'est imposé ?

Dans quelques jours, je vais devoir rendre Cubix. J'en suis malade. Je ne suis pas certaine d'y arriver. Chaque fois que je joue avec elle, chaque fois que je la caresse, chaque fois qu'elle me regarde, j'ai l'impression que c'est la dernière fois. Pour échapper à cette échéance, j'ai envisagé de déménager et de ne plus jamais donner de nouvelles à Audrey. J'ai aussi imaginé lui faire croire qu'on m'avait volé son animal, mais je n'ai pas trouvé comment arriver à la dissimuler ensuite alors que

nous sommes voisines de palier. Je suis désemparée. Je sais que quelle que soit l'option, ce sera un
horrible moment à passer, immédiatement suivi
d'un insupportable vide qui durera longtemps.

Cubix et l'homme au téléphone sont désormais
les deux rendez-vous les plus personnels qui ryth-
ment mon existence. Toute la journée, j'attends le
moment où je parlerai à l'un en caressant l'autre.
Un jour, qui sait, je ferai peut-être l'inverse.

Je n'ai jamais parlé aussi librement avec personne. Sans doute parce que je ne me sens tenue
à rien. J'ignore son nom, je ne sais pas à quoi
il ressemble, mais finalement je commence à le
connaître mieux que beaucoup de mes proches.
À défaut d'être amoureuse, j'ai l'impression de
gagner un ami, un vrai, ce qui ne m'était pas arrivé
avec un garçon depuis l'école primaire. Je me suis
habituée à ce qu'il me questionne. Pour être tout
à fait honnête, j'aime ça. Nos échanges m'aident
à voir plus clair en moi. En lui expliquant qui je
suis, je me comprends mieux. Peut-être prépare-t-il
lui aussi ses questions à l'avance sur une feuille ?

Ce soir, c'est à son tour de m'interroger :

— Quel est le genre de moment que tu préfères
dans la vie ?

— Suis-je obligée de répondre immédiatement ?
Parce que ça demande réflexion !

— Plus tu réfléchiras, moins ce sera spontané.
Or c'est souvent ce qui te correspond le mieux...

— Soit. Donc mes moments favoris...

Je n'ai pas à me concentrer longtemps. Même
avec une mémoire fragmentée, une évidence s'impose.

— Ce que j'apprécie particulièrement, c'est le
moment juste avant de retrouver ceux que j'aime.

Attendre mes amies, ma famille, savoir que l'on sera réunis. Je ressens alors la même excitation que lorsque j'étais petite, juste avant de déballer un cadeau.

— Tu éprouves ça aussi avant nos coups de fil ?

La réponse est « oui » mais je ne me sens pas encore assez assurée pour l'admettre. Le sujet est stratégique.

— Trop tôt pour le dire. Et toi, quels sont tes moments préférés ?

Il marque une pause, puis me confie d'une voix légèrement différente :

— C'est toujours à l'aube, dans un petit port où j'ai passé de nombreux étés avec mes parents. Je me lève avec le jour, je traîne mon voilier jusqu'à la jetée encore déserte et je le mets à l'eau. La mer est froide, le vent souffle, mais sans violence. Je me prépare à gréer la voile. J'aime les gestes à accomplir avant de naviguer. Ce rituel immuable me rassure et m'apaise. Je retrouve mon vrai rythme. Je respire plus profondément. Je me recentre.

À l'entendre, on jurerait qu'il est en train de vivre ce qu'il décrit.

— Juste avant de larguer les amarres, je hume l'air. Je me demande vers quel cap je vais voguer. J'éprouve alors une sensation de liberté sans équivalent. Tous les horizons sont possibles. Tu m'as dit que tu aimais le mot « rare ». Il correspond parfaitement à cet état. Mes yeux sont éblouis, mes sens débordés. Souvent, je me gratte le ventre sans même m'en rendre compte...

— Tu te grattes le ventre ?

— De bien-être, comme un ours.

— Tu le fais souvent ?

— Me gratter le ventre ?

— Non, prendre la mer.

— Pas assez, mais chaque fois que je peux.

Sa façon de raconter me plaît. Je lui donne direct 200 points.

— Tu es seul à cet instant-là ?

— Je n'ai jamais connu personne dont je sois assez proche pour lui ouvrir l'intimité de ce moment.

— Un petit bonheur rien qu'à toi.

— Un petit bonheur ? Tu plaisantes ? C'est tout sauf un « petit » bonheur. Il a fallu le Big Bang, puis que la vie soit possible sur notre planète et qu'elle réussisse à s'y développer. Il a ensuite été nécessaire que les hommes inventent et peaufinent la navigation. Des milliers d'années de tentatives et de sacrifices dont nous avons hérité une expérience inestimable. Il a aussi fallu que mes parents se rencontrent, donnent naissance à un petit gars viable, et enfin, que l'on passe nos vacances là-bas. Ce n'est pas un « petit bonheur », c'est un improbable miracle ! Une conjonction fabuleuse dont je suis l'heureux bénéficiaire !

J'aime bien l'idée. Beaucoup de questions me viennent, dont aucune ne figure sur ma feuille. L'essentiel n'est plus tant de savoir s'il correspond à ce que j'espère, mais de découvrir qui il est. Ça change tout. Ne plus chercher celui qui pourra interpréter le rôle tel qu'on l'imagine, mais rencontrer l'homme avec qui on pourra être soi-même. Je ne sais pas si mon interlocuteur est physiquement attirant, mais j'aime l'écouter. J'ai envie de nos échanges. Une relation sérieuse peut-elle commencer via les capteurs auditifs ?

Avec un début pareil, même si notre histoire devait évoluer, personne n'en fera un conte de fées.

57

Alors qu'elle conduit, Lucie s'étonne :

— Le mec se gratte vraiment le ventre comme un ours ? En reniflant l'air ?

— Je sais, c'est spécial, mais j'ai trouvé ça joli.

— Génial ! Si un jour vous vivez ensemble, tu auras des puces et vous passerez votre temps dans les torrents à essayer de choper des saumons qui sautent.

— Tourne à gauche, comme la voiture devant.

— Mais ce n'est pas une route ! Tu es certaine que c'est par là ?

— Aucun doute. Sois prudente parce que le chemin est défoncé.

Nous nous engageons. Lucie s'inquiète.

— Ça ne ressemble vraiment pas à l'adresse d'un lieu de fête branché. Plutôt à un coin idéal pour se faire détrousser.

— Fais-moi confiance.

— Une fois, à la télé, j'ai vu un documentaire sur un type qui s'est perdu sur un chemin dans ce genre-là. Figure-toi qu'une nuit, il est tombé sur des extraterrestres dont la soucoupe volante avait des problèmes de moteur ou d'embrayage, je ne sais plus. Eh bien à partir de là, sa vie est devenue un cauchemar qui a déjà commencé. Obligé de changer de motel chaque jour, plus question de siffloter ou de faire du ski nautique. Ceux qui avaient envahi notre planète brûlaient tous les gens à qui il essayait de parler. Un vrai délire.

— Si ça t'arrive, tu iras discuter avec Dutril, comme ça ils y mettront le feu. Ce sera toujours une bonne chose de faite.

Notre véhicule est chahuté par les nids-de-poule.

— Laura, franchement, je ne suis pas certaine que ce soit une bonne idée d'aller me faire prédire l'avenir.

— Plus tard, tu me remercieras. Cette femme est vraiment extraordinaire. Elle a un don unique. Si elle a été capable de lire mon futur aussi clairement, elle le pourra aussi pour toi. Tu t'es bien lavé les mains ? Il faut que les lignes soient visibles.

— J'ai peur de ce qu'elle peut m'annoncer. Admettons qu'elle me prédise que je vais finir vieille fille et que jamais je ne rencontrerai l'amour...

— Crois en ton destin. Fie-toi à ta bonne étoile. Je suis convaincue que Magdalena va te rassurer et t'en apprendre plus sur celui que tu rencontreras un jour. Rappelle-toi : « Il existe forcément quelque part un homme qui t'attend déjà. » Magdalena va te le confirmer.

— Imagine qu'elle me balance qu'un homme s'intéresse à moi parce qu'il est cannibale et qu'il me trouve dodue...

— On se calme. Tu auras toutes les réponses ce soir.

Lucie se concentre sur la piste qui serpente. Elle soupire de soulagement en débouchant enfin sur le parking.

En descendant de voiture, je lui demande :

— Tu ne crois pas qu'il serait temps que je passe mon permis de conduire ?

— Pour quoi faire ? Tu n'aimes pas que je t'amène là où tu veux ?

— Si, c'est sympa, mais parfois...

Elle me coupe :

— Tu as déjà le permis. On l'a même passé ensemble.

— Quoi ? Pourquoi ne m'as-tu rien dit ?

— Parce que quand je vois ce dont tu es capable avec des œufs, de la farine et un ventilateur, je ne suis pas pressée de te voir au volant.

— Oh le coup bas ! Ce n'est pas ma faute si j'avais confondu deux mots ! En plus, ça date du début de cette année, j'étais petite !

— Confondre « mixeur » et « ventilateur », franchement... Pourquoi pas « réfrigérateur » et « frigo » ?

— Lucie, puisqu'on en est à clarifier la situation, est-ce que je possède une voiture, quelque part, que tu aurais cachée comme mon téléphone au début ? Ne me mens pas.

Elle abdique dans un souffle et me désigne le véhicule grâce auquel nous sommes arrivées.

— Celle-là est à moitié à toi...

Je prends sur moi pour ne pas réagir. On ne va pas se compliquer la soirée. J'aime Lucie. De toute façon, nous ne sommes pas ici pour parler de ma vie, mais pour découvrir ce que lui réserve la sienne.

— Tant qu'on y est, ajoute Lucie, quand tu prendras l'autoroute, ne commets pas la même erreur que moi. Les flashs sur le bas-côté, ce ne sont pas des admirateurs qui te photographient, mais des radars de contrôle. Et moi qui leur disais bonjour...

58

J'entraîne mon amie à travers la foule qui se presse pour se détendre par tous les moyens. Nous ne sommes pas là pour ça, mais pour apprendre. Ce soir, je n'ai plus peur du feu, ni des gens. Je sais où je vais. Je prends quand même bien garde de suivre exactement le même itinéraire qu'avec Sébastien, sans m'en écarter.

Lucie semble s'intéresser aux œuvres exposées. Elle tombe en arrêt devant une toile sur laquelle quelqu'un qui ne sait pas très bien peindre a voulu représenter soit un renard écrasé, soit une choucroute garnie vue du ciel. Inexplicablement, celui qui a commis cela l'a intitulé *Voyage à Bali*. Je ne laisse pas mon amie s'attarder, elle serait capable d'y trouver du sens et de s'en inspirer pour fonder une nouvelle philosophie.

De loin, je repère bientôt Magdalena. Par chance, il n'y a pas de queue devant elle. Il n'y a même personne. Les gens ne savent pas ce qu'ils loupent. Mon cœur bondit. Cette femme représente tellement pour moi. Elle m'a ouvert les yeux. Mieux, elle m'a ouvert la voie. Sainte femme. Prodige d'humanité qui dispense ses bienfaits pour des sommes très modiques.

Nous nous présentons devant elle, essoufflées et admiratives. Je pousse délicatement Lucie en avant. Je sais ce qu'elle éprouve, j'ai été à sa place.

Je lui murmure :

— Laisse-moi payer pour toi. On raconte que la prédiction est plus perspicace si elle t'est offerte.

Magdalena me jette un coup d'œil furtif. J'ai l'impression qu'elle ne me reconnaît pas. Comment serait-ce possible, alors qu'elle a changé ma vie ?

Face à la vénérable femme au noble visage, Lucie est intimidée comme une enfant. Je trouve mon amie touchante de fragilité. Je l'incite à s'asseoir et recule assez loin pour ne pas gêner leur tête-à-tête, mais pas trop quand même, pour pouvoir entendre.

— Bonsoir, jolie moiselle.

Quel bel accent. Rugueux, râpeux, qui grignote les mots, avec ces « r » qui roulent... L'accent de la vérité venu des plaines de l'Est battues par les vents.

Le beau regard de la voyante illumine la nuit. Sa voix envoûte bien plus que toutes les musiques qui flottent dans l'air. Elle saisit la main de Lucie et en détaille longuement l'intérieur.

— Magdalena va lire en toi. N'aie aucune peur. Magdalena perçoit que toi être préoccupée. Confie tes problèmes à Magdalena.

Extraordinaire. J'ai l'impression de revivre ma propre séance. J'aime l'idée qu'elle s'adresse à mon amie avec les mêmes mots. C'est un signe. Nous serons sœurs de prédictions !

De son index, la voyante parcourt un sillon de sa paume. Lucie n'ose pas bouger. Elle est figée comme une vache enceinte quand le vétérinaire vérifie l'intérieur avec son gros gant.

— Je vois clair dans ta destinée. Toi trrrès limpide. Femme de cœur, tu aimes sans compter. Ton âme est douce et tu portes la bonté. Tu es courageuse même si la vie est compliquée. Toi trrrès impatiente de connaître ton futur. Tu veux savoir si tu seras heureuse, si tu auras des beaux enfants, si ta famille sera en sécurité et ne manquera de rien...

C'est drôle, j'ai l'impression qu'elle lui dit exactement la même chose qu'à moi. Nous ne sommes pas amies par hasard ! À moins que...

— Tu vas trouver l'amour après bien des souffrances. Tes lignes ne mentent pas à Magdalena. Malgré ce que tu redoutes, l'être aimé n'est pas loin.

Un doute atroce s'immisce peu à peu en moi, comme de l'essence qui s'échapperait d'une cuve pour se répandre sur le sol d'une grange à foin.

Lucie demande :

— Que pouvez-vous me dire de l'homme qui va m'aimer ? Il n'est pas cannibale, au moins ?

— Son métier pas imporrrtant. Il est ici, au carrefour de ligne de chance et ligne de cœur.

— Il est ici, présent ce soir ?

— Non, pas ici ce soir. Il est là, dans ta main, au croisement de tes lignes.

Lucie regarde.

— Il est tout petit alors. Minuscule même.

— Pas minuscule. C'est image, poésie.

Lucie comprend et réagit. Je devine l'enthousiasme qui monte en elle.

— Est-il beau ?

— Et grand, et riche. Lignes de vie et de cœur très marquées. Tu vivras une belle passion et tu seras comblée. Mais la ligne de tête est plus difficile... Besoin de plus de visions.

Elle parle d'argent et désigne son jeu de tarot usé. Je ne l'entends plus. Je suis sous le choc de ce qui m'apparaît désormais clairement. Comme lors de notre séance, elle ferme les yeux, ce qui ouvre d'autant plus les miens. La voyante n'est pas en transe sous l'effet d'ondes psychiques paranormales. Plus mécaniquement, elle rejoue son petit numéro.

Un gouffre béant vient de s'ouvrir sous mes pieds. Un abîme de désillusion. Mon moral y bascule, mais un autre sentiment en émerge aussitôt. Je vois clair dans son jeu, et pas uniquement celui de tarot. Elle a le culot de servir à Lucie le même baratin qu'à moi. À la virgule près. Tout y est. Elle n'a strictement rien à faire de nos particularités ou des attentes intimes qu'on peut lui confier, elle débite son texte. Tout ce qu'elle veut, c'est un billet de plus. Son cirque n'est pas le fruit d'une tradition, c'est une méthode. Je l'écoute et je comprends. Elle n'annonce que des évidences qui n'engagent à rien. Des lieux communs statistiques. Ses pseudo-révélations me font maintenant l'effet de gifles. Je dois avoir les joues rougies tellement elles sont douloureuses. Je me suis encore fait avoir ! Aucune prédiction, aucun don, juste le pipeau bien rodé d'une vieille arnaqueuse qui tire parti des espoirs de celles qui sont assez crédules ou désespérées pour lui faire confiance.

Il y a désormais de l'essence partout dans la grange à foin. Je suis furieuse. Je m'en veux terriblement d'avoir entraîné Lucie dans ce traquenard dont elle ne soupçonne encore rien. Je l'ai littéralement livrée à cette créature aussi fripée que malhonnête.

L'odieuse traîtresse est déjà en train de lui tirer les cartes. Lucie ne sort pas les mêmes que moi, mais elle a droit malgré tout exactement au même boniment. Pauvre Lucie. Je voulais lui faire le cadeau de l'espoir, elle ne va récolter qu'une désillusion de plus. Si la vieille lui sort qu'elle va avoir de beaux enfants, je lui fais bouffer sa nappe brodée.

— Vous aurez de beaux enfants. Vous irez en vacances au soleil.

L'étincelle vient d'embraser la grange. Les flammes sont partout. Je m'interpose entre mon amie et cette vilaine mytho habillée avec des doubles rideaux. Elle me repousse.

— Attends ton tour. Si toi argent, Magdalena te dira ton avenir après.

— C'est moi qui vais te le dire, ton avenir, gitane moisie !

Lucie ne comprend pas ce qui se joue. Tout va très vite. Je saute au cou de la vieille en tentant de l'étrangler.

— Tu m'as menti ! Tu mens à mon amie ! Tu mens à tout le monde ! Ton seul don, c'est celui de te foutre de notre gueule !

Je hurle, je lui balance son panneau publicitaire en pleine poire. Je t'en foutrais des prétendus pouvoirs magiques et des ancêtres mal peints sur du contreplaqué ! Elle va payer pour les espoirs bafoués de ma sœur de cœur.

Plus je lui serre le kiki, plus elle change de couleur. Je note cependant que le phénomène semble réversible. C'est rigolo. Elle se débat, mais je m'en fiche.

— Je te maudis ! hurle-t-elle.

— M'en fous, je le suis déjà.

— Le malheur sera sur toi pour l'éternité, lâche-moi !

— Tu sais où je vais te la mettre, ta boule de cristal ?

59

Pause. Temps mort. J'ai besoin de faire le point. Je dois absolument retrouver la maîtrise de mon mental, sinon je vais finir chez les fondus. Ce ne serait pas original pour quelqu'un dont la cervelle est un gruyère.

Après cette épouvantable soirée, je suis rentrée chez moi. Je m'y suis traînée, devrais-je plutôt dire. Je n'ai même pas voulu me confier à Cubix. Je veux qu'elle reste innocente, préservée des trahisons de ce monde. Je ne lui ai pas non plus raconté que les vigiles sont intervenus, même si je suis assez fière qu'ils aient eu besoin de se mettre à quatre costauds pour me décrocher de la vieille qui beuglait. Dans la bagarre, personne ne sait ce qu'est devenue sa boule de cristal. Moi si. C'est mon secret et je l'emporterai dans la tombe.

Épuisée, la tête en vrac, je me suis laissée tomber dans mon canapé. J'ai machinalement allumé la télé. Bêtement, j'espérais me détendre en regardant d'autres gens se débattre dans des histoires de crimes non résolus, d'urgences à l'hôpital, d'imbroglios sentimentaux ou d'échecs familiaux. Il est étrange de constater devant quoi on se change les idées. Les ennuis des autres seraient-ils un spectacle plaisant ? Nous aident-ils à relativiser nos propres malheurs ? Pourtant, ce soir, la trépidante analyse du cornet de glace tenu par le tueur en série n'a pas réussi à me distraire. J'ai fini par ne plus vraiment regarder l'épisode. Cependant, sous l'impulsion de ces images animées et sonores qui envahissaient mon cortex malgré moi, j'ai été saisie d'une véritable illumination. J'ai vu la lumière !

J'ai soudain touché du doigt une vérité fondamentale qui va modifier ma vision du monde pour toujours. Une règle, un paramètre que je ne soupçonnais pas avant de le découvrir et dont je ne pourrai plus jamais faire abstraction maintenant que j'en ai connaissance. Je suis passée d'un seul coup de l'avant à l'après.

Depuis notre plus jeune âge, on entend des histoires, on voit des films, on lit des livres. Cela commence dès qu'on est bébé, le soir avant de nous endormir, et ça ne s'arrête plus jamais. J'adorais ça. Comme vous sans doute, on m'a biberonnée aux rêves, aux contes, aux récits fabuleux qui enflamment l'imagination. Impossible de trouver le sommeil sans, ni après d'ailleurs, et même encore aujourd'hui, je me sens très mal si j'en suis privée. Plus personne ne me raconte d'histoires quand je me glisse sous la couette, alors je me débrouille. Des bouquins sur la table de nuit, des chansons dans le téléphone, des films plein la boîte à images. Les fictions sont partout autour de moi, comme des médicaments qui traînent pour me soigner de la réalité. On est tous accros à ces doses. Ces récits nous tiennent, nous portent, et contribuent accessoirement à forger la perception que l'on se fabrique de notre passage sur terre. On passe tellement de temps en leur compagnie que notre cerveau ne fait plus toujours la différence entre ces artifices et la réalité. Ils se glissent, s'immiscent dans notre mémoire, au point qu'on intègre les sentiments qu'ils provoquent comme nos propres expériences. Notre conscience de la condition humaine et de notre destin potentiel se dessine ainsi à coups de fables, de récits emblématiques, de situations stéréotypées qui imprègnent notre univers psychique et finissent même par orienter nos espoirs. Notre imaginaire, enrichi à l'extrême par ces visions aiguës, souffle à notre esprit que tout serait vachement mieux si on pouvait obtenir la même chose que ce qu'on a lu, entendu ou vu en Cinémascope. Pourquoi se contenter de moins bien ?

C'est ainsi que l'on devient assoiffé d'une vie en plus fort. On apprend à croire à l'amour, à la justice qui triomphe, à la belle surprise qui changera notre existence. On se retrouve alors affublé d'une idée assez précise de ce que doivent être les grands moments de notre parcours. Un jour on sera grande et on aura des seins, plus tard on aura des diplômes, un métier. Un beau jour, un garçon nous embrassera, il nous dira qu'on est la seule à lui faire cet effet-là. Tout sera différent. On sera les premiers à aller au cinéma en se tenant la main comme ça. Le coucher de soleil ne sera jamais aussi sublime que pour nous. Nous vivrons des nuits brûlantes s'achevant sur des aubes épuisées et douces. On rencontrera le grand amour comme la fille dans le film qui n'y croyait pas. On aura des enfants. Peut-être une maison avec un jardin – pourquoi pas un château ! –, mais de toute façon un écrin pour abriter notre bonheur.

On les connaît ces étapes, on les a toutes vécues dans d'innombrables histoires avant d'en rêver légitimement pour nous-mêmes. Le plus grave, c'est qu'on finit par les attendre. On finit même par ne plus faire que ça. Les espoirs deviennent des cases à cocher. Nos aspirations se cristallisent sur des archétypes que l'on nous vend. Ce ne sont plus de beaux moments qui surgissent au détour d'un destin, ce sont des portes à passer dans le slalom géant qu'est une vie de plus en plus stéréotypée. À la Saint-Valentin, obligation d'aller tuer des fleurs pour les offrir à sa femelle. Gare à celui qui oublie. À la Saint-Sylvestre, juste avant minuit, décompter obligatoirement en hurlant sa joie, alors que le lendemain tout sera pareil. La veille du mariage, faire n'importe quoi comme les garçons. Et surtout, continuer à regarder ce que tous les autres regardent, pour suivre la voie dessinée sans tenter d'en sortir. Une vie rythmée par des clichés scénarisés, au risque de ne plus avoir l'ouverture d'esprit pour vivre ce qui ne figure pas sur le bon de commande. Ne consommer que des bonheurs d'élevage clonés en captivité.

On s'attend à vivre toutes ces choses magnifiques. Sur une musique déjà vendue à des millions d'exemplaires, si possible. On y a tous droit ! Les plus beaux jours d'une vie, l'homme d'une vie, les buts d'une vie… Mais est-ce vraiment notre vie ?

Comme des phares illuminant nos nuits emplies de doutes, ces rendez-vous très théoriques éclairent notre chemin et nous guident. Ils nous attirent, nous motivent, nous tiennent. Ils peuvent aussi nous détruire si nous ne les atteignons pas.

Plus de place pour les bonheurs sauvages, ceux qui nous obligent à nous lever tôt pour avoir une chance de les attraper. Ceux pour qui nous devons garder les capteurs optiques affûtés et le cœur ouvert sous peine de les manquer. Tous à suivre le même chemin rassurant, balisé, chacun son tour. La même limousine vulgaire à rallonge pour le mariage. Le même sac à la mode. Les mêmes recettes tendance. Et tant qu'à faire, les mêmes angoisses nées de ces espoirs programmés qui ne comblent jamais nos vraies aspirations. Car on ne vit pas en faisant semblant.

Là, devant ma télé, je prends soudain conscience qu'une extraordinaire tradition de narration destinée à transmettre de l'émotion a peu à peu dérivé en une redoutable machine industrielle à structurer l'imaginaire, avec tout ce que cela implique de frustrations. On est toujours déçu de ce qui se passe dans notre quotidien parce qu'on a moins de moyens que la production qui nous a vendu le scénario. Pire, on ne peut rien couper au montage ! Dans ce schéma-là, comme aux Jeux olympiques, si on rate un passage obligé, on est disqualifié. On part dans le décor. « Bizarre de ne pas avoir d'enfant à ton âge... » Quasiment suspect de vivre seule.

Tout espoir n'est pourtant pas perdu. Je ne compte plus les exemples qui permettent malgré tout d'y croire. Dans ma famille, chez mes amis, beaucoup ont loupé les passages, foiré le slalom, valsé dans le décor, et découvert du coup des pistes insoupçonnées qui conduisent à des vallées plus vertes.

Parce qu'en fait, malgré tout ce que l'on peut nous raconter ou nous vendre, ce ne sont jamais ces grandes étapes attendues qui façonnent notre vie. Au-delà des images toutes faites, ce sont toujours des rencontres imprévues, des irruptions de chance ou de guigne qui tracent nos destins. La vérité est bien plus rafraîchissante que le modèle de vie surgelé que l'on nous propose. Quoi qu'en disent les voyantes et les séries, on ignore tous la date de nos vrais rendez-vous. Le pire et le meilleur n'arrivent jamais là où on les attend. Ça fait un peu peur, mais ça fait drôlement envie. On m'a menti, on m'a abusée, on m'a parlé dans le noir. Mais ce soir, je m'aperçois que si je n'attends plus rien, tout devient possible...

Le policier de la télé vient de comprendre qui a tué la fille. Super, il va pouvoir aller manger à la cantine du studio avec l'assassin. J'ai lu dans un magazine que les deux comédiens étaient en couple et qu'ils allaient adopter. Je suis contente pour eux. C'est encore la fille qui, en plus d'avoir été assassinée, va rester toute seule.

60

Comme chaque soir, je suis ponctuelle, et dès la première sonnerie, il répond présent. J'aime nos rendez-vous au cœur de la nuit. Ils ne ressemblent à rien de ce que j'ai pu imaginer, et à la lumière de ce que j'ai découvert ce soir, c'est une excellente nouvelle. Je commence, enjouée :

— Bonsoir, tu vas bien ?

— Bonsoir Laura, pas trop mal, et toi ?

Sa voix est moins tonique que d'habitude et sa réponse a tout d'une formule de principe. Cela ne lui ressemble pas.

— Tu es certain que ça va ? Je te sens bizarre.

— Rien d'important. Parle-moi plutôt de cette soirée que tu devais passer avec ton amie.

— Un fiasco, un pur ratage, mais Lucie va bien et la coupable a payé. Je te raconterai une autre fois parce que j'ai l'impression que c'est toi qui as besoin de vider ton sac.

— Il n'y a pas grand-chose à dire.

Je préfère ne pas insister. Je ne veux pas le mettre mal à l'aise, alors j'enchaîne.

— Tu sais, ma soirée a vraiment été horrible. Je suis passée par tellement de couleurs, de prises de conscience, de colères même, que je ne devrais plus avoir la moindre pensée positive à l'heure qu'il est. As-tu une idée de ce qui m'a permis de tenir ?

— Cubix ?

— Non, toi. J'attendais notre appel. C'est l'envie de te parler qui m'a donné la force de faire le vide dans ma tête pour être en forme avec toi.

Il ne répond pas. Est-il touché par mon aveu ? S'est-il endormi ? Est-il sorti descendre les poubelles ?

— Quand je parle de toi aux copines, je t'appelle « le garçon ». Toutes savent combien je me suis méfiée de toi au départ. Mais elles savent aussi à quel point nos coups de fil sont devenus importants. Elles se moquent de moi et elles ont raison. Toute la journée, savoir que je vais pouvoir te parler me fait du bien. Tu es devenu bien plus qu'une voix dans la nuit.

— Raphaël.

— Pardon ?

— Je m'appelle Raphaël.

Je suis sciée. J'aime bien ce prénom, mais je ne m'attendais vraiment pas à ce qu'il me le livre aussi vite et aussi facilement. Est-il normal d'être déçue d'avoir obtenu sans difficulté une information que je désirais tant ? Raphaël, donc.

Je le prononce à voix basse :

— Raphaël. Raphaël et Laura…

Je me ressaisis. J'espère qu'il n'a pas entendu.

— Ça me fait drôle de pouvoir t'appeler par ton prénom, Raphaël.

— Ça me fait du bien de te l'entendre prononcer.

Je le devine triste. Si j'étais près de lui, je lui prendrais la main.

— S'il te plaît, Raphaël…

Je savoure intérieurement le fait de pouvoir le nommer.

— ... confie-moi ce qui te met dans cet état-là.

— Un vieux monsieur est mort aujourd'hui.

— Un proche ?

— Même pas. Je le connaissais à peine, mais je l'aimais bien. J'appréciais nos échanges. J'essayais d'alléger son quotidien et même si je n'y arrivais pas toujours, il saluait l'intention. Il avait beau souffrir et savoir sa fin proche, il faisait toujours attention aux autres. Il racontait ses erreurs et les pièges dans lesquels il était tombé au cours de sa vie. Il en plaisantait sans aucun orgueil. Il répétait souvent qu'il est important de partager ses échecs pour permettre aux suivants de ne pas les répéter. J'aurais voulu mieux le connaître. C'est idiot, mais il va me manquer.

— Tu aurais dû m'appeler quand tu as appris la nouvelle.

— J'étais près de lui quand il s'est éteint. Ça m'a vraiment fait quelque chose. Sais-tu ce qui m'a aidé à ne pas m'effondrer ?

— Non.

— Toi. Tu es la personne qui me donne le plus envie d'avancer et de mieux faire, malgré ce que la vie nous envoie dans les jambes. Tu es vraie.

Je tremble. Ça fait vibrer Cubix 22. Si je n'arrive pas à me maîtriser, je vais la réveiller.

— Tu sais, Laura, juste avant de mourir, le vieux monsieur m'a murmuré une phrase que je n'oublierai jamais. Il savait qu'il était arrivé au bout. Il m'a regardé dans les yeux et m'a soufflé : « Raphaël, la vie est courte. Ne perdez jamais de temps. Courez vers ce qui fait battre votre cœur. » Le sien s'est arrêté. Je tenais sa main.

Raphaël se tait. Je crois qu'il pleure.

61

Mélanie a raison : les gâteaux d'Anaïs sont vraiment les meilleurs. D'ailleurs, personne ne s'y trompe, et chaque mardi matin, tout le service se jette dessus. Moi la première. Les miens partent moins vite. Ce n'est pourtant pas faute de proposer toutes les spécialités possibles. Je ne recule ni devant les fruits confits, ni devant les parfums exotiques extrêmes. Même si mes collègues prennent des gants et m'assurent que mes tentatives s'améliorent de semaine en semaine, je sens bien qu'elles en mangent uniquement par amitié. À moins que ce ne soit pour tester leurs défenses immunitaires...

Anaïs m'a expliqué que pour qu'un gâteau soit réussi, il ne faut pas suivre la recette à la lettre. Personne n'a le même palais, personne n'utilise le même four. La pâtisserie, comme la cuisine, n'est pas une science exacte. Si on se contente de suivre ce qui est écrit, au mieux ça reste banal, au pire, on pensera que vous l'avez acheté ou fait la semaine d'avant pour d'autres gens qui n'en ont pas voulu. Il faut interpréter, ajouter sa touche personnelle, oser adapter en fonction de ses goûts et de ses moyens. Le secret est là. Voilà un conseil que je ferais bien d'appliquer à pas mal d'aspects de ma vie !

Notre point hebdomadaire est un moment que j'affectionne particulièrement. On se retrouve entre nous, et c'est toujours l'occasion de se rappeler que l'on forme une équipe. Le reste de la semaine, chacune bosse dans son coin, mais ce moment-là est partagé. On parle des dossiers, on croise les informations, et on prend aussi le temps de savoir comment vont nos vies. Une vérification du matériel, en quelque sorte. Un pilote d'avion doit avoir une bonne vue. Un enquêteur doit avoir du flair. Une assistante sociale se doit d'avoir le moral pour faire face. Nous devons veiller les unes sur les autres.

Valérie descend de son bureau, avec Floriane pendue à ses basques. Elles n'arrêtent pas de s'asticoter. Au début, cela me faisait de la peine, mais j'ai compris depuis que c'est leur façon de fonctionner. Elles sont étonnantes. Toujours à faire des étincelles, à se chercher, mais perdues l'une sans l'autre.

Dounia porte un tee-shirt qui proteste contre la malbouffe, mais la tache de tarte au chocolat industrielle qu'elle vient de se faire tempère un peu le propos... Lucie confie à Françoise que malgré une expérience traumatisante, elle croit toujours aux pouvoirs occultes. Elle envisage même de s'y mettre. Je redoute le pire. Hier, elle a lu dans ses mains qu'elle devait changer de stylo parce qu'il fuyait.

Amour se tient en retrait, comme souvent. Est-ce parce qu'il se sent isolé au milieu de nous toutes, ou parce que cela lui permet de rafler discrètement davantage de moelleux aux poires ? Les hommes sont décidément pleins de mystères...

Les autres services nous envient ce temps convivial. Certaines mauvaises langues prétendent même qu'il constitue une preuve de notre faible productivité, voire de notre oisiveté. Les pauvres... L'essentiel est que nous sachions pourquoi nous le faisons. Afin d'en profiter pleinement, on s'est tous mis d'accord pour arriver plus tôt ce jour-là. On peut ainsi faire durer un peu sans pénaliser le travail.

9 h 10. Valérie siffle la fin de la séance.

— Mesdames, merci à celles qui ont préparé de succulents gâteaux. Nous serons donc condamnées à courir ce week-end. Je vous invite maintenant à rejoindre vos postes.

Tout le monde rit et je pars avec mes amies.

— Mélanie, peux-tu m'aider sur un point technique ?

— Dis-moi.

— Sur les formulaires des logements sociaux, on parle d'appartements F1, F2, F3... Que veut dire le F ?

— « Fa » ranger ta chambre, ou « Fais » ton ménage.

— Sérieux ?

— Non, en fait, j'en sais rien.

— Et le chiffre ?

— C'est un code qui t'indique le nombre de pièces. Toi par exemple, tu habites un F2.

— Mais j'ai quatre pièces. Ce serait donc un F4 ?

— On ne compte ni la cuisine, ni la salle de bains, et les W-C séparés peuvent constituer un cas spécifique.

— Un très grand appart, ça peut être un F8 ?

— Je n'en ai jamais entendu parler, mais pourquoi pas ? Sauf qu'à partir de F15, on ne parle plus d'appartements, mais d'avions de chasse américains. Personne n'habite un F16, ça sert uniquement pour les raids aériens.

— Merci Mélanie, tu m'aides beaucoup. Je file en mairie récupérer les dossiers validés.

Il fait beau. Les arbustes en fleurs chauffés par le soleil embaument l'air. Je me demande quel effet ce parfum produirait sur les capteurs olfactifs de l'ours à qui je parle chaque soir.

Alors que je traverse le parking, une voix m'interpelle :

— Laura !

Je me retourne et mon sourire s'efface instantanément : c'est Kayanc.

— Je t'attends depuis une demi-heure. Tu ne commences plus à 9 heures ?

Il s'approche.

— Je fais ce que je veux. Laisse-moi tranquille.

— Pourquoi tu ne réponds plus à mes messages ? Qu'est-ce que j'ai fait ?

— Tu n'en as vraiment aucune idée ?

Il se tient devant moi. Cette fois, je n'éprouve plus la moindre attirance, plus l'once d'une fascination. C'est même le mot « répulsion » qui décrit le mieux ce que je ressens. Comment le même homme peut-il me faire un effet si différent ? Sans doute parce que mes illusions le rendaient beau, tandis qu'à présent je sais réellement à qui j'ai affaire. Comme si on les habillait de nos espoirs pendant qu'eux ne rêvent que de nous dévêtir.

— Tu comptes beaucoup pour moi, ose-t-il déclarer, mais n'espère pas que je te coure après comme un brave toutou.

— Je ne te demande rien.

— Qu'est-ce qui s'est passé ? C'était bien l'autre soir, nous deux. C'est pas moi qui t'ai refilé cette maladie...

— C'est ça ta ligne de défense ?

— Ben oui, ce n'est pas moi. C'est vrai.

Le ton est convaincu. Après avoir arboré le costume du séducteur à la voix suave qui fait du vélo sans les mains, le voilà donc dans le rôle de l'homme injustement traîné dans les MST. Je suis tentée de lui dire que j'avais encore menti.

— Écoute, Kayane, tu es bien gentil mais nous deux, c'est fini.

— Pourquoi ?

Sa question a jailli comme un cri.

— Tu ne pourrais même pas comprendre si je te l'expliquais.

— Tu n'éprouves plus rien pour moi ?

— Rien dont tu pourrais être fier.

Il s'avance. J'hallucine. Le voilà qui tente de m'avoir au charme. La bouche en ventouse à toilettes et le sourcil en pied-de-biche. Je suis bluffée. Il ne doute vraiment de rien. Comment suis-je supposée réagir ? Défaillir, me repentir et devenir sa victime consentante ? Plus il s'approche, plus j'écarquille les yeux. Mais je ne suis visiblement pas au bout de mes surprises. Quelle veinarde ! Je crois qu'il va essayer de m'embrasser. Là, sur le parking, entre le distributeur de sacs à crottes de chien et l'horodateur dont je ne sais toujours pas me servir. Comme c'est romantique ! Ce bouffon doit se dire que j'en ai toujours rêvé, que c'est l'apothéose d'une relation qui comble tous mes rêves de femelle perdue. Il faut peut-être que je lui dise que son magnifique élan va finir dans un petit sac fourni par la municipalité pour ramasser ce qu'il est.

Il se penche vers moi. Je l'observe comme au ralenti. Ça m'arrive régulièrement, et d'habitude ça me fait de l'effet. Mais là, j'ai juste envie d'exploser de rire. Il est tellement convaincu que je vais jouer son jeu et me laisser faire qu'il en ferme les yeux. Quel sinistre con. Il va louper son approche. « Allô Houston, on a un problème ! » *Apollo* va rater la Lune et se perdre dans l'espace où personne ne l'entendra crier.

Je me décale. Olé ! Le beau taureau manque de tomber, emporté par sa tendre charge. Si j'avais un pique-saucisse, je le lui planterais dans les fesses pour parfaire le tableau.

— Qu'est-ce que tu fais ? Tu refuses que je t'embrasse ?

— Ça me semble évident.

Il est vexé.

— Tu n'as pas toujours dit non...

— Comme quoi les choses peuvent changer. Je te souhaite bonne chance, Kayane, et je suis certaine que tu n'auras aucun mal à te trouver quelqu'un qui te conviendra mieux que moi. Maintenant pardon, mais j'ai du travail.

Alors que je tourne les talons, il m'agrippe par l'épaule et me fait faire volte-face.

— Tu crois que tu peux me congédier comme ça ? Pour qui tu te prends ?

Beaucoup de réponses amusantes me viennent, mais la colère dans son regard refroidit mes velléités d'humour. Le masque n'a pas été long à tomber. Inutile de discuter, il va devenir grossier, voire violent. Je dois de toute urgence me sortir de cette situation. Il faut qu'un hélico m'exfiltre ou qu'un super-héros se pose à côté de moi pour me protéger.

Je soutiens son regard, sans toutefois le défier. Il ne doit surtout pas deviner ce que je projette de faire. J'interdis à mon corps de parler pendant que j'évalue la situation. Je me trouve pile entre mon service et la mairie. Vers quel refuge est-il le plus rapide de fuir ? J'opte pour le service social, dont le nom est parfaitement adapté à ma situation. Je m'y sentirai plus en sécurité.

D'un seul coup, je démarre. À fond et en hurlant :

— Au secours ! J'ai besoin d'Amour !

Passé la surprise, il se lance à ma poursuite. C'est un cauchemar. Je me sens comme la fille du film qui va se faire dévorer par les zombies si elle n'atteint pas la porte du bunker à temps.

— Tu ne m'échapperas pas, Laura !

Pourtant j'y compte bien, pignouf. Il est très énervé. J'entends sa foulée de plus en plus proche. Mais j'ai encore de la ressource. Merci à Valérie et à ses entraînements inhumains ! Je te bénis, toi, sale tortionnaire du dimanche, ainsi que cette saloperie de Lycra !

En escaladant le perron, je m'époumone de plus belle :

— J'ai besoin d'Amour !

J'entre en trombe dans le hall. La fille de l'accueil me lâche :

— Moi aussi, j'ai besoin d'amour. C'est pas pour ça que je beugle comme un veau.

— Appelle Amour ! Dis-lui de venir tout de suite, j'ai un fou furieux à mes trousses !

Je me retourne pour faire face à mon agresseur. Adossée au comptoir, hors d'haleine, je vois sa silhouette à contre-jour franchir le seuil. Il ne se donne même plus la peine de courir. Il a retrouvé son assurance. On dirait un cow-boy qui sait qu'il va gagner le duel. Je suis coincée.

— On va avoir une petite discussion, ma jolie...

Que suis-je censée répondre à ça ? Cric crac maison ?

Amour déboule soudain du service.

— Un problème, Laura ?

Je lui désigne Kayane.

— Je t'en supplie, dis-lui de partir et de ne plus jamais revenir.

Si au passage, il pouvait lui coller une bonne droite, ça me donnerait l'occasion d'entendre pour une fois un truc vrai sortir de sa bouche : un cri de douleur.

Amour me fait signe que tout va bien et se tourne vers le cow-boy.

— Monsieur, la demoiselle a été très claire. Merci de dégager, définitivement.

Kayane est toujours en colère, mais comme souvent avec ce genre d'individu, le sentiment perd tout à coup de son intensité dès que son interlocuteur le dépasse d'une tête.

Mélanie arrive à son tour.

— C'est quoi ce raffut ? On vous entend de l'étage.

Elle se fige en découvrant Kayane.

— Comment oses-tu remettre les pieds ici ? Tire-toi, cancrelat !

Elle attrape la plante carnivore sur le comptoir et la lui balance de toutes ses forces. Il n'aura qu'à dire au docteur qu'il s'est fait mordre par une fleur. Mais j'y pense, ce n'est pas Mélanie qui m'avait expliqué qu'il ne fallait rien jeter sur les gens ?

62

Je suis diabolique et géniale ! J'ai trouvé la solution pour ne pas avoir à rendre Cubix 22.

Comble du raffinement, mon crime ne fera aucune victime. Gloire à mon esprit démoniaque au grand cœur ! Gloire aux idées tordues qui permettent de rester droite !

Le docteur a raison, le cerveau est une petite merveille qui mobilise le maximum de ses capacités au service de nos volontés. Jour et nuit. C'est d'ailleurs en plein sommeil que l'idée m'est apparue dans un éclair, comme servie sur un plateau. Ça m'a réveillée et je n'ai plus réussi à me rendormir. Qui y serait parvenu après avoir été touché par la foudre ?

Audrey rentre demain. Mais cela ne me fait plus peur. Pourtant, la date qui approchait m'oppressait chaque jour un peu plus. Je vivais un insupportable compte à rebours. Hier soir encore, j'ai pleuré à chaudes larmes en regardant Cubix gratter dans son bac. Non parce qu'elle envoyait du gravier partout, mais parce que je me demandais comment j'arriverais à vivre sans sa présence. Cubix 22 est un peu mon double. Besoin d'amour, besoin de s'amuser, besoin de se blottir. On se ressemble beaucoup. Sauf que moi, je n'aurai des poils dans les oreilles que d'ici quelques décennies et qu'ils seront bien moins jolis que les siens.

Elle me bouleverse. J'aime son élégance, son apparent détachement, sa façon de survoler la vie et le buffet, la tendresse dont elle peut faire preuve lorsqu'elle comprend mon véritable état. Heureusement, je n'ai plus à m'en défaire. Cubix va rester. Mon plan est infaillible. Tant pis s'il me coûte une fortune, tant pis s'il m'oblige encore à mentir à des gens que j'aime et que je respecte, tant pis si je me salis les mains. Je suis prête à tout pour garder cette adorable boule de poils qui m'a littéralement envoûtée.

Exécuter l'opération n'est cependant pas aisé. Le stratagème demande de la méthode, une organisation millimétrée, et même du talent. Je me suis documentée, en détail. Je suis même allée poser des questions à des spécialistes. J'avais bien entendu pris soin de mettre un grand chapeau et des lunettes de soleil, ainsi que le manteau de Lucie. Comme ça, si ça foire et qu'il y a enquête, c'est elle qui finira en cabane.

En fait de reine du crime, je suis surtout une faussaire de génie. Beaucoup de mes illustres prédécesseurs ont contrefait toutes sortes de chefs-d'œuvre. Ils ont imité des toiles de maîtres, des signatures illustres, pour de l'argent. Comme c'est vulgaire. Moi, je vais réaliser la parfaite copie d'un chat, par amour.

Aux côtés des immenses artistes victimes de ces contrefaçons qui auront renforcé leur cote et leur légende, il conviendra désormais d'ajouter une p'tite minette qui peut vous ruiner un canapé en deux jours. Rembrandt, de Vinci, Monet, Renoir, Van Gogh et consorts, je suis heureuse et fière de vous présenter Cubix 22.

Avant toute chose, je dois me procurer un spécimen de la même taille et du même style que Cubix. Je sais où en trouver. Ensuite, il me suffira de le transformer en réplique exacte. J'ai bien vu que la coiffeuse faisait une drôle de tête lorsque je lui ai demandé si les teintures multicolores alignées sur ses étagères pouvaient convenir aux félins sans être toxiques pour eux. Elle n'était pas moins interloquée lorsque je lui ai pris quatorze nuances pour reproduire toutes les taches de couleur. Cubix m'aurait bien simplifié la vie si elle s'était contentée d'être sobrement tigrée, ou toute noire, plutôt qu'écaille de tortue. Mais l'amour n'a que faire de la couleur, et la réussite de mon stratagème est à ce prix. Grâce à ma palette, tel un Cézanne officiant au-dessus de son lavabo avec des gants en vinyle, je vais créer un chef-d'œuvre dont personne ne devra jamais soupçonner l'existence. La perfection au service d'un secret. Une œuvre inestimable qui, contrairement à celles produites d'habitude, aura le pouvoir de grimper aux rideaux et de se lécher les fesses. Les experts des musées n'y verront que du feu. Réaliser la substitution sera d'autant plus facile que je suis la gardienne officielle et assermentée de la petite merveille. La copie sera en place au retour des propriétaires, entourée de quelques dégâts pour faire plus vrai. J'ai toujours rêvé de déchiqueter du papier toilette. Si le double est un peu plus haut ou large que l'original, aucune importance. Audrey et ses enfants penseront que leur chat a grandi pendant leur absence.

J'ai écumé les panneaux d'annonces des supérettes pour dénicher des chats à donner mais à chaque fois, je suis arrivée trop tard. Peu importe, rien ne m'arrêtera.

Mon complot est infaillible. Je l'ai développé, revu, peaufiné. J'ai tout envisagé et je ne risque rien. Pour le mener à bien, je suis prête à tout, y compris à reprendre la voiture seule pour la première fois. J'ai peur, mais je vais le faire. Le docteur a raison, c'est pour les autres que l'on se dépasse. C'est parce que l'on aime que l'on repousse ses limites. Le petit monsieur décédé auquel Raphaël tenait lui a dit : « Courez vers ce qui fait battre votre cœur. » À cet instant précis, pourtant, je dois m'en éloigner, mais ce sera pour mieux la retrouver ensuite et ne plus jamais la quitter. En attendant : direction l'animalerie.

63

La route a été un calvaire. J'ai failli mourir cent fois. Il est bien plus confortable d'être passager que de conduire. Le nombre d'informations à prendre en compte en temps réel est inimaginable. Pourtant, je n'ai jamais songé à faire demi-tour. D'ailleurs, je n'en aurais pas été capable, vu que je ne me souviens plus comment on passe la marche arrière.

J'ai miraculeusement fini par atteindre le parking du centre commercial. Une vraie joie. Une liesse même ! Je pense d'ailleurs que dans toute l'histoire du monde, peu de gens ont été aussi heureux de se retrouver dans un endroit aussi moche. Je sais ce qu'en dirait Raphaël. Ce n'est pas un petit bonheur. Pour en arriver là, il a fallu que le monde existe, blabla, que les poissons deviennent des bipèdes, blabla, que les poules inventent le moteur à explosion et qu'enfin un psychopathe peigne des lignes blanches sur le sol. Bon sang, qui a conçu des places aussi petites ?

Je cours dans les galeries. Pas une minute à perdre. Il ne me reste que quelques heures pour peindre mon chef-d'œuvre, le faire sécher sans le mettre au four et le placer dans son décor avant le retour de ma voisine.

J'entre dans l'animalerie comme une tornade, mais je dois immédiatement retrouver mon calme afin de ne pas me faire repérer. La musique d'ambiance sirupeuse qui dégouline sur les rayons m'aide bien. Personne ne doit soupçonner que je suis une hors-la-loi qui prépare son plus grand coup. Aux yeux de tous, je ne dois être qu'une jeune femme lambda qui souhaite s'offrir un chat parce que c'est trop chou ! Pour ne laisser aucune trace, je vais le payer en liquide – ça aussi je sais ce que ça veut dire maintenant, fini les règlements en grenadine à la boulangerie.

Je trouve une vendeuse.

— Pardon mademoiselle, avez-vous des chats à vendre ?

— Là-bas, tout au fond, vous ne pourrez pas les manquer dans les grandes vitrines. Vous avez de la chance, on a eu un arrivage ce matin.

Les dieux sont cléments, car ils savent ma cause juste. Je me faufile à travers les rayons. Je reste concentrée sur mon objectif, même si je suis attirée par de jolis colliers roses à paillettes pour chihuahua car c'est bientôt l'anniversaire de Lucie. Je pourrais lui mettre un grelot.

J'aperçois la vitrine. Il y a du monde devant. Beaucoup de mamans en compagnie de petites filles. Je note que plus loin, devant celle des chiots, on trouve surtout des pères avec de jeunes garçons... Il faudra que j'en touche deux mots à Raphaël.

Je m'avance. Les petites sont collées aux vitres, qu'elles maculent de traces de doigts baveuses. Elles sont quand même mignonnes. Dire que l'hiver dernier, j'avais leur âge... Elles sont émerveillées par les nombreux chatons qui s'ébattent dans leur litière. Aucune difficulté à voir par-dessus leurs petites têtes. C'est l'avantage de redoubler : on est plus grand que les autres.

Certains félins jouent dans les équipements mis à leur disposition, d'autres dorment. Certains restent dans leur coin, d'autres vont systématiquement vers leurs congénères. Il est impressionnant de constater à quel point le caractère de chacun se révèle rapidement. Les petits aventureux, les bagarreurs, les tendres, celui qui regarde fixement son reflet... Bref, je ne suis pas ici pour détecter une personnalité, mais pour recruter une toile vierge.

Un magnifique chat blanc retient mon attention. Il a du chien ! La taille pourra convenir. J'espère que c'est une femelle, sinon, on plaidera l'erreur d'Audrey face à la difficulté de la détermination. Je l'observe. Je m'imagine déjà en train de lui colorer l'oreille, changeant ensuite de teinture pour reproduire tache après tache la sublime robe de Cubix...

Mais mes idées se brouillent. Un doute s'invite soudain dans mes plans. Un grain de sable est tombé dans ma belle mécanique. Je viens de croiser le regard de ce chat inconnu. Il me touche. Comment puis-je considérer cette petite bête comme un simple moyen ? Ce n'est pas une silhouette à peindre, c'est d'abord une créature vivante. Quelque chose se fissure en moi. Confrontée à la réalité de cette vie retenue prisonnière, ma conscience débarque en force et corrige ma copie. De quel droit puis-je utiliser ce chat contre son intérêt ? Qui suis-je pour me permettre de disposer de sa vie, avec de la teinture en prime ? Je me tiens debout, en état de choc devant ces félins qui s'en foutent, à me questionner sur le sens de l'univers. Une petite fille me bouscule pour se coller à la vitre. En fait, elle m'a carrément envoyée valdinguer, comme seuls les enfants savent le faire.

Elle désigne le chat que j'avais repéré et s'écrie avec une horrible petite voix aiguë :

— Celui-là ! Je veux celui-là ! Il est beau !

Silence, enfant démon ! Laisse-le, je l'ai vu la première ! Il est à moi ! Enfin, peut-être...

Elle insiste auprès de sa mère. Si je m'assois sur elle, elle se taira, au moins pendant les quelques précieuses secondes qui me laisseront le répit de décider ce que je dois faire. Aliéner une créature innocente pour servir un plan qui s'avère de plus en plus douteux ? Ou abdiquer et assumer un destin douloureux ? Faire souffrir, ou souffrir ?

64

On dit que les grandes douleurs sont muettes, mais c'est n'importe quoi. Je couine, je pleurniche en me mouchant, et plus que tout, je maudis le ciel de m'avoir donné une conscience. J'aurais préféré un 95D. Impossible de me lever ou de m'habiller. Je viens de passer ma dernière nuit avec Cubix.

Dans quelques heures, les pas d'Audrey et de ses enfants résonneront dans le couloir. Il me faudra alors subir la sentence qui m'est réservée. Chaque seconde qui s'égrène m'enseigne tous les sens de l'expression « affronter sa peine ». Je suis une condamnée qui redoute d'entendre ses bourreaux approcher dans le couloir de la mort. J'espère au moins que le petit chat du magasin sera heureux avec la fillette qui l'a finalement embarqué. Aucun des deux ne saura jamais ce que leur bonheur m'aura coûté. Tant mieux. Qu'est-ce que je vais bien pouvoir foutre de ce stock de teintures ?

Raphaël a été génial au téléphone. On est restés des heures, il a même réussi à me faire rire malgré ma déprime – à ses dépens qui plus est. Certains hommes sont capables de nous faire ce cadeau-là. Renoncer à toute fierté pour un seul de nos sourires. Je trouve cela bien plus joli que des fleurs. Il s'est démené pour me garder la tête hors de l'eau. Un vrai nageur sauveteur, sauf que je n'étais pas dans ses bras. Heureusement qu'il est là ! Si je devais le perdre lui aussi, être privée de nos conversations, je ne m'en remettrais pas. Pauvre chose. Accro à une voix. Une voix qui soulève tellement de questions, une voix qui engendre tellement de sentiments...

Je caresse mon chat qui ne le sera bientôt plus. Je frotte mon nez contre son petit ventre si doux. Elle vient de me balafrer la joue en faisant du vélo avec ses pattes arrière. Merveille de la nature avec des extrémités qui piquent. Je ne lui en veux pas. J'espère même que cette cicatrice ne guérira jamais. Je souhaite la garder comme la marque d'un temps magnifique que je n'oublierai pas. Ses petites pattes, ses mignons coussinets... Je donnerais dix ans de ma vie pour avoir la chance de continuer à la sentir faire papattons contre moi en ronronnant. Anaïs dit que je donne trop d'importance à tout cela. Possible, mais en attendant, j'en profite avant d'en être privée.

Je me suis sortie du lit vers 14 heures. Je me suis douchée et habillée sobrement, voire sombrement. Je suis déjà un peu en deuil. Chaque pendule me rappelle l'échéance. Je déteste les montres, je hais les trotteuses. Vers 16 heures, mes capteurs auditifs sont alertés. Je vais regarder par l'œilleton et ce que je vois me dévaste. Audrey et ses deux enfants sont de retour. Les larmes viennent. Je m'assois par terre, comme une enfant. Pleure, ma fille. Cubix s'en fout. Elle joue avec la rallonge électrique du four à micro-ondes. Elle devrait en parler avec Tata Lucie, parce qu'il est vrai que les chats ne jouent qu'avec les fils branchés.

Je dois être forte. Je vais me passer de l'eau sur le visage et accomplir mon devoir. Je ne veux pas faire honte à Cubix.

Je l'attrape, je la câline une dernière fois en lui murmurant :

— Je ne t'oublierai jamais. Je te souhaite les neuf plus belles des vies. Merci pour tout ce que tu m'as donné sans le savoir...

Elle me regarde, comme si elle comprenait. La gorge serrée, j'ouvre ma porte et je vais frapper chez Audrey.

— Salut !

— Alors, ces vacances ?

— Pas mécontente d'être rentrée, murmure-t-elle, ils étaient déchaînés.

Je lui tends son chat. J'essaie de rester impassible. Elle ne doit rien deviner de ce que ce geste m'arrache.

— Merci !

Elle le prend et déclare :

— Dis-moi Mémère, t'as bien profité !

Comment ose-t-elle parler ainsi à Cubix ? J'ai bien connu une princesse qui l'aurait fait bastonner. Audrey ajoute :

— J'ai été étonnée de ne pas la trouver en rentrant et tu sais quoi ? Je crois que les enfants avaient oublié qu'elle existait !

Mon cœur se brise. Cubix jouera avec les morceaux. Là, tout de suite, je songe à reprendre ce chat de force pour m'enfuir en courant. Mais mon 90B et ma conscience sont là. Je n'ai même pas l'énergie d'articuler un mot. Je me contente de prendre congé en faisant un signe de la main et en affichant un sourire mécanique qui me demande plus d'efforts que tous les marathons endurés avec Valérie.

Audrey m'embrasse, me remercie, puis elle referme sa porte. À travers, j'entends ses enfants se réjouir en retrouvant leur animal. La joie des autres est parfois douloureuse.

Je me précipite chez moi, me jette sur le lit en espérant y trouver encore un peu de son odeur. Malgré ma peine, je n'ai pas envie de mourir tout de suite. Par contre, pour la première fois, je voudrais que Raphaël soit là.

65

— Le plus raisonnable serait sans doute de ne jamais s'attacher à personne.

— Comment peux-tu dire une chose pareille ? Surtout toi ! Tu réagis ainsi parce que tu es triste.

Sa voix me fait du bien. J'ai végété jusqu'à notre appel. Une plante posée au milieu du désert qui attend désespérément l'averse. Quelqu'un avec qui partager, quelqu'un pour qui vous avez encore de l'importance même quand vous ne valez plus rien. C'est peut-être ça un couple. Au moins un ami.

— Tu te rends compte dans quel état je suis ? Tout ça pour un chat !

— Ce n'est pas un chat, mais quelqu'un que tu aimes.

— J'ai peur de ne pas être suffisamment forte pour affronter ce genre de situation. La vie est déjà assez rude comme ça. Si je suis brisée pour une minette, dans quel état serais-je si je devais être séparée de mon père, de mes frères ou de mes amies ?

— Le risque de perdre ceux auxquels on tient leur donne aussi leur valeur. De toute façon, quel intérêt aurait la vie si on ne s'attachait à personne ?

— En attendant, ça fait mal.

Machinalement, je caresse la place où se tenait Cubix. C'est la première fois que je discute avec Raphaël sans qu'elle soit présente.

— Tu sais, cet après-midi, juste après lui avoir dit adieu, j'aurais voulu que tu sois là.

— Pour remplacer le chat ? Dois-je y voir un sous-texte sur la façon dont tu envisages la vie avec un homme ? Je te préviens, je ne sais pas ronronner.

— S'il te plaît, ne me taquine pas. Pas ce soir.

— Je vais faire un effort.

— Raphaël, j'ai récemment pris conscience d'une chose qui me fait peur à mon sujet. Cela n'augure rien de bon pour ma sérénité affective.

— C'est si grave que ça ?

— Je me moque de ce que j'ai à faire. Je me moque de mes devoirs et accroche-toi, je n'ai strictement rien à faire de mes prétendues missions. Ce que je dois accomplir n'a jamais autant d'importance que ceux pour qui ou avec qui je dois m'y atteler. Tout ce qui m'intéresse, c'est fonctionner avec les autres, les observer, les aimer, en espérant qu'ils me garderont près d'eux.

Il ne dit rien. J'ajoute :

— Depuis mon accident, je m'aperçois que j'aurais pu exercer n'importe quel métier, à condition qu'il concerne le cœur de ce qui fait une vie et qu'il se pratique avec des gens qui le comprennent.

— Il n'y a que pour toi que cette prise de conscience soit une révélation. Ceux qui te connaissent le savent depuis longtemps. Tu es faite pour ressentir, pour initier, pour réagir, pour donner. Lorsque nous étions plus jeunes, tu n'étais pas forcément celle qui menait, mais tu étais presque toujours celle qui motivait.

— Je déteste être seule.

— Personne n'est fait pour ça.

— Tout à l'heure, en songeant à toi, j'avais certainement besoin d'une présence pour surmonter le manque de ma bestiole – je ne le nie pas –, mais il n'y avait pas que ça. J'aurais pu appeler mes copines, sortir. Pourtant, spontanément, tu es le premier à qui j'ai pensé. Je n'envisageais personne d'autre. On commence à bien se connaître. Si l'on fait abstraction de ton penchant pour l'ironie, de tes jeux de mots pourris et du fait que tu ne saches pas ronronner, finalement, je suis bien obligée d'admettre que c'est avec toi que j'aime passer du temps.

Il ne répond pas immédiatement.

— Merci, Laura. Même si tu es très triste ce soir, pardonne-moi d'être fou de joie.

— À nous deux, ça fait une moyenne. Tu crois qu'on se rencontrera un jour, ou est-ce que cette étrange relation téléphonique restera notre seul lien ?

— Tu poses la question ? Ce n'est pourtant pas de moi que cela dépend.

— J'ai de plus en plus envie de te découvrir. Mais ne m'en veux pas, j'ai également peur.

— Tu redoutes d'être déçue. Normal, on a commencé par l'essentiel, mais pas par le début. Il y a forcément un risque.

Il marque une pause et demande :

— Comment m'imagines-tu ? T'es-tu fabriqué une image de moi ?

— Rien de précis. Ça change toutes les nuits, suivant la nature de nos conversations. Quand tu me donnes ton point de vue avec cette sérénité qui me fascine, je t'imagine grand et fort. Quand tu me racontes ton enfance ou ta façon d'appréhender le monde, je nuance. Quels clichés !

— Je suis de la pâte à modeler...

— Plutôt un bonhomme articulé avec plusieurs costumes.

— Sympa !

— À quoi pourrait ressembler notre première entrevue ? Te connaissant, un bar ne serait pas suffisant. Plutôt un parc en pleine nuit, le sommet d'une montagne, ou un temple désert au bout du monde. Qu'en penses-tu ?

— Aucune idée.

— « Aucune idée » ? Il faut du courage pour l'admettre. Moi qui ai peur de tout, moi qui tente de prévoir, de savoir, d'anticiper, je suis admirative de la confiance en soi qu'il faut pour oser répondre « Aucune idée ».

— Tu arrives à tout anticiper, toi ?

— J'essaie.

— Ça marche ?

— Jamais.

— Alors pourquoi ne pas voir la vie autrement ? Accepte de ne pas savoir.

— Ça marche ?

— Jamais non plus. Mais au moins, quand on n'attend rien, on n'est pas déçu.

— C'est bizarre, je me suis déjà fait cette réflexion.

— De toute façon, ça ne change rien aux mauvaises surprises qui finissent par nous trouver, mais avec ce principe-là, on apprécie davantage les bonnes.

— Je vais y réfléchir. Tu es vraiment un garçon étonnant. Qu'est-ce qui t'a rendu si philosophe ? Ta vie a-t-elle été difficile ?

— Pas tant que cela. Mais je vois les autres souffrir. Il y a une image que j'aime bien et qui résume ma situation : je m'aventure chaque jour sur la mince couche de glace sur laquelle est posée l'insouciance. La moindre fissure peut la détruire car juste en dessous, se cache un gouffre qui engloutit tout.

— La vie n'est pas une suite de petits bonheurs...

— ... mais de grands miracles.

Je souris. Je parie que lui aussi. J'ose demander :

— Si tu devais décider, toi et toi seul, de la suite de notre relation, quelle serait la prochaine étape ?

Il hésite.

— J'avoue que j'appréhende l'instant où tu me découvriras. Nos coups de fil ont construit quelque chose d'exceptionnel. Cette liberté de parole, ce temps hors du monde, cet accès à nos pensées les plus personnelles que l'on s'est progressivement autorisé appel après appel... Chacun a finalement ouvert sa porte à l'autre. Le téléphone offre l'avantage de ne pas trop nous exposer. Nous pouvons nous concentrer sur nos propos sans avoir à gérer ce qu'exige un face-à-face les yeux dans les yeux avec ce maudit corps qui en dit toujours trop. Il m'a fallu l'obscurité pour oser t'aborder. Ensuite, je n'aurais sans doute jamais eu le courage de te parler aussi sincèrement si tu t'étais tenue devant moi. Pas assez confiance en moi, trop peur de commettre un faux pas. Cette distance de sécurité m'a permis d'aller plus loin.

— Distance de sécurité...

— 9 kilomètres et 351 mètres exactement.

— Pardon ?

— C'est la distance à laquelle nous nous trouvons précisément l'un de l'autre : 9,351 kilomètres.

— Tu dis ça pour m'énerver ? Tu t'amuses avec tes données « confidentielles » ?

Je me prends à imaginer que cette distance puisse être ramenée à zéro. Je lui demande :

— As-tu peur de te rapprocher ?

— Passer à une autre étape l'exigerait... Or, la place que tu occupes en moi implique la plus grande des prudences.

— Deux êtres peuvent-ils se connaître vraiment sans jamais se voir ?

Sans se frôler, suis-je tentée d'ajouter.

— Je ne crois pas. Mais je suis heureux de notre lien et j'ai peur qu'en demandant plus...

J'achève sa phrase, qui a aussi du sens pour moi :

— ... on finisse par tout perdre.

— Je n'ai pas envie de te décevoir.

— Pourras-tu vivre sans faire le test ?

— Difficilement, j'en ai bien peur.

— Raphaël, c'est pour trouver la réponse à l'énigme que tu représentais que je t'ai téléphoné la première fois.

— Avais-tu imaginé que cela pouvait nous conduire jusque-là ?

— Je n'en avais « aucune idée ». Mais comme le dit quelqu'un que je commence à aimer beaucoup, ça peut parfois donner de bonnes surprises.

66

— Bonne journée Laura ! Tu sais où me trouver si tu as besoin !

Notre discussion à peine achevée, Sébastien m'embrasse et saute dans sa fourgonnette. Comment diable fait-il pour redémarrer en trombe alors qu'il n'est même pas complètement assis et que sa portière est encore ouverte ?

Je suis bien contente de savoir que sa petite amie n'a pas pris les ragots d'Olga au sérieux. D'ailleurs, Sébastien est allé lui demander des comptes. Entre sa réaction et la mienne, la pauvre chouchoune était tellement mal qu'elle a pris huit jours, histoire de se remettre de « cette vague d'ondes négatives » et de se faire oublier. Aucune raison de s'inquiéter ou de la plaindre pour autant, car son petit copain tout neuf, le sémillant Titouan du service technique, délicieusement surnommé par ses collègues « la Mitraillette », a posé la même semaine… Ça fait rêver. « Pas de culotte » et « la Mitraillette » sont partis en vacances ensemble ! On dirait le début d'une devinette. « Pas de culotte » et « la Mitraillette » sont sur un bateau. Tout le textile est tombé à l'eau. Qu'est-ce qui reste ? Rien, et surtout pas la décence ou le romantisme. Cachez-vous les yeux, les dauphins ! Toi aussi, le crabe !

Sébastien m'a d'autre part confié que sa voisine Alice allait mieux. Elle n'a plus le comportement d'une bête sauvage et commence même à reprendre une vie sociale. Excellente nouvelle, que je vais de ce pas aller annoncer à Mélanie.

Pourtant, alors que j'entre dans notre bâtiment, mon instinct et mes capteurs sentent immédiatement que quelque chose cloche.

La préposée à l'accueil me regarde avec des yeux où se lit l'incrédulité, agrémentée d'un soupçon de détresse.

— Tout va bien ?

Elle me désigne le service d'un mouvement du menton. Je m'y dirige. L'ambiance est lourde, très inhabituelle. Quelque chose de feutré, voire d'étouffé. Au comptoir de réception des administrés, Françoise est en conversation avec une femme, mais à voix basse, comme si elles craignaient de déranger. Mes collègues sont toutes affairées, cependant il est évident qu'elles ne se comportent pas de la même façon que d'ordinaire. Tout semble figé, écrasé sous une charge invisible. Elles fixent leurs dossiers, la tête rentrée dans les épaules, sans oser lever le nez. Même Mélanie, qui pourtant ne s'aplatit devant rien. Je passe derrière les comptoirs.

— Salut les filles ! Je débarque en pleine prise d'otages ou quoi ?

Lucie me fait signe de baisser d'un ton. J'entends des voix venir des pièces à l'arrière. Quatre personnes débarquent dans notre zone : Dutril se pavane en compagnie de trois individus qui prennent des notes. Il est visiblement fier de leur faire faire la visite. Il désigne et commente les plafonds, les fenêtres. Ce crétin plastronne avec des architectes.

— Il faudra repenser l'espace, reconstituer les cloisons afin d'optimiser les surfaces au sol.

Les trois types s'empressent d'écrire. Dutril s'exprime comme si nous n'étions pas là, gonflé de sa propre importance, sans se soucier de ce que nous pouvons entendre et en conclure. Nous sommes quantités négligeables. Il se promène entre les bureaux avec une désinvolture qui frise l'insulte. Il doit sans doute considérer mes collègues au même titre que les meubles qu'il faudra déménager ou mettre au rebut.

Il vient de me remarquer. Il s'en fiche, me toise et continue son exposé comme si je n'existais pas. Je grogne :

— Vous pourriez avoir la politesse de faire ça quand nous ne sommes pas là.

— Pardon ?

— Je disais que vous auriez pu venir en dehors de nos horaires de travail.

— Pourquoi devrais-je me cacher ? Je croyais que vous étiez du genre à aimer les situations claires, mademoiselle Laforie.

— J'aime aussi les situations honnêtes.

— Que voulez-vous dire ? Vous avez encore un problème ? Cette fois, je vous rassure, j'assume avec bonheur la décision dont vous avez visiblement déjà connaissance.

Personne ne bronche. Amour a juste passé la tête. Il n'en mène pas large non plus. Mais je n'ai pas l'intention de me taire. J'interpelle notre fossoyeur :

— Puisque toutes celles et tous ceux que votre projet concerne sont réunis, expliquez-nous pourquoi vous voulez nous déloger et nous affaiblir.

— « Affaiblir »... Le terme vous correspond tout à fait. Bien que je n'aie pas à me justifier auprès de vous, je vais tout de même vous répondre.

Les architectes commencent à se sentir mal à l'aise. La conversation prend un autre tour. Dutril est en situation de force, et il ne se gêne pas pour le faire sentir.

— Le monde change, mademoiselle Laforie. Il faut savoir évoluer. Je respecte votre travail, mais il a besoin d'être adapté.

— Vous ne respectez rien du tout. Tout ce que vous voulez, c'est le bâtiment.

— Vous devriez surveiller vos propos. Ceux qui resteront n'ont pas encore été choisis.

J'ignore la menace et avance vers lui. Il ne me fait pas peur. Il le devine, mais se redresse pour garder contenance.

— Vous pouvez m'en vouloir ou me cracher votre haine, ça ne changera rien.

— Croyez-vous ?

— Vous avez peur du monde qui avance, mademoiselle. Vous avez peur du futur.

Je commence à bouillir.

— Nous n'avons pas peur du futur, monsieur Dutril. Nous ne voulons simplement pas de celui que des gens comme vous nous préparent. C'est très différent.

Il recule d'un pas. J'avance d'autant.

— Vous allez encore brandir votre idéalisme ! déclare-t-il d'une voix forte mais déjà moins assurée. Vos principes ! Vous êtes les gentils et nous les méchants, c'est ça ?

— Nous croyons en ce que nous faisons pour d'autres ; vous ne défendez que vos propres intérêts.

— Suis-je obligé d'en débattre avec vous ? Votre avis a-t-il de l'importance ?

Il n'argumente plus, il se défend.

— Je vais vous donner l'occasion de jouer le rôle que vous préférez, mademoiselle Laforie : celui de victime. Vous finirez par comprendre que ce ne sont pas les « gentils » qui font avancer le monde. Il faut des « méchants » comme moi pour que les situations évoluent enfin.

Je monte en pression.

— Avez-vous une idée de l'énergie que ça demande d'être gentil dans le monde de merde que vous nous faites ? Savez-vous ce qu'il faut de foi dans la vie pour continuer à y croire, quand on voit des petits foireux comme vous s'en sortir en toute impunité ?

— Comment osez-vous ?

Il est tout rouge. Il recule encore mais reste à portée de tir. À l'attaque !

— Vous vous croyez fort. Vous vous croyez plus malin que nous. Parce que beaucoup n'osent rien vous dire et que vous vous permettez tout. Mais faites attention, on ne va pas forcément se laisser faire. Une hyène peut se faire écraser par un troupeau d'herbivores qui charge.

— Vous venez de perdre votre emploi. Comptez sur moi pour vous régler votre compte.

Je suis tentée de lui sauter dessus. Il le devine et recule une fois de trop... en se prenant les pieds dans la corbeille d'Anaïs. Il pousse un cri d'otarie et s'étale sur le dos entre nos bureaux. J'avance encore, je l'enjambe. Je le domine. Je le cloue au sol du regard.

— Tu vas me régler mon compte... Pauvre clown ! Si tu savais ce que je m'en fous de perdre ce poste. Il me restera toujours tout ce que tu n'auras jamais.

Les architectes prennent la fuite. C'était déjà comme ça pendant la construction de Rome. Dutril se tortille comme un gros ver de terre.

— Vous m'avez insulté !

— Je note dans mon agenda d'avoir mauvaise conscience. Dans deux mois, à 15 heures. Désolée, mais c'est le premier créneau disponible.

Je suis tentée de lui en coller une. Il le sent et se protège le visage de son bras.

— Vous pouvez me frapper, fait-il d'une voix étouffée, ça ne changera rien, et en plus je porterai plainte !

— Je ne vous ai pas touché et vous êtes tombé tout seul.

Mes collègues se lèvent et acquiescent. Il y a de la rébellion dans l'air.

— On est tous témoins, déclare Amour. Si vous faites renvoyer Laura, je démissionne.

D'autres approuvent. Je pointe un doigt sur Dutril, qui a perdu toute contenance à présent.

— Je ne vous taperai pas. Ce sont les gens comme vous qui sont heureux de se faire passer pour des victimes. Maintenant, sortez. Vous nous empêchez de faire notre travail. Ne revenez qu'à la nuit, comme les voleurs.

Je recule. Il se relève sans aucune élégance au milieu de tout le service qui le fixe. Je lui montre la sortie.

— En attendant de repenser les volumes, c'est par là.

Il a eu peur de mon geste. C'est alors que Lucie lui crie :

— Tire-toi ! Tu es en danger ! Je l'ai déjà vue tuer une banane !

67

— Toujours aucune trace de votre maman ?

— Mes recherches n'ont rien donné. Elle n'est sur aucun réseau social, et j'ai tellement à gérer en ce moment que je n'ai même pas le temps de creuser d'autres pistes.

Le docteur Lamart et moi avons pris l'habitude de nous retrouver dans le hall de la gare. C'est son idée. Toujours le même banc, toujours le même jour, à la même heure. Elle dit que ce n'est pas une thérapie, mais qu'un sentiment de régularité peut aider ceux qui cherchent leurs repères. Je confirme.

J'ai appris à aimer ce décor. Moi qui déteste partir, je ne l'associe plus uniquement à des séparations, mais aussi à des retrouvailles. Notre place offre une vue générale sur le hall principal et l'accès aux quais. D'une fois sur l'autre, il m'arrive de reconnaître des gens de passage. Nous sommes aux premières loges, spectatrices dilettantes d'un ballet auquel nous ne participons pas. Au bord du flot mais les pieds au sec. J'aime l'idée de notre immobilité face à ce mouvement perpétuel. Je trouve grisant de bénéficier de cet anonymat dans un lieu public. Évoquer ce qu'il y a de plus personnel dans cet espace ouvert a quelque chose de libérateur.

De toute façon, les badauds ne cherchent pas à écouter. Ils n'ont que faire du fardeau des autres, ils portent déjà le leur.

Le docteur ne veut plus que je l'appelle « docteur », mais Hélène. Elle ne prend plus de notes. Pourtant, il y aurait de quoi. Aujourd'hui, j'ai du mal à tenir en place.

— Je sens beaucoup de colère en vous, Laura.

— J'en suis remplie. Une pile nucléaire prête à l'explosion. Hier, j'ai sorti ses quatre vérités au type qui veut fermer le service.

— Ça vous a fait du bien ?

— J'espère surtout que ça pourra être utile. Ce genre de situation malsaine pèse sur tout le monde. Je ne sais pas ce qui se passe autour de moi en ce moment, mais quelqu'un a lâché les lions et ils attaquent de partout. Je suis un gladiateur électrique !

Elle sourit.

— Analysez-vous la source profonde de votre rage intérieure ?

— Cette nouvelle vie, cette deuxième chance, tout ce que j'ai vécu et redécouvert ces derniers mois… Tout ça pour en arriver là ! Tellement d'espoirs, d'envies, d'élans qui se fracassent contre la réalité. Ces prétentions creuses, ces promesses non tenues, ces principes bafoués… La moitié de l'humanité prospère sur le dos des rêves et des faiblesses de l'autre. Ça me fout en rogne.

— Avant de vous soucier de l'humanité, essayez déjà de faire le point sur vous-même…

— Ce n'est pas brillant. Quand je fais mon bilan, il n'y a pas de quoi sauter au plafond. Tous les aspects de ma vie sont au bord du gouffre et j'ai le vent dans le dos. Qu'est-ce qui va basculer en premier ? Si quelqu'un de convaincant pouvait apparaître en me certifiant que tout ça finira par des chansons, je serais bien contente.

— Le tableau n'est pas si noir. Vous avez renoué avec votre père, et puis il y a ce garçon, au téléphone.

— Partis comme on est, je ne sais même pas si on se verra un jour. On a peur tous les deux, et celui qui osera proposer la première rencontre endossera forcément la responsabilité d'un éventuel échec. Je n'ai pas la force d'assumer ce risque-là et lui non plus. Nous avons trop peur d'abîmer ce que nous partageons déjà. Je vais donc devenir la vieille fille détenant le record du monde de la plus grosse facture téléphonique. Je sais que les bébés « éprouvettes » sont possibles, mais les bébés « écouteurs », ça n'existe pas encore.

— Vous vous sentez coincée ?

— Pire. J'ai l'impression d'être piégée de partout. Au travail, dans ma vie, dans mon appart, dans ma solitude...

— À quoi vous attendiez-vous en repartant d'une mémoire vierge ?

— À autre chose que des traquenards. Autre chose que des petites lignes sournoises cachées au bas des contrats. Autre chose que des emballages qui font croire qu'il y en a davantage que ce qu'on vous vend. Tous les jours, pour tout, il faut se méfier. Impossible de faire un pas sans risquer de se faire avoir. Donner le meilleur de moi-même ne me pose pas de problème, mais pas pour me le faire voler. Comment s'y retrouver ? On vous parle, mais ce sont souvent des mensonges. On commence par jouer à la poupée, on vous raconte que l'amour existe, et puis un jour vous voilà chez le gynéco. On vous demande de croire, mais ce ne sont que des mirages. Ce que j'ai vécu ces derniers mois m'aura au moins appris cela : on naît tous sur le même plateau de jeu, mais on ne joue pas la même partie, et surtout pas avec les mêmes règles.

— Ne vous arrêtez pas aux obstacles. Concentrez-vous sur vos objectifs.

— L'essentiel, je sais. Ce qui compte et rien d'autre. Vous me l'avez déjà dit. Mais ça fait quatorze jours qu'il ne me reste que vingt-quatre heures à vivre et je commence à perdre patience.

— Laura, vous devez dépasser votre colère. Sinon, vous en serez la première victime. La rage, c'est de l'énergie mal employée. C'est une force vive corrompue qui confisque vos moyens d'action. N'avez-vous aucun espoir vis-à-vis de cet homme qui semble bienveillant ?

— Mes amies me conseillent de foncer. Et pourtant... À vous je peux le confier, Hélène : aussi agréable que soit ma connivence avec Raphaël, sans rien lui retirer de sa valeur, elle ne me fait pas vibrer comme un véritable amour peut le faire. Je l'ai déjà vécu. Vous aussi. On sait dans quel état ça nous met. J'ai honte de le reconnaître, mais ce goret de Kayane m'enflammait plus au début que Raphaël après toutes ces nuits à discuter magnifiquement. C'est épouvantable.

— Les mauvais garçons ont souvent plus de charme à nos yeux que les hommes bien. Vous et moi avons payé pour l'apprendre.

— Raphaël est d'une bonne volonté touchante, je crois que je peux lui faire confiance, mais vous savez quoi ? Mon cœur ne se met pas à battre la chamade pour autant. Je l'apprécie, je tiens à lui, mais je suis loin d'être amoureuse. C'est affreux ! Même cette chance-là, je vais la manquer.

— Vous me permettez d'être franche ?

— Faites-moi mal, docteur.

— Ne le jugez pas trop vite. Comparez ce qui doit l'être. Kayane vous a séduite de façon animale, physique, instinctive. Avec Raphaël, votre relation n'est qu'intellectuelle. Il vous manque encore une part essentielle. Nous sommes des êtres de chair et de sang, Laura, pas de pures abstractions mentales. Nous avons besoin de voir, de toucher, de respirer. L'amour n'existe pas sans un peu de sensualité. Avec Raphaël, il vous manque simplement l'élément qui nous fait viscéralement réagir : la présence charnelle.

— Selon vous, je devrais donc prendre le risque de le voir ?

— Cela me paraît évident.

— J'ai bien pensé organiser un rendez-vous et y envoyer mes amies afin qu'elles me donnent leur sentiment. Elles me connaissent et sauront voir s'il peut être salutaire pour moi. Ainsi j'aurai une idée de la réponse sans me mettre en danger.

— Vous plaisantez ? Ne déléguez votre jugement à personne. Surtout pas sur ce genre de question. Autant revenir aux marieuses des siècles passés ! Songez un peu à tous ces combats, ces sacrifices que nos aînées ont endurés pour que nous ayons enfin le droit de choisir par nous-mêmes !

— Mais vous, Hélène, vous pourriez parfaitement l'évaluer. Vous êtes experte en humains et votre jugement est sûr.

— Vous voulez que je vous parle de mon ex-mari ? Si j'étais aussi experte que ça, je l'aurais évité. Lui n'aurait jamais tenu plus de trois minutes une conversation au téléphone comme celles que vous avez avec Raphaël !

Elle rit avant d'ajouter :

— Laura, vous pouvez toujours reculer le moment de le rencontrer, vous pouvez inventer tous les prétextes possibles pour différer, le fait est que rien de sérieux n'aura jamais la moindre chance de débuter tant que vous ne vous y frotterez pas par vous-même. On ne fait pas battre un cœur par correspondance ! Vous avez toutes les cartes en main. Vous avez retrouvé la mémoire. Vous savez ce qu'est ce monde. Je ne vous connaissais pas avant votre accident mais je sais que dans votre « nouvelle vie », vous n'avez rien raté. Pour une simple raison, Laura : vous n'avez encore rien tenté. Alors puisque vous identifiez ce qui vous révolte, puisque vous analysez ce qui pollue votre vie, faites place nette et lancez-vous vraiment.

68

J'ai terminé de rédiger la lettre ouverte que tout le service est volontaire pour signer. Nous allons demander des comptes sur les véritables raisons qui poussent Dutril à nous chasser d'un bâtiment communal pour le vendre à un promoteur privé. Le texte ne contient ni colère, ni accusation, mais de vraies questions. Il a fallu que je prenne sur moi pour éviter d'employer les termes « escroc », « pignouf », « sale rat » et « lance à incendie à pleine puissance ». Josiane semble satisfaite de mon travail puisqu'elle le photocopie avec ce qui ressemble à une forme d'enthousiasme. Elle éjecte les feuilles avec un joyeux entrain !

Avant de soumettre le texte à Valérie, je vais d'abord le faire relire à Mélanie, et bien sûr à Lucie.

Je trouve cette dernière au téléphone. En m'apercevant du coin de l'œil, elle se détourne et paraît se dépêcher d'achever sa conversation. Je crois qu'elle vient de dissimuler quelque chose sous le dossier ouvert devant elle.

Elle raccroche très vite et se lève avec un sourire trop éclatant pour être honnête.

— Laura, te voilà déjà ! Quelle joie de te voir de si bon matin ! Quel joli chemisier ! Tu es radieuse !

Je plisse les yeux :

— Tu me racontes ce qui se trame tout de suite ou on perd du temps ?

Sa bonne humeur forcée s'efface aussitôt pour laisser place à une perplexité tout aussi mal jouée.

— De quoi parles-tu ?

J'adore quand elle fait cette tête-là. On dirait Simplet qui veut convaincre l'infirmière s'apprêtant à lui faire son rappel contre la rage qu'il n'a malheureusement pas de fesse pour planter l'aiguille. Quel dommage !

— Tu veux jouer à ça ?

— À quoi tu parles ? Vouloir tu ? Un gâteau ?

Il est clair qu'elle panique. Elle doit cacher un truc énorme.

— C'est toi qui l'auras voulu...

Je débranche une rallonge et la menace avec :

— Soit tu me dis ce que tu trafiques, soit je te la colle sur le front et tu t'illumines comme les grands magasins à Noël.

Elle tressaille et se réfugie de l'autre côté de son bureau, en tournant autour pour se maintenir à bonne distance.

— Non, Laura, ne fais pas ça, je t'en supplie ! Je ne te cache rien ! Enfin si, mais c'est une surprise. C'est ça : je te prépare une surprise.

— Vraiment ? Pour moi ? Comme c'est trognon !

— Pas tout à fait pour toi, mais tu seras quand même contente.

J'agite la rallonge. Elle bondit en biais comme une belette échaudée. On continue notre course-poursuite au ralenti de part et d'autre de son poste. Je me retrouve devant sa chaise. J'en profite pour passer la main sous le dossier ouvert sur le bureau pour attraper ce qu'elle a planqué dessous.

Une carte de crédit. Au nom de Dutril.

— Lucie, qu'est-ce que tu fabriques avec ça ?

— Je nous venge.

Elle brandit ses poings serrés et crie soudain avec un regard d'illuminée :

— Vengeance ! Vengeance !

— Déjà qu'on est cataloguées « feignasses », si en plus il peut aussi nous traiter de voleuses, ça ne va pas nous aider...

— Je n'ai rien volé ! Quand Dutril est tombé par terre, il a perdu son portefeuille. Je l'ai ramassé et une idée m'est venue...

— Quel plan foireux est encore sorti de ton cerveau malade ?

Elle baisse les yeux et se tortille les doigts. J'ai déjà eu une amie comme ça, elle s'appelait Pépita et je l'avais convaincue de se planter des bonbons au coca dans le nez. Elle a failli s'asphyxier, mais elle a elle-même admis que pendant un bref instant, le monde avait senti meilleur.

Je brandis la rallonge. Ses pupilles se dilatent. Pas question de me laisser attendrir.

— Lucie, que faisais-tu avec sa carte ?

— Je passe des commandes à ses frais ! craque-t-elle. Mais rien pour moi, je te le jure. Aucun enrichissement personnel.

— C'est-à-dire ?

— Des gens qui éliminent les termites avec des produits chimiques faits maison vont lui traiter sa baraque et sa voiture.

— Les termites ne s'attaquent pas aux voitures.

— L'espèce que j'ai décrite, si. C'est des termites mutants. Ils boivent, ils fument et ils font pipi à côté.

— Tu es folle.

— Tu t'es pas vue.

Je réprime un rire. Lucie se détend légèrement.

— Je l'ai aussi abonné à une dizaine de magazines, sur la broderie, les animaux qui pètent, les filles à gros seins, les chapeaux du Moyen Âge, les timbres, et je sais plus quoi encore.

— C'est tout ?

— D'ici une heure, un très beau bouquet de fleurs lui sera livré de la part de « son prof de sport qui l'aime très fort ». Si j'ai bien calculé, sa femme devrait malencontreusement le réceptionner...

— Tu te rends compte de ce qui nous arrivera quand il découvrira que...

— Aucun risque.

Elle voit que je suis plus amusée qu'en colère.

— Tu veux que je te dise ce que j'avais prévu ensuite ?

— J'ai le droit de donner des idées ?

— D'accord, mais pose d'abord cette rallonge.

Je dépose les armes et lui demande :

— Sérieux, ça existe des magazines sur les animaux qui pètent ?

— *Méthane Mag*, un trimestriel sur les énergies alternatives bio. J'hésite à m'abonner.

69

Pour m'épargner le sentiment de solitude dans mon appartement, j'y passe le moins de temps possible. Je sors, je dîne avec des copines, j'aide des gentilles vieilles dames à faire leurs courses, je traîne, je parle aux chiens et aux pigeons. N'importe quoi pour rentrer le plus tard possible.

Plus rien ne m'incite à nicher dans mon terrier, excepté mes rendez-vous téléphoniques avec Raphaël.

Nos dernières conversations étaient empreintes d'un je-ne-sais-quoi de différent. J'hésite à le définir comme de la nostalgie, et pourtant c'est sans doute de cela qu'il s'agit. Comme si, sans nous l'avouer, lui et moi étions conscients d'être arrivés au bout d'un chemin. Désormais, soit nous nous condamnons à faire du surplace, soit nous admettons qu'une véritable entrevue est devenue inéluctable. C'est logiquement le seul futur possible, avec tous les risques que cela comporte. Sans jamais qualifier cette échéance de « prise de contact » – ce qui serait très réducteur – ou encore moins de « rendez-vous galant » – ce qui serait prématuré –, nous avons fini par convenir d'une date de principe. Dans deux semaines, le vendredi soir. C'est assez loin pour nous laisser le temps de nous faire à l'idée. Peut-être, d'ici là, aurons-nous oublié qui a osé la proposer.

J'arrive à mon étage. En passant devant la porte d'Audrey, je détourne les yeux. À chaque fois, mon cœur se serre.

J'entre chez moi sans bruit. Tout est exactement à la place où je l'ai laissé ce matin en partant. C'est d'un déprimant... Je vais lâchement demander à la télé de me distraire pendant que j'avalerai une salade. Une vie d'herbivore.

La boîte à images s'acquitte de sa mission au-delà de mes espérances, puisqu'elle parvient non seulement à me vider la tête, mais aussi à me rendre folle de rage, à me flanquer la frousse et à me faire recracher ma salade, au sujet de laquelle je viens de voir un reportage inquiétant.

Après ma douche, j'enfile mon peignoir et me prépare à passer en mode « éco » jusqu'à demain matin. La vie doit cependant trouver que je ne m'en suis pas assez pris dans la figure aujourd'hui parce que tout à coup, alors que je suis en train de souhaiter bonne nuit à ceux que j'aime par texto, on frappe à ma porte.

Je vous ai déjà parlé de Superman qui avait appris à voler dans une situation comparable ? Ce soir, point de super-héros. Je suis simplement la femme en peignoir qui va pouvoir aller se racheter un téléphone parce que le sien vient de valdinguer contre le mur.

Qui peut toquer à une heure pareille ? Mon père ou Lucie auraient sonné en bas. À moins qu'il ne s'agisse des flics alertés par Dutril. Misère ! Je vais tomber pour usage frauduleux de carte de crédit ! Ils vont perquisitionner et repérer les petites cuillères embarquées au resto ! Vingt ans ferme.

Soudain, je blêmis en envisageant bien pire. J'espère que ce n'est pas Kayane... Cette fouine serait capable d'attendre que quelqu'un entre dans l'immeuble pour se faufiler. Re-misère ! Il faudrait que j'appelle la police, mais je ne peux pas à cause des petites cuillères... Et si c'était Raphaël ? Bon sang, ce serait une tragédie d'un autre genre ! Il me verrait en peignoir, pas coiffée, avec mes chaussons dinosaures !

N'écoutant que ma bravoure, je tente le tout pour le tout :

— La madame il est pas là. Il est chortie ! Pas pouvoir ouvrir, moi enchaînée au radiateur.

— Laura, arrête tes conneries, c'est Audrey.

Il ne manquait plus qu'elle. Je l'aime bien, mais je n'ai pas envie de la voir. Pas envie de lui parler. Si elle me demande encore de garder l'animal de ses enfants, je refuse. Trop dur. Le sevrage est dévastateur. Je ne veux pas être la pauvre fille qui a perdu son chat deux fois.

— Qu'est-ce que tu veux ?

— Désolée de te déranger aussi tard, mais tu n'es jamais là. J'ai entendu ta douche... Ouvre, s'il te plaît. Il faut que je te parle.

Je cède de mauvaise grâce. Mon cœur inquiet cherche déjà à se protéger derrière d'autres organes. J'en ai mal à l'estomac.

— Salut.

— Sympas, tes chaussons. Ils ne mordent pas, j'espère ?

Je fais l'effort de sourire.

— Que puis-je pour toi ?

— Tu sais, depuis qu'on est rentrés, Cubix n'est pas très bien...

J'ai peur qu'elle ne me reproche de l'avoir mal nourrie. À moins qu'elle ne s'apprête à m'annoncer une mauvaise nouvelle…

— Elle n'est pas malade, au moins ?

Je me refuse à envisager l'irrémédiable. Audrey fait non de la tête.

— Je te rassure, elle commet toujours autant de dégâts, mais je crois plutôt qu'elle est malheureuse. Au début, je me suis dit qu'elle avait grandi et qu'elle avait simplement besoin d'étendre son territoire ou d'aller traîner à l'extérieur, mais très vite on s'est rendu compte que chaque fois qu'on ouvre la porte, elle se précipite chez toi.

Je vais pleurer. Mes dinosaures aussi.

— Elle miaule à fendre l'âme sur ton seuil, en essayant d'ouvrir avec sa petite patte. Tu la verrais, ça fait de la peine. On est obligés de la ramener de force chez nous parce que sinon, elle resterait sur ton paillasson nuit et jour.

Je parie qu'Audrey va me demander ce que je lui donnais à manger et qui lui manque tant. Jamais je n'avouerai que je lui prémâchais des petits cubes de viande. Une herbivore qui donne la becquée à un félin !

Contre toute attente, ma voisine enchaîne :

— J'en suis arrivée à la conclusion que tu lui manques. Elle se sentait mieux chez toi, c'est évident.

Je ne sais pas quoi dire. Toutes mes ressources sont mobilisées à retenir mes larmes en m'empêchant de hurler à quel point elle me manque aussi.

— Laura, accepterais-tu de reprendre Cubix ? Définitivement, cette fois.

Je vais m'abonner au magazine sur les animaux qui pètent avec Lucie. Comme ça, on aura une réduction.

— Pardon, Audrey, je n'ai pas bien compris...

— Est-ce que tu veux bien adopter Cubix ?

Saviez-vous que si on plisse les yeux en regardant des ampoules électriques, on entend la mer ? Je m'efforce de ne rien laisser paraître.

— Qu'en pensent tes enfants ?

— Maintenant, ils veulent un chien.

— Braves petits. Ils ont raison. C'est tellement bien, les chiens. Toujours partants pour jouer, être utiles, apprendre sans te juger et en restant fidèles. Et puis ça bave, ça a des vers. C'est bien les vers, pour amuser les enfants.

— Ça va, Laura ?

— Je sais pas trop.

— Alors tu es d'accord pour garder Cubix ?

— Si ça peut te rendre service et lui faire plaisir...

Inutile de me juger, j'ai déjà assez honte de ma réaction comme ça. Audrey semble soulagée, comme quoi il n'était pas nécessaire d'avoir l'air reconnaissante en plus de faire ce qu'elle veut. Elle me prend dans ses bras.

— Merci. Tu es une véritable amie.

Elle fait quelques pas vers son appartement dont elle ouvre la porte. Elle n'a pas menti. À l'évidence, la minette attendait juste derrière, et la voilà qui se précipite vers moi en miaulant, trottinant, la queue bien droite.

Si j'étais un moment de la journée, je serais l'instant précis où le soleil perce les nuages. Si j'étais un grain de maïs à pop-corn, j'éclaterais dans une position ridicule. Si j'étais moi, je serais folle de bonheur. Bon sang, mais je suis moi !

Cubix 22 se frotte contre mes jambes. Elle ronronne de contentement.

— Ce soir, elle a déjà eu à manger, précise Audrey, mais ce n'est pas suffisant. Il lui faut aussi tout ce que toi seule as su lui donner. Regarde-la. Vous êtes faites l'une pour l'autre.

La minette se roule à mes pieds. J'en pleure d'émotion. Mais est-ce à moi qu'elle fait la fête ou à mes dinosaures ? Si ça se trouve, elle n'est revenue que pour eux. Sale bête.

70

À peine ma porte close, je me suis mise à pousser des petits cris de joie. Comme un hérisson qui découvrirait un champ de tomates. J'ai serré Cubix contre mon cœur. Mon chat.

Je l'ai embrassée, papouillée, portée en triomphe dans toutes les pièces – ce qui n'a pas pris longtemps, on est dans un F2. À bout de bras, bien haut, je l'ai présentée à mes meubles, à mes bibelots, à mes tickets de teinturier, et même aux petites cuillères volées, comme le félin qui va hériter du trône dans la savane. J'ai ensuite ressorti tous ses jouets que j'avais soigneusement archivés comme des reliques. Le foutoir à nouveau ! Quel pied ! Le cirque recommence. Ma jolie nappe à franges toute neuve est foutue. M'en fous ! Je n'ai plus besoin d'achats de compensation.

J'ai bien compris que mon comportement hystérique inquiétait Cubix, car elle s'est carapatée à la première occasion. Peu importe, je l'entends se faufiler partout, redécouvrant son territoire en ronronnant. Je suis trop contente qu'il y ait à nouveau de la vie dans mon terrier.

Mon premier réflexe est d'annoncer la bonne nouvelle à Raphaël. Pas question d'attendre l'heure de notre rendez-vous ! Tellement envie de partager ce moment magique avec lui, qui a toujours été là quand ça n'allait pas. Comment le lui annoncer ? Cubix est revenue ! Un chat m'a choisie ! Qui ké contente d'avoir des poils partout ?

Je compose son numéro. C'est la première fois que je l'appelle à une autre heure que la nôtre. J'espère ne pas le déranger.

Première sonnerie. Je sais qu'il sera vraiment heureux pour moi. Deuxième sonnerie. Il faut que je lui précise que le chat ne prendra jamais sa place. Sixième sonnerie. « Bonjour, je ne suis pas disponible pour le moment mais laissez-moi vos blabla, blabla... » Je raccroche, intégralement dégoûtée de la tête aux pieds.

C'est la première fois qu'il ne répond pas présent. Dommage, il avait réussi à cumuler 99 998 points. À deux doigts de remporter le rencard. Trop bête !

Un point annexe me chiffonne : si ce numéro m'est réservé, pourquoi le répondeur ne s'adresse-t-il pas exclusivement à moi ? J'aurais pu tolérer un message du genre : « Douce Laura, dans ta grande bonté, je prie Ton Altesse de bien vouloir pardonner au misérable avorton que je suis de ne pas être dispo vingt-quatre heures sur vingt-quatre et sept jours sur sept pour te répondre. » Ou alors : « Ma Laura, manquer ton appel m'a donné envie de mourir mais avant, je vais manger quelque chose. »

Si j'apprends que quelqu'un d'autre que moi a le droit d'utiliser ce numéro, je casse un objet pris au hasard chez quelqu'un. Si j'apprends que c'est une femme, je me gave de rillettes pour devenir Godzilla, et je détruis la ville. J'ai toujours rêvé de marcher sur des immeubles.

Où est-il ? Que fait-il ? On pense connaître les gens, mais c'est faux. On ne sait rien. Jamais. Si ça se trouve, il est en train de réparer l'embrayage de la soucoupe volante et je vais prendre feu parce qu'il m'a parlé. Après tout, nous ne discutons qu'en pleine nuit, à heure fixe. Je ne déborde jamais de mon petit créneau. Je n'occupe que la minuscule place que je me suis faite sur les étagères de sa vie. Mais le reste du temps ? Qu'y a-t-il sur les autres rayonnages ? Est-ce un homme ou un meuble ? Quelles monstruosités cache-t-il dans ses placards ? Et si depuis tout ce temps, je n'avais fait que parler à un buffet recherché pour assassinat ?

Cubix 22 est assise bien droite sur la table, exactement face à moi. Elle me regarde. Qu'est-ce qu'elle est belle ! Je ne maîtrise pas le langage des chats, mais je la comprends quand même. Elle est en train de me dire : « Calme-toi, pauvre tarte, et grouille-toi de ressortir mon bac, ça urge ! »

Parle-moi autrement, petit félin, sinon j'ai tout ce qu'il faut pour te teindre en blond platine.

71

— Quand tu l'as appelé à votre heure habituelle, il a décroché normalement ?

— Dès la première sonnerie.

— Ça s'est bien passé ?

— Il a été adorable.

Lucie paraît rassurée. Tout en continuant de scruter les données qui défilent sur son ordinateur, elle me demande :

— Lui as-tu dit que tu avais cherché à le joindre plus tôt ?

— Hors de question. Pour qu'il me prenne pour une femme jalouse alors qu'on n'est même pas mariés ? De toute façon, il n'est pas idiot, il a dû trouver la trace de mon appel manqué... S'il avait voulu l'évoquer, il aurait pu. Mais il ne l'a pas fait. Avoue quand même que c'est louche...

Lucie quitte son écran du regard et me fixe.

— Laura, je sais que depuis quelque temps, tu traverses une période perturbante, mais là, il faut vraiment que tu décompresses. C'est une experte du délire qui te le conseille. Ça devient n'importe quoi. Arrête les séries, surtout celles avec des cocues ou des assassinées. Ça te fait du mal.

— D'accord.

— Il était probablement à son travail...

— À presque 21 heures ?

— Beaucoup de gens finissent tard ! Je n'en sais rien. Mais il a le droit de ne pas répondre à tous les appels, surtout ceux qui tombent à l'improviste.

— Ça n'explique pas le répondeur qui ne m'est pas adressé alors que c'est ma ligne.

— Il l'aura sans doute enregistré au début, sans réfléchir. Vous éclaircirez tout ça quand vous vous verrez. Patience, la date approche.

— Je ne vais pas pouvoir attendre si longtemps. Il faut que j'en aie le cœur net.

— Qu'est-ce que tu vas faire ? Le suivre ? Tu ne sais même pas où il habite ! Ni quelle tête il a, d'ailleurs. Tu ne comptes pas espionner tous les mecs dans un rayon de 9 kilomètres ?

— Je n'en aurai peut-être pas besoin. En repensant à l'une de nos conversations, je me suis aperçue que sans s'en rendre compte, il a laissé filtrer une information hyper stratégique...

— Ne me fais pas languir !

— On bavardait des différentes façons d'évacuer le stress, et il m'a confié qu'il se défoulait régulièrement dans une salle de sport où il peut nager ensuite. Déduire de laquelle il s'agissait n'a pas été très compliqué.

— Mince, si c'est un culturiste, tu n'auras jamais d'enfants.

— Qu'est-ce que tu racontes ?

— J'ai lu que les produits qu'ils prennent leur rongent les noisettes et les rendent allergiques à la dentelle.

— Il n'est pas culturiste, il fait juste du sport. Chaque dimanche matin et chaque mardi soir...

— Tu envisages d'aller lui rendre visite ?

— Au moins voir à quoi il ressemble.

— Sans le prévenir ? Il risque de ne pas aimer s'il l'apprend.

— Tant pis, je suis prête à prendre le risque. Je n'en peux plus d'attendre.

— Si tu veux, je t'accompagne.

— Impossible.

— S'il te plaît, s'il te plaît ! J'ai un déguisement de cactus, il ne me remarquera pas.

— C'est impossible, je te dis. Il faut être membre inscrit pour y entrer.

— Comment vas-tu faire ?

— Je connais quelqu'un qui peut m'inviter...

72

En descendant de voiture, Antonin me détaille de la tête aux pieds et soupire :

— Franchement, Laura, en tant que nénette t'es pas dégueu, mais en tant que mec, il va falloir encore travailler un peu.

— Je ne ressemble pas à un garçon ?

— Sur le papier peut-être, mais là, tout de suite...

Je me suis déguisée en homme. Les cheveux rassemblés et dissimulés sous une casquette noire de tueuse, lunettes de soleil d'agent spécial, sweat qui me fait des épaules et pantalon de travail. Zéro maquillage, pas de bijoux, même pas mon portebonheur dont j'aurais pourtant bien besoin étant donné l'importance de cette visite.

Les sourcils froncés, mon frère replace une mèche qui dépasse. Plus jeune, me toucher les cheveux aurait pu lui coûter pas mal de problèmes. Il ne semble pas convaincu du résultat.

— On va faire avec. Mais nous sommes bien d'accord : tu ne prononces pas un mot, en aucun cas tu ne retires tes lunettes, et si quelqu'un te serre la main, tu y vas franchement.

Je prends une voix rocailleuse :

— OK, « bro » !

— Ne commence pas.

Il secoue la tête, dépité.

— Qu'est-ce qui m'a pris de te dire oui...

— Tu es mon petit frère de sang, et tu sais que c'est super important pour moi ! Pour toi aussi d'ailleurs, parce que si ça se trouve, tu vas découvrir ton futur beau-frère en même temps que moi mon futur mari. Ça file le vertige rien que d'y penser !

— Marche raide, bien droite, ne roule pas des fesses et arrête les moulinets avec les poignets.

— Je ne roule pas des fesses.

— Tu veux qu'on demande aux gens dans la rue ce qu'ils en pensent ?

On se dirige vers l'entrée, et déjà mon frère salue d'autres hommes avec qui il fréquente ce temple de la testostérone.

En franchissant le seuil, une atmosphère particulière s'impose immédiatement. L'odeur, d'abord. Ça ne sent pas comme ailleurs. Un mélange de vieux linge humide et de chaussures trop longtemps portées, le tout maladroitement couvert par un parfum de synthèse supposé rappeler la brise marine. Je bloque ma respiration sinon je vais attraper la peste.

Derrière le comptoir, une sculpturale jeune femme s'affaire, habillée d'un débardeur fluo ultra court et ultra échancré. Je me demande si dans sa vie d'avant, elle n'était pas déménageuse et qu'au moment de se réincarner, elle aurait manqué de temps pour se changer en belle blonde. Résultat : on ne sait pas très bien où finissent ses abdos et où commencent ses seins, ou inversement. Ça me donne plein d'idées pour moderniser l'accueil du service social.

— Hello Antonin !

— Hello Sharon.

La bise qui claque résonne dans le hall. Ça y est, j'ai traversé l'écran et je vis dans une série brésilienne.

Je découvre mon frère sous un jour nouveau. Voix de velours, il se la joue un peu. Clin d'œil complice à la jeune femme.

— J'ai amené... un pote, pour qu'il teste avant de s'inscrire.

— Pas de problème.

Barbie « troupe d'élite » se tourne vers moi en mode charme :

— Bienvenue à toi. Tu verras, on a reçu les nouvelles plateformes d'extension rotatives.

Ça doit certainement servir à faire des super jus de fruits bio.

Il ne faut pas que je l'embrasse, sinon ma peau douce va me trahir. Je m'en sors avec un petit salut façon militaire d'opérette. Yo !

Antonin m'entraîne dans le complexe sportif. Je sais que je ne dois pas retirer mes lunettes noires mais du coup, je ne vois pas grand-chose. Je vais finir par me prendre un mur. Avec un peu de chance, c'est Raphaël qui viendra me faire du bouche-à-bouche, comme ça on aura gagné du temps.

Sur les murs, j'aperçois des posters de musculation, beaucoup de pubs pour des compléments alimentaires, et des consignes en cas d'incendie. Le tout, c'est de ne pas confondre car quand il y a le feu, un bol de protéines ne sauve personne.

De partout fusent de grosses voix. Ça rigole pas mal. On longe un vaste espace ouvert où des hommes s'activent sur des machines dont je ne comprends pas le fonctionnement. Ils s'interpellent, se vannent. Ils suent pour se fabriquer du muscle.

Je les observe. Les plus musculeux ne sont pas les plus séduisants. C'est vrai qu'ils ont une démarche raide. J'essaye de les imiter, mais Antonin me fait immédiatement signe d'arrêter. C'est pourtant pas si compliqué d'avoir l'air d'un mec...

J'observe attentivement tous ceux que je croise. Il y a de fortes chances que Raphaël soit dans les parages. Le jour et l'heure correspondent.

Antonin s'arrête devant une porte entrouverte.

— Je vais me mettre en tenue, tu m'attends ici. Je n'en ai pas pour longtemps.

— OK, « bro » !

Il grogne. À peine a-t-il passé la porte qu'il se balade déjà avec le pantalon baissé. Mon frère en slip !

Lorsque les copines s'éclipsent pour se changer en annonçant que « ce ne sera pas long », on en a en général pour une demi-heure minimum. Alors j'attends, et j'observe le va-et-vient incessant des hommes entre les différentes zones du complexe. Quand ils passent à ma hauteur, pratiquement tous les mecs me saluent au moins d'un signe de tête. Je réponds en essayant chaque fois de rendre mon mouvement du menton plus viril. Certains gars sont hyper baraqués. J'ai du mal à imaginer Raphaël en armoire à glace, mais pourquoi pas ? Après tout, je l'ai bien imaginé en buffet.

Heureusement, il n'y en a qu'un qui m'a très aimablement serré la main. Souriant, spontané, cool, mais ça m'a rappelé la fois où mon père m'avait laissé retomber la porte du garage sur les doigts. Il m'a dit « Bonjour » et j'ai répondu par un bruit qui m'aurait sans doute fait beaucoup rire si ce n'était pas moi qui l'avais fait. Le grand costaud n'a pas réagi. Les hommes ne s'arrêtent pas à si peu.

L'ambiance du lieu n'est pas désagréable et malgré cette exceptionnelle concentration de biceps et de fonte au mètre carré, je la trouve finalement très douce. Il est amusant de constater que les mâles ne se comportent pas du tout de la même façon quand ils sont entre eux. Sans les filles, ils se montrent plus directs, plus simples, mais toujours aussi peu bavards. Rien de superflu. Tout doit être utile et ne pas les ralentir dans ce qu'ils sont décidés à faire. Même si je suis un gringalet, j'aime bien être un garçon.

Antonin réapparaît. Il a dû mettre à peine deux minutes. Je vais lui demander de donner des cours à mes copines.

— Tu l'as repéré ? me glisse-t-il.

— Non. Ma seule chance serait de reconnaître sa voix.

— Veux-tu que je demande à l'accueil si un « Raphaël » est présent ? Je pourrais aller le saluer...

— N'éveillons pas ses soupçons. Il est malin. Je ne veux surtout pas qu'il puisse me repérer.

— Comme tu veux. Mais tu risques de repartir sans l'avoir aperçu.

Une idée me traverse l'esprit.

— J'ai peut-être une solution...

Je prends ma voix la plus grave possible et j'appelle :

— Raphaël !

Aucune réponse. Antonin a saisi mon intention et prend le relais. D'une voix bien plus puissante, il tente :

— Raphaël !

Quelqu'un répond :

— Ouais !

Ça vient d'une pièce située au fond du couloir. Comme une biche aux aguets attirée par l'appel du cerf, je m'y dirige sans hésiter. Je vais enfin découvrir à quoi ressemble mon mystérieux interlocuteur. Je vais pouvoir vérifier si cette sensualité animale dont parle le docteur existe, et si elle sera assez puissante pour sublimer nos fantastiques échanges. J'entre directement.

J'avais bien entendu qu'Antonin essayait de m'avertir, mais j'étais trop pressée de mettre un corps sur la voix. Je ne suis pas déçue. J'ai atterri dans les douches des hommes.

Ils sont six, à se savonner sous l'eau qui tombe du plafond. À poil, forcément. Personne ne prend de douche habillé. Quelque chose de foudroyant se produit en moi. Je suis certaine d'être face à Raphaël, mais je ne sais pas lequel c'est. Peu importe, car je trouve tous les spécimens très à mon goût, et cette fois il n'y a pas d'emballage pour me tromper sur le produit. J'ai bien aimé être un garçon mais là, je crois qu'avec bonheur je vais rester une fille.

Un seul problème cependant : si je les recroise, je ne serai même pas fichue de les reconnaître, car en plus de la légère buée sur mes lunettes de soleil, j'ai le plus grand mal à me concentrer sur leur visage.

Avant que j'aie eu le temps de rectifier le tir, Antonin m'a sortie de là en m'attrapant par le froc.

73

Dans la longue reconquête de mon savoir perdu, j'ai marqué un point décisif. Depuis hier soir, je fais parfaitement la différence entre le basket et le bowling, parce que dans mon couloir, j'ai essayé de marquer un panier avec la boule de Salima.

Le bruit a été terrible. Cubix a eu très peur. Elle dormait tranquillement et tout à coup, je l'ai vue en train de léviter au-dessus du canapé, tout hirsute. Je ne sais pas si on parviendra à ranimer ma penderie, qui a très mal encaissé le choc. Elle ne répond plus quand on lui parle. Dans l'affaire, j'ai aussi récolté une très belle trace d'impact sur mon parquet dans l'entrée.

Pourquoi ai-je soudain eu envie de marquer un panier à presque minuit ? Sans doute parce que j'étais encore dans l'énergie de ma visite au club de sport. Tous ces sportifs, ça motive ! À moins que ce ne soit le fait d'avoir vu des beaux mecs à poil sous la douche. J'ai essayé d'en parler avec Antonin, mais il n'a rien voulu entendre. Je trouve ça dingue que les hommes refusent le dialogue. À un moment, il s'est même bouché les oreilles. Du coup, il fallait bien le grand fracas de ma boule qui défonce tout pour me calmer net.

J'ai cru que le voisin du dessous allait monter se plaindre, mais il ne l'a pas fait. J'y vois quatre explications possibles. Soit il était absent. Soit il est enseveli sous les décombres de son plafond. Soit il a fait une crise cardiaque, auquel cas je promets de me rendre à ses obsèques. Soit la peur a déclenché en lui des superpouvoirs comme pour Superman, mais le personnage étant déjà pris, il en est devenu un autre, capable de décoller très vite. Je privilégie cette dernière version. Mon voisin du dessous est donc Libellule Man, et il s'est envolé. J'espère que sa fenêtre était ouverte, sinon sa belle aventure n'aura même pas duré le temps du premier épisode. Bzz bzz, paf !

On sonne à la porte de l'immeuble, mais je ne sursaute pas. J'ai profité de mon mercredi après-midi pour inviter papa, qui est seul pour quelques jours. Il a proposé de m'aider à poser une étagère. Ma vie s'agrandit ! Je vais aussi lui demander si on peut faire quelque chose pour le parquet de l'entrée...

Je l'attends sur le seuil. À chaque nouvelle visite, il améliore son score et met de moins en moins de temps à monter les paliers. Théo trouve lui aussi que papa est bien plus en forme depuis que notre famille est à nouveau unie.

— Bonjour ma grande.

— Bonjour papa.

Il s'arrête en découvrant l'état de mon parquet.

— C'est quand même pas ton chat qui a fait ça ?

— Non. Cubix 22 ne sait pas encore utiliser de marteau-piqueur. Si d'ailleurs tu connais un moyen pour que ça se voie moins...

— On pourrait mettre le feu à ton appart. Dans l'incendie, ça ne se remarquerait presque plus.

— Merci papa. Pour ce genre d'idée, j'ai déjà Lucie.

— Elle va bien ?

— Très en forme. Ce matin, elle a réservé un voyage dans la future navette spatiale touristique pour un type dont la voiture est infestée de termites.

— Dis donc, elle a les moyens.

— Penses-tu ! Elle a tout payé avec la carte de crédit du passager. C'est le magouilleur qui veut mettre la main sur la belle maison où on travaille, celle que tu admires tant.

— Qu'a donné ta pétition ?

— Elle fait des vagues. Je commence même à me dire que notre démarche pourra peut-être stopper son projet. En attendant, on ne le voit plus nulle part. Bon débarras.

Je le conduis dans mon salon pour lui montrer où je souhaite installer mon étagère. Je me baisse pour la ramasser.

— Voilà l'engin... Cubix, ne traîne pas dans mes pattes !

Lorsque je me relève, mon père change brutalement d'expression. Sa jovialité cède la place à l'incrédulité. Il me fixe, bouche bée.

— Qu'est-ce que tu as ? fais-je, inquiète. C'est l'étagère, tu la trouves trop grande ?

Il pointe un doigt tremblant vers moi. Son visage est de plus en plus pâle. On dirait qu'il a vu un fantôme.

— Papa, qu'est-ce qui t'arrive ? Assieds-toi.

Je l'installe dans le canapé. Il ne lâche pas ma gorge des yeux. Je passe la main pour vérifier que je ne me suis pas blessée. Au point où j'en suis, je serais capable de me décapiter sans m'en rendre compte.

. Pas de sang, pas de morceau qui pend. Mes doigts ne rencontrent que mon trèfle porte-bonheur, qui a dû sortir de mon tee-shirt lorsque je me suis penchée.

La voix blanche, papa me demande :

— Où as-tu eu ce pendentif ?

Il a du mal à respirer.

— Je n'en sais rien, c'est une breloque que je trimballe depuis des années, avec d'autres souvenirs d'enfance.

— Mais d'où vient-il ?

— Je ne m'en souviens plus ! Mais enfin, qu'est-ce qui t'arrive ? Pourquoi te mets-tu dans cet état-là ?

Il peine à sortir les mots :

— C'est le premier cadeau que j'ai fait à ta mère. Elle le portait quand elle nous a quittés.

Je suis complètement déstabilisée, sous le choc. C'est même tellement violent que j'ai du mal à tenir debout. Je ne cherche pas à résister parce que je sais comment ça va finir. Je m'assois sur le sol en faisant désormais la même tête que mon père.

— C'est toi qui as offert ce petit trèfle à maman ?

— Le premier vrai présent que je lui ai fait. Bien avant ta naissance. À l'époque, je n'étais pas riche. Elle l'aimait pourtant plus que les jolis bijoux que j'ai pu lui offrir par la suite. Elle ne s'en séparait jamais.

— Alors comment…

Une migraine fulgurante me vrille la tête. Comme celle qui me torturait lorsque, après mon accident, je reconnaissais tout à coup quelqu'un de proche. Une douleur abominable. Je me tiens la tête à deux mains. Je crois que je suis en train de crier.

Mon père s'agenouille et me prend dans ses bras. Il me serre contre lui pour tenter de me réconforter.

Quelque chose est en train de se réveiller en moi, un souvenir enfoui qui remonte à la surface comme une torpille. Elle se fraye violemment un chemin à travers tout ce que j'avais réussi à ranger. Sa trajectoire fait valser les images de ma vie. C'est gros, extrêmement puissant. Je sais ce qu'en dirait le docteur : c'est une bombe à retardement qui attendait son heure.

74

Mes amis et moi sommes en train de fêter la fin de nos études secondaires. Plein été. Un temps magnifique. L'effet post-examen joue à fond : les soucis sont derrière nous et nous ne réfléchirons aux prochaines échéances que bien plus tard. Nous savourons le moment.

Sonia a eu l'idée d'organiser un barbecue sur le stade où les copains participent à un tournoi de foot. Ils sont partis pour perdre leur match, mais on s'en fiche : on a autant d'amis dans leur équipe que dans celle d'en face. Lucie s'époumone à encourager Lucas. Elle lui désigne le ballon au cas où il l'aurait perdu de vue.

— Il est là !

Tiffany et Amanda rangent les boissons dans les glacières. Pendant que Lola prépare les petits pains, je suis occupée à cuire les steaks hachés que Baptiste, Jonathan et tous les autres vont avaler. On dit n'importe quoi, on rigole. On applaudit même quand c'est le camp adverse qui marque. Nous sommes nombreux.

Quelques adultes sont présents, mais je ne les connais pas. Je remarque cependant une petite dame assez âgée qui m'observe avec insistance. Elle nous tourne autour depuis un bon moment.

Il a beau faire chaud, elle porte un épais manteau. Il y a quelque chose de triste dans son regard.

Je ne lui prête pas plus attention que ça, mais alors qu'elle s'est rapprochée et se tient désormais derrière un poteau comme un chat qui se croit caché par un brin d'herbe, je lui fais signe :

— Bonjour ! Vous avez faim ? Vous voulez un burger ? Il y en a largement assez.

Elle remercie mais refuse. Elle sourit et fait quelques pas vers moi.

— Vous vous prénommez Laura, n'est-ce pas ?

— C'est ça. On se connaît ?

— Un peu, mais c'était il y a longtemps, vous ne vous en souvenez pas.

Elle est toute voûtée, elle me fait penser à ma grand-mère.

— Vous êtes certaine qu'un sandwich ne vous ferait pas plaisir ? Ne vous gênez pas.

Je lui en tends un. Elle s'approche encore. Un instant, je crois qu'elle va le prendre, mais elle n'en fait rien.

— Merci, Laura, c'est moi qui souhaiterais t'offrir un cadeau. Il est modeste, mais j'espère qu'il te portera chance dans ta vie.

Elle porte alors ses mains tremblantes à son cou et détache difficilement une petite chaîne à laquelle est suspendu un trèfle à quatre feuilles doré.

— C'est très gentil, fais-je, mais je ne peux pas accepter. Il est à vous, gardez-le.

Son élan me gêne, au point de me mettre mal à l'aise. D'autant qu'elle insiste. Elle me tend toujours son bijou.

— S'il te plaît, prends-le. Je n'en ai plus besoin alors que toi, si.

Dans la cohue ambiante, personne ne remarque notre étrange face-à-face. Je ne sais comment réagir. Son regard est clair. Il n'est pas suppliant, mais convaincu. Bien que je ne m'explique pas son geste, je devine que je vais vraiment la blesser si je refuse. Alors je vais vers elle.

— Puisque vous y tenez... Mais c'est vraiment trop.

Délicatement, elle dépose le pendentif au creux de ma main, plus heureuse de me le donner que moi de le recevoir.

— Pourquoi me faites-vous ce cadeau ?

— Faut-il une raison ? dit-elle, une curieuse inflexion dans la voix. Les choses passent, Laura, nous ne sommes propriétaires de rien. Tout ce que tu donneras t'aura été donné avant.

Je suis impressionnée par ses paroles. L'intensité du regard qu'elle pose sur moi contraste étonnamment avec sa fragilité physique. Le sourire qu'elle m'adresse ensuite me fait un drôle d'effet, comme s'il m'enveloppait d'une bienveillante chaleur.

— Je te souhaite la plus belle des vies, Laura, à toi et à tes frères.

Elle s'éloigne déjà.

— Vous connaissez ma famille ?

Elle ne se retourne pas. Je lance :

— Merci, madame, merci pour ce beau cadeau !

Mes copines m'attrapent, le match est terminé et les garçons arrivent. Ils ont faim. C'est entre les épaules de Baptiste et Lucas que j'ai aperçu la silhouette de cette inconnue pour la dernière fois.

Je suis en nage, blottie dans les bras de mon père. Je lui ai tout raconté. Étrangement, il n'est plus aussi livide. Il se relève et me tend la main :

— Viens, Laura, il faut que je te raconte une histoire que je suis le seul à connaître. On a un peu de route.

75

Hormis le chant des oiseaux et le léger souffle du vent, on n'entend que nos pas sur les allées gravillonnées. Devant moi, mon père avance dans le dédale du petit cimetière, en répétant « allée 12, emplacement 7 ». Je ne l'ai jamais vu ainsi. Il a quelque chose d'apaisé.

Il ralentit enfin devant une pierre tombale toute simple. Il se positionne bien en face, croise les mains et se recueille.

Aussi loin que je me souvienne, c'est la première fois que je vois mes deux parents ensemble.

Nous restons un long moment silencieux. J'ignore ce que je suis supposée ressentir, mais les sentiments qui m'envahissent sont nombreux et contradictoires. Lorsque mon père se met à retirer les mauvaises herbes qui se sont incrustées dans la sépulture, je lui demande :

— Tu n'étais pas venu depuis longtemps ?

— Je ne suis jamais venu. Je n'ai pas eu la force. J'ai simplement été averti que votre mère était décédée. Elle avait souhaité que je reste à l'écart et que je me consacre entièrement à vous.

— « Décédée ». Tu as dit « décédée ». D'habitude, tu dis qu'on arrête de fonctionner.

— Pour tout le monde, sauf pour elle. Elle était unique pour moi. Elle l'est encore aujourd'hui. Tu as sans doute été la dernière d'entre nous à la voir vivante.

— Pourquoi ne m'a-t-elle rien dit ? C'est terrible.

— Son choix était clair et elle s'y est tenue. Dès que sa maladie a été diagnostiquée, elle a décidé de se mettre en retrait pour ne pas nous imposer tout ce que cela allait engendrer. L'issue était sans appel. Elle a voulu nous protéger.

— Mais du coup, elle nous a quand même imposé son absence...

— Ne te trompe pas, Laura. Elle vous a permis la rancœur contre elle plutôt que le désespoir face à la vie. Je n'ose imaginer ce qu'elle a enduré.

— Tu t'oublies encore dans l'affaire. Tu as beaucoup souffert aussi.

— J'aurais dû rester auprès d'elle, la soutenir. Si seulement elle m'avait laissé faire... Mais ma place était encore plus auprès de vous. Avec le recul, elle avait sans doute raison. J'ai accepté sa décision au nom de l'amour qu'elle vous portait.

Il se tait un moment avant d'ajouter :

— Tu sais, lorsque nous nous sommes rencontrés, c'est moi qui lui ai fait la cour. J'adorais ta mère. Sa volonté, son intégrité, son rire... Je retrouve en toi beaucoup de ce que j'aimais en elle.

— Pourquoi ne nous as-tu jamais raconté la véritable histoire ? Au moins après sa disparition ?

Il secoue la tête.

— Elle ne le voulait pas. La dernière fois que nous nous sommes parlé, elle était très faible, mais elle m'a fait jurer de ne pas vous faire porter la tristesse de son destin. Je lui ai obéi.

Papa regarde la tombe. Il ne pleure pas. Il n'est même pas triste. Il se tient bien plus droit que depuis longtemps. Il contemple cette pierre grise comme on dévisage quelqu'un que l'on aime.

J'enroule mon bras autour du sien et pose ma tête sur son épaule.

— Tu n'es plus seul à connaître cette histoire maintenant. Tu ne seras plus le seul à qui elle manque.

— Parfois, les gens prennent de bonnes décisions pour de mauvaises raisons...

Je souris.

— Parfois aussi, ils prennent de mauvaises décisions pour de bonnes raisons.

Je lui désigne ce que maman a fait graver sur sa propre tombe : « Ne vous éloignez jamais de ceux que vous aimez. »

— C'est un message qu'elle nous adresse ?

— La connaissant, c'est certain. Elle ne laissait rien au hasard. Enfin, elle essayait... Elle nous lègue la seule leçon que sa vie trop courte lui aura enseignée. Mais je te parie que si elle avait vécu mille ans, elle n'en aurait pas fait graver d'autre que celle-là.

— Tu crois qu'elle a regretté de nous avoir quittés ?

— C'est évident. Mais elle a assumé.

« Maman ». Je murmure ce mot. De toute ma vie, je ne l'ai pas prononcé avec autant de cœur. Je pense à elle, à tout ce qu'elle a dû traverser seule en espérant nous épargner. Je songe à mes frères, à Viviane. Devons-nous leur en parler ? Avons-nous le droit de trahir une promesse de silence pour que l'histoire prenne enfin sa vraie place ? La colère et l'oubli sont-ils préférables à la peine et au pardon ? Tout ce que nous n'avons pas partagé, en échange de tout ce qu'elle nous a évité...

Je me rappelle le nombre de fois où j'ai maudit cette femme étendue à mes pieds. Elle m'a malgré tout donné la vie, et mon seul vrai porte-bonheur. Je sens que beaucoup de choses sont en train de reprendre leur place dans mon esprit et mon cœur. Les grands travaux, encore. Je suis bouleversée. Trop d'émotions. Trop de questions. Trop de réponses aussi.

Je me suis sentie partir, j'ai perdu connaissance. Je me suis écroulée, là, sur la tombe de ma mère. Ma tête a encore heurté quelque chose de dur.

76

J'ouvre les yeux. Un fabuleux déluge de lumière m'inonde. Un pur enchantement. Des myriades de rayons dorés dansent dans la pièce où je m'éveille. C'est merveilleux ! Je porte encore un turban. D'ailleurs, je reconnais cette pièce... J'entends les bips. Je suis à nouveau équipée d'électrodes. Quelle horreur !

Je refuse ce retour à la case départ. De toutes mes forces, de tout mon être ! Ce n'est plus un destin, c'est un disque rayé ! Qu'est-ce que je vais encore avoir oublié cette fois ? Ne me dites pas que je vais devoir réapprendre à faire mes lacets ! Par pitié, ne m'obligez plus à supporter la petite Pépita comme amie ! Au secours !

Évitons de céder à la panique et restons pragmatique. « Ici la passerelle, j'appelle la salle des machines. Je demande un état complet des avaries. »

J'ai mal au poignet, mais le reste de mon corps semble répondre correctement. Mes doigts de pieds font même un petit signe amical à mes cheveux. Ils ont beau être affectés à des services différents, ils se sont toujours très bien entendus.

Mon cerveau s'affole quand même. Il cherche à définir si ma mémoire est à nouveau abîmée. Il passe en revue tout ce qui fait ma vie.

Je possède un chat infalsifiable qui s'appelle Cubix et qui peut s'élever dans les airs en doublant de volume comme le *Hindenburg*. On sait comment ça a fini. Je me rappelle aussi qu'on ne doit jamais envoyer une lettre d'amour en recommandé. Je sais également que Lucie est mon amie et que bien qu'elle ait des bugs, je n'ai pas le droit de la retourner pour échange. La somme des trois angles d'un triangle fait 180 degrés. J'ai retrouvé ma mère, mais je ne pourrai jamais lui parler. La capitale de l'Azerbaïdjan, c'est Bakou. J'aime regarder les hommes bien gaulés qui prennent leur douche. J'ai balancé la boule de cristal dans le fleuve. Il faut que je refasse mon parquet. Olga est une maigre pouffiasse. Je veux un yaourt à la fraise.

Tout a l'air parfaitement en ordre. Je suis opérationnelle. Une alerte clignote pourtant dans ma pauvre caboche : je n'ai aucune idée de la date ou de l'heure, mais j'avais rendez-vous avec Raphaël. Bon sang ! Je lui ai peut-être posé un lapin – au sens figuré bien sûr, à part Lucie, personne ne le fait en vrai. Misère de malédiction ! J'ai raté le seul homme qui s'intéressait vraiment à moi. Quelle déveine ! Elles m'auront coûté cher, mes vacances dans le Coma !

Je me tortille pour atteindre le bouton d'appel. J'appuie dessus comme un dictateur fou qui déclenche une attaque nucléaire. En un temps record, la porte de ma chambre s'ouvre, et un infirmier entre en trombe. Je le préfère à la lépreuse de la première fois. Il se presse à mon chevet.

— Ne bougez pas, vous risquez de tomber. Je vais vous aider.

— Merci.

— Comment vous sentez-vous ?

— Aucune idée.

— Comment vous appelez-vous ?

— Laura Laforie.

— Vous souvenez-vous pourquoi vous êtes là ?

— J'ai fait un malaise sur la tombe de ma mère. Boum la tête.

Il me redresse avec précaution, en me soulevant le torse.

— Laissez-vous faire.

Je ne demande que ça. Je suis bien, blottie dans ses bras. Je sens la chaleur au creux de son cou... Laura, calme-toi. À force de penser aux hommes sous la douche, c'est toi qui vas en avoir besoin d'une. Glacée.

Il m'installe et poursuit son interrogatoire :

— Quel jour sommes-nous ?

— Justement, j'aimerais bien le savoir, parce que j'avais un rencard très important...

Le docteur Lamart vient d'entrer. Essoufflée, elle se précipite sur moi.

— Laura, vous me reconnaissez ?

— Je suis tentée de vous répondre que vous êtes ma bonne fée, mais vous allez flipper. J'ai retenu la leçon, docteur : en cas d'urgence, jamais de second degré.

Elle soupire de soulagement et me prend la main, mais pas comme un toubib.

— Vous nous avez fait une de ces peurs... Votre père m'a tout raconté. Quel choc vous avez dû éprouver !

— Au cœur d'abord, puis à la tête après. On ne se méfie jamais assez de ce que la pose d'une étagère peut provoquer. Je vous parie que ce tremblement de terre sera suivi de répliques... Un bon sujet d'étude ! S'il vous plaît, n'en parlez pas à mes frères, personne ne doit savoir.

Elle fait mine de se coudre les lèvres.

— Secret médical.

Elle ajoute à l'intention de l'infirmier :

— S'il vous plaît, allez prévenir son père. Il est en bas à la cafétéria.

— J'y vais.

Nous nous retrouvons seules. Elle me glisse :

— J'espère qu'avoir appris la vérité pour votre mère vous aidera à trouver la paix.

— Je le suppose. Merci, Hélène. Merci pour tout ce que vous avez fait pour moi. Savez-vous si quelqu'un s'est occupé de mon chat ?

— Votre père est prêt à s'en charger.

— J'avais rendez-vous avec Raphaël... Quel jour sommes-nous ?

— Vous n'êtes ici que depuis quelques heures, tout va bien.

— Puis-je vous demander une faveur ?

— Je vous en prie.

— Pourriez-vous me prêter votre téléphone ? Je voudrais le prévenir de ce qui m'est arrivé, qu'il n'attende pas mon appel ce soir.

Elle sort son portable de sa poche et me le tend avec un clin d'œil.

— Je vous laisse. Sonnez-moi quand vous aurez fini, Votre Altesse.

77

Je n'ai même pas le temps de me raconter n'importe quoi quant à son délai pour décrocher. Bien que ce ne soit pas notre heure, il répond immédiatement.

— Bonjour Raphaël, c'est moi.

— Je m'en doute.

— Je ne te dérange pas ?

— Jamais. Tu as une drôle de voix. Ça va ?

— Disons qu'il s'en est passé beaucoup depuis notre dernier appel...

— Rien de grave ?

— Grave, non. Fort, oui. Je te raconterai, mais avant, il faut que je te dise quelque chose.

— Rien de trop fort ?

— Fort, non. Grave, oui. Ne plaisante pas s'il te plaît, c'est sérieux.

— Je t'écoute.

— Je ne vais pas pouvoir patienter jusqu'à la date de notre rendez-vous. C'est trop loin. Attendre n'a aucun sens. Quelqu'un de très proche m'a dit récemment : « Ne vous éloignez jamais de ceux que vous aimez », et il est possible qu'il s'agisse de toi.

Il ne dit rien. Je poursuis :

— Je n'ai plus peur de te voir, plus peur de risquer. Je veux avancer, et j'en assumerai toutes les conséquences. Je me fous de savoir à qui les femmes sont enchaînées, mais je crois que moi, je suis attachée à toi.

Il ne prononce toujours aucun mot. Ça m'inquiète. Je vérifie le téléphone d'Hélène pour m'assurer qu'il est toujours connecté. S'il m'a coupé cette tirade-là, je le fracasse contre le mur.

— Raphaël, tu es là ?

— Tu te souviens de ce que le petit monsieur m'a dit avant de mourir ?

— « Courez vers ce qui fait battre votre cœur. »

— C'est ce que je vais faire.

— Je suis à l'hôpital. Viens.

— J'arrive.

Il y a de l'écho dans sa voix. Je ne veux pas le perdre.

L'infirmier apparaît à ma porte. Il s'appuie contre le chambranle. Il tient un téléphone à la main. Bon sang, mais c'est le garçon qui me refaisait mon turban ici même quand je me prenais pour une princesse...

— Bonjour, Laura.

Je suis sciée. S'il y avait une pierre tombale, là, je retomberais dessus illico.

— Tu es un vrai infirmier ou tu m'espionnes encore ?

— Je travaille ici. C'est lors de ton premier accident que je t'ai retrouvée.

Je me redresse. Je ne suis pas coiffée, mais l'honneur est sauf puisque je n'ai pas mes chaussons dinosaures.

Il ne sait pas quoi faire, et moi non plus. On est mignons. Quand on sera à la grande école, on se fera un bisou.

— Tu sais, Laura, moi non plus je n'aurais pas pu attendre le rendez-vous. Je pensais à toi tout le temps. J'avais envie d'être avec toi. Chaque repas seul était un calvaire. Et chaque fois que nous raccrochions, ce vide ensuite... T'attendre m'était devenu insupportable depuis que je sais que tu existes.

Je ne dois pas trembler, je ne dois pas claquer des dents. Il faut que je me tienne. Si seulement ces saloperies de bips ne trahissaient pas mon cœur qui s'emballe... S'il me dit un autre truc joli, l'alarme cardiaque va sonner.

Il s'approche. Je comprends très exactement ce dont le docteur parlait, cette présence qui change tout. Mais là, il y a quelque chose en plus. Bien que je découvre cet homme, je le connais déjà.

Il est près de moi et murmure :

— Je veux vivre avec toi, Laura. Je veux faire la route à tes côtés. Pour te dire à quel point tu occupes mes pensées, l'autre soir, à la salle de sport, il m'a semblé t'entendre m'appeler.

— Vraiment ?

— En fait, apparemment, c'était un autre mec. Je ne sais pas pourquoi, d'ailleurs.

Je l'attire à moi. Déclenchons l'alarme.

78

Sans s'attarder, mon regard glisse sur les rues qui défilent à travers la vitre de ma portière. On passe souvent par ici avec Valérie. Il est clair que c'est bien moins fatigant en voiture. Le même chemin, d'une autre façon.

Avant de démarrer, j'ai quand même vérifié que Lucie ne s'était pas planquée dans le coffre. Je lui ai promis de l'appeler régulièrement, et je vais le faire. Une fois, je lui ferai croire que c'est la police et qu'elle est recherchée pour escroquerie en série à la carte de crédit.

Raphaël et moi partons quelques jours en vacances, ensemble. C'est le genre de phrase toute simple qui demande des moyens considérables pour devenir possible. Quand je songe à tous les sentiers tortueux qu'il m'aura fallu suivre, à tous les champs d'orties, de ronces et même de mines dans lesquels il m'aura fallu m'aventurer pour avoir le droit de la prononcer.

Il m'invite à faire du bateau dans son petit port. Je suis folle de joie, j'aime tellement le poisson. Blague à part, il me fait le cadeau de son intimité. Je vais essayer de ne pas couler son rafiot. Je suis impatiente de vivre ce moment-là. Nous deux sur le quai, au petit matin, dans la lumière de l'aube, lui à se gratter le ventre et moi à grelotter en me grattant je ne sais pas quoi. Les fesses c'est vulgaire, et la tête c'est bizarre. On verra. Si ça se trouve, je l'aiderai à se gratter le ventre.

Pour la première fois, j'ai l'impression que ma vie file dans la bonne direction. Mais avant de prendre le large, j'ai une dernière visite à accomplir.

Raphaël se gare.

— Tu ne veux pas que je t'accompagne ?

— Non, merci, je dois y aller seule. Ce ne sera pas long.

Je m'éloigne, mais cela ne m'effraie plus. J'ai du mal à me repérer, pourtant je ne suis pas inquiète. Je ne suis plus seule.

Je me lance dans ma vie comme on prend la mer. Il y aura des vagues, des creux, des tempêtes, des vents qui nous portent ou des courants contraires. Je le sais. Je m'en souviens à présent. Mais c'est la vie.

Je progresse sans même une appréhension. Mon cœur bat normalement.

J'aurai toujours plus de questions que de réponses, mais j'aurai aussi toujours plus d'envies que de peurs. Alors je lève mon verre aux failles par-dessus lesquelles on bâtit des ponts. Je garde tout de même à l'esprit que je ne tiens pas l'alcool.

Alors que j'approche de ce rendez-vous intime avec ma mémoire, la question du docteur Lamart me revient : « À quoi vous attendiez-vous en repartant d'une page blanche ? »

Je l'ai oublié, et tant mieux. Je ne m'attends plus à rien. Je suis un jeu de 32 cartes avant le début de la partie. Je suis la fusée dont on vient d'allumer la mèche. Je suis la graine qui ne sait pas lire le bulletin météo. « Aucune idée. »

Je sais désormais que le pays où les licornes vivent en liberté, celui où la justice et la bonté règnent sous des aurores boréales avec des ananas qui chantent, n'existe pas. Ou plutôt si. Cette contrée idéale existe en chacun de ceux qui y croient. Nous sommes les ambassades vivantes d'un monde meilleur que celui qui cherche à nous manger. Nous sommes son peuple, partout dans le monde, en terre étrangère mais unis par la même envie d'aimer et de faire mieux. Armée sereine au service d'un futur qui n'est pas impossible.

Je sais aussi que les grandes histoires, les beaux films, les vraies fables, ne sont pas toujours des mensonges mais des signes qui nous rappellent que les sentiments qui font battre nos cœurs existent réellement, même quand on en est momentanément privé. Des phares dans la tempête, des repères dans la jungle.

J'ignore de quoi l'avenir sera fait, mais je ne l'aborde plus de la même façon. Je sais qui j'aime. Je sais pourquoi ils sont mes frères, mes parents, ma famille de cœur et de sang. Je sais pourquoi je tiens tant à mes amis, ceux qui conduisent trop vite ou celles qui mentent presque autant que moi. Plus que tout, je sais pour quoi et pour qui je suis prête à me battre. Car j'ai découvert de quoi je suis capable quand j'y crois.

Mon but est proche. Hélène serait fière de moi. J'y suis presque. Sans l'aide de personne.

J'arrive devant le box. Tartiflette est en train de manger son foin. Elle n'a vraiment pas une tête de prix Nobel. J'entre.

— Salut. Je t'ai apporté une pomme.

Sa mèche cache toujours ses yeux. J'espère qu'elle ne va pas me bouffer la main en prenant le fruit. Mais non.

— Je tenais absolument à te rendre visite.

Je m'approche d'elle. Je la caresse. Elle semble apprécier. Elle ne pue pas, je crois même que j'aime son parfum. Ça m'inquiète. Il faudra que j'en parle au docteur.

Je lui soulève sa mèche et l'embrasse sur le front.

— Merci. Du fond du cœur, merci. Sans toi, je ne serais jamais devenue moi-même.

Ça fait quand même super bizarre de dire ça à un poney. Elle secoue la tête. Est-il possible qu'elle ait compris ?

Je m'approche de son oreille et lui murmure :

— J'imagine déjà la tête de Lucie quand elle te verra au mariage… Tu ne seras pas seule, j'inviterai aussi Josiane. En attendant, je te souhaite la plus belle des vies.

FIN

Et pour finir...

Merci de m'avoir suivi jusqu'à ces pages. J'espère que vous accepterez de rester encore un peu en ma compagnie.

Avec déférence et bonheur, je vous invite à franchir le seuil de cette section où je ne suis que moi-même. C'est en homme que je suis heureux de vous y accueillir.

Depuis des années, nombreuses sont celles – et ceux – qui s'étonnent que je puisse écrire dans la peau d'une femme. Beaucoup de lectrices ont la gentillesse de saluer des héroïnes dans lesquelles elles se reconnaissent. Quel que soit le pays, quelle que soit la culture, vous me demandez régulièrement comment diable il est possible qu'un garçon – qui se gratte parfois le ventre comme un ours de surcroît – comprenne aussi bien les femmes.

Je suis d'abord touché que vous vous retrouviez, mesdames, dans ces personnalités que j'imagine avec tellement de tendresse et de jubilation. Cependant, la question m'a toujours étonné et pour tout dire, un peu attristé. Car après tout, le métier d'un auteur ne consiste-t-il pas – pour ceux qui écrivent sur autre chose que leur nombril – à se glisser dans la peau d'un personnage qu'il n'est pas ?

Cette faculté typiquement humaine nous offre ainsi le loisir d'écrire sur les anciens lorsque l'on est jeune, de raconter l'enfermement lorsque l'on est libre, et même de célébrer les victoires du cœur lorsque le quotidien nous malmène. Comprendre l'autre est la clé. Si l'intimité est la mine dans laquelle les auteurs traquent quelques pépites, tout l'enjeu consiste à sortir les wagonnets à l'air libre. Parce que c'est là que se trouve la vraie vie.

On ne demande jamais à mes remarquables confrères – dont beaucoup sont des amis – auteurs de polars sombres parfois très durs comment ils parviennent à se glisser dans la peau de psychopathes retors et sadiques. Serait-il plus compliqué de comprendre les femmes que des assassins maniaques ? Sans l'ombre d'un doute, je sais qui je préfère fréquenter pour tenter d'en saisir les pensées !

Pour comprendre une personne, et donc un personnage, il faut l'écouter, l'aimer, adopter son point de vue sans tout à fait perdre le sien. Dans ma vie comme dans mes livres, j'aime comprendre l'autre, découvrir ses rouages, ses élans, ses fragilités. Depuis que j'ai eu l'âge d'entrevoir la complexité de l'âme humaine, je trouve les femmes captivantes. Je les observe avec curiosité, fascination et respect. Très tôt, j'ai compris que la vie a bien moins d'intérêt si l'on ne donne pas sa vraie place à cette magnifique moitié de l'humanité.

Je vais oser vous donner mon point de vue sur un sujet crucial qui conditionne énormément d'aspects de notre vie, particulièrement à notre époque : je ne crois pas du tout à l'égalité entre hommes et femmes. L'égalité n'est pas l'équivalence. Il est évident qu'aucun ne vaut moins que l'autre, mais on a peu à peu fait déraper cette noble idée vers une notion d'interchangeabilité simpliste et réductrice qui a complètement brouillé les cartes. Cette confusion nous prive en plus du plaisir de voir l'autre réussir ce dont nous ne sommes pas capable. Ce concept d'égalité ne reflète en rien la réalité. Je suis par contre convaincu de la complémentarité. Nous sommes une solution l'un pour l'autre. Souvent la seule.

J'aime être un homme, dans tout ce que cela représente. D'abord parce que cela me permet d'avoir le privilège, mesdames, de vous côtoyer, d'être spectateur de tout ce que vous êtes, de ce que vous imaginez, de ce dont vous êtes capables différemment, avec ces dynamiques qui vous caractérisent et qui nous offrent d'autres perspectives. J'aime aussi beaucoup voir l'effet que nous vous faisons parfois, pour ce que nous accomplissons, pour ce que nous sommes. L'alchimie de la vie naît là.

Je n'ai nullement la prétention de parler au nom de tous les hommes, mais pour ma part j'ai besoin de vous, de votre esprit, de votre approche, de votre présence, de votre sensualité, de votre formidable aptitude aux sentiments, de votre patience à notre égard, de votre envie de nous qui nous rend plus grands. Grâce à mes livres, j'ai la chance d'échanger énormément avec vous. Vous me confiez un peu de vos vies, je lis dans vos yeux, j'entends vos mots. Vous m'autorisez l'accès à votre vérité. C'est souvent un lieu bien plus sécurisé que le plus riche des coffres de banque. Merci pour cela, car bien au-delà de la séduction, loin d'un chimiotactisme hormonal, nous échangeons sans rien attendre, mais en sachant.

Grâce à vous, j'ai beaucoup appris, et compris deux ou trois choses. Je pense qu'aucun homme ne sera jamais capable de comprendre le monde s'il ne tente pas d'abord de toutes ses forces de savoir qui vous êtes réellement. Je ne sais presque rien, mais j'ai envie d'apprendre. Vous me surprenez, vous me bluffez, vous me désarçonnez, vous me faites rire, vous me bouleversez. À l'heure où certains tentent de nous séparer, je crois essentiel de rappeler tout ce qui nous lie.

À nous dresser les unes contre les uns, il n'y aura que des perdants. Le pire ne doit pas occulter le plus beau. Plutôt que d'aboyer et de répandre des haines, je préfère l'idée de se retrouver et d'accomplir, ensemble. Pour vous donner votre vraie place, enfin, pour préparer l'avenir dans lequel le bon sens implique de vous laisser jouer tout votre rôle. Vous nous inspirez et nous vous motivons, la réciproque est tout aussi vraie. Parce que certains spécimens déshonorent leur camp, parce que certaines extrémistes jouent le jeu d'un pouvoir facile plutôt que celui d'une nécessaire alliance, des murs se dressent entre nous. Accordez-moi une image simple mais qui n'en est pas moins vraie : face à ces barrières, seul l'amour – celui qui nous élève et que nous vivons personnellement – permettra de nous envoler pour les franchir.

Il ne s'agit pas d'aimer toutes les femmes ou tous les hommes, mais de trouver celle ou celui qui sera notre porte d'entrée vers cet autre monde. Nous séparer n'a aucun sens. Les seuls qui gagneront à ce jeu-là sont les pires des deux camps, les aigris, les destructeurs, les vrais égoïstes.

Aucune faute ne doit être absoute, aucun scandale étouffé, mais que cet élan salutaire – bien tardif à mon goût – ne serve qu'à réparer les excès et pas à générer de la méfiance là où elle n'a pas sa place. Ceux qui commettent le pire ne sont ni des hommes ni des femmes, mais au mieux des crétins, et au pire des monstres. Ne laissons personne nous enfermer dans une caricature. Une anatomie ne constitue jamais une identité. Le genre humain est plus complexe que cela. Notre espèce ne s'épanouit qu'en associant, quel que soit le couple. Tendons les mains à travers les barreaux érigés entre nous. Pensons ce monde en fusionnant nos points de vue. Tenons-nous la main. Multiplions les associations consenties !

Femmes et hommes ne forment pas deux camps opposés mais constituent les deux parties d'un indissociable tout. C'est de leur mélange, de leur union, de l'attirance et de l'affection que chacun provoque chez l'autre, et même de leur confrontation que naît notre futur. Nous sommes aujourd'hui assez puissants et théoriquement assez matures pour accepter toutes les formes de couples, par-delà la nécessité de survie. Nous avons le privilège de nous situer au-delà des conventions animales pour expérimenter d'autres types d'associations. Que chacun se sente libre selon son cœur d'aller vers celui ou celle qui lui permettra d'imaginer et d'agir plus fort. Il est urgent d'y parvenir, car les défis qui attendent notre espèce requièrent les talents de chacun. Si nous ne parvenons pas à nous grandir mutuellement, nous ne vivrons que des échecs.

Réduisons ceux qui déshonorent notre lien à ce qu'ils sont, débordons-les, éduquons-les si possible. Soyons ce que nous sommes au meilleur de nous-mêmes, complexes et doux, puissants et fous, libres et heureusement dépendants les uns des autres. Ne donnons aucun pouvoir aux plus mauvais. Retrouvons-nous, où vous voulez, quand vous voulez. N'ayez pas peur et choisissez.

Mon parcours personnel m'a amené à une place dont je ne soupçonnais pas l'existence, mais qui s'avère extraordinaire pour la liberté du ressenti qu'elle procure : je n'ai plus personne à séduire, je n'ai que des gens à aimer. Parce que je suis un homme qui a eu la chance de trouver sa moitié, c'est sans aucune arrière-pensée que je peux vous dire à quel point je vous aime. Uniquement pour le meilleur, le pire étant strictement réservé à celle à qui j'ai encore fait peur ce matin...

Chaque année qui passe, chaque rencontre, chaque danger qui menace le fragile miracle d'une existence me rappelle ce qui compte. Le lien entre les êtres est au centre de tout. Mes livres sont autant de ponts que je lance vers vous.

En tant qu'auteur qui vous doit son parcours, en tant qu'homme qui vous doit un peu de son bonheur, j'en connais la valeur. J'ignore qui m'a donné la vie, mais je sais qui a fait de moi celui que je suis.

Ne comptez pas sur moi pour donner des leçons. Il faut avoir réussi quelque chose pour devenir un modèle. J'en ai raté tellement... Mais je transmets ce que je peux pour éviter aux autres les pièges dans lesquels je suis tombé – en m'y poussant parfois moi-même ! Je fais volontiers cadeau d'exemples dans lesquels chacun puisera ce qui l'intéresse. Je compte le faire de plus en plus. Je me suis trompé tant de fois avant de commencer à comprendre... Depuis, j'essaie de faire mieux qu'à mes débuts.

Chaque jour, je suis stupéfait par la vacuité de ce que l'on nous demande de prendre au sérieux. Chaque jour, je suis terrifié par le bruit, le grouillement vulgaire et stérile dont on nous remplit la tête. Comme Laura, j'ai souvent ce regard décalé sur ce dont je suis témoin. J'ai choisi d'en rire, et cela me donne la force de ne pas perdre l'essentiel de vue. Chaque jour, je m'aperçois aussi à quel point je ne suis pas seul dans ce cas, et à quel point cela fait du bien de briser cette solitude-là. Car elle existe, intime et universelle. Mais elle est fragile et ne résiste pas aux vrais échanges. La solitude qu'engendre notre époque est un virus facile à tuer.

Chacun peaufine ses propres techniques pour savoir où il en est dans sa vie. À titre personnel, je me demande régulièrement quels sont les moments que je préfère. La réponse n'est jamais définitive. Faire le point, prendre du recul, ne jamais lâcher la boussole des yeux. Posez-vous la question.

Alors que j'écrivais ce livre, cela m'a amené à une démarche particulière. Je ne m'inspire jamais des choses que je vis ou dont j'ai connaissance pour imaginer mes histoires, mais je suis par contre motivé par les sentiments que ceux que j'aime déclenchent en moi. Je retourne à l'essence de mes attachements pour y puiser le lien qui unit et anime mes personnages. Le peu que je sais m'a souvent été enseigné par des gens à qui je voue une profonde reconnaissance. Même si mes histoires sont imaginaires, elles s'appuient sur des sentiments authentiques, avec l'espoir de générer en vous des émotions qui n'ont rien d'artificiel. Alors, pour concrétiser cet étrange processus, j'ai décidé d'aller écrire au plus près de ceux qui font ma vie. Ils ne le savent pas. Je ne l'ai annoncé à personne. J'ai affectueusement rôdé autour de certains membres de ma famille, des amis, des gens que je vois souvent, d'autres que j'espère revoir un jour. Garé devant les lieux à l'heure où ils dormaient, assis près de là où ils vivent, de là où certains reposent, comme une bestiole avide des ondes qui font vibrer sa vie, comme un homme dont les nuits permettent de capter leur lumière.

Je dois avouer que ce fut compliqué d'un point de vue logistique et j'ai parfois vécu des moments surréalistes – incroyable rencontre avec des policiers en patrouille persuadés que grâce à mon ordinateur, je fourguais et livrais de la drogue depuis ma voiture ! Pour les convaincre que ce n'était pas le cas, je leur ai lu le chapitre du mariage. Le résultat s'est avéré surprenant. Trois heures du matin, paumé en pleine banlieue dans une rue mal éclairée et déserte, cerné par trois mecs surarmés qui se gondolent de rire et ont fini par me demander un selfie. Drôle de métier. Tout est de votre faute. Parce que je suis vivant, parce que j'en ai envie. Parce que vous me donnez la force de rester moi-même et d'imaginer. Mes livres ne sont pas des recettes, ce ne sont pas des produits. Je raconte la vie telle que je l'espère pour vous, pour celles et ceux qui se demandent parfois où ils en sont.

Notre temps tire à sa fin, mais avant de vous quitter, je veux remercier celles et ceux sans qui je n'avance pas. Mes éditeurs, Anna, Gilles, mais aussi Béatrice, Soizic, Sophie, Bruno, Vincent, Nicolas, François, Jocelyn, Marie et tous ceux qui œuvrent pour que nos rendez-vous soient possibles.

Merci aux libraires, ainsi qu'à tous les passeurs d'émotions qui me propagent et que je continue de découvrir.

Puisque j'évoquais les associations consenties, je souhaite ici présenter tous mes vœux de bonheur à quelques couples qui m'ont fait l'honneur de m'associer à leur belle histoire et leur union :

À Sylvie et Patrice, parce que Sylvie est comme une sœur pour ma moitié et moi depuis l'enfance, et parce que nous sommes tous impressionnés par Patrice qui n'a pas peur de son rire... Avancez ensemble !

À Ingrid et Stéphane, parce qu'être le témoin de votre histoire est une chance. Vivez tout et à très bientôt...

Tous mes vœux à Charlène et Vincent. Soyez heureux ! Cher Vincent, je sais à l'heure où j'écris ces lignes que la robe de mariée de ta future femme est sublime, surtout avec elle dedans. Ne soyez pas sages !

Tous mes vœux de bonheur à Carine et Xavier. Que votre histoire soit encore plus belle que les miennes. Merci de la jolie place que vous me faites.

Je me réjouis de toutes ces unions heureuses. Ça fait carnet mondain !

Merci à ceux qui font ma vie, famille et amis, modèles et alliés, collègues et partenaires.

À toi Pascale, ma porte d'entrée vers cet autre monde, toi qui peux te montrer impitoyable mais que je vois après chaque pluie ramasser les escargots sur les trottoirs pour les mettre à l'abri dans les jardins parce que sinon, ils se feraient écraser...

À mes enfants qui deviennent eux-mêmes, à ce que je les vois accomplir que je n'imaginais pas, à ce que nous partageons qui me rend fou de joie, à ce qui nous attend et que j'ai hâte de vivre.

À vous mesdames, sans lesquelles nos vies d'hommes seraient bien mornes.

À toi qui tiens ces pages et pour qui j'existe. J'espère t'avoir donné envie de courir vers ce qui fait battre ton cœur, sans jamais perdre ceux que tu aimes, et pourquoi pas de donner sa chance à un autre. Peu importe le moyen, il n'y a pas de mauvaise façon de se rencontrer.

Merci de votre confiance et de votre attention.

Où que vous soyez, quelle que soit l'heure, je vous embrasse.

www.gilles-legardinier.com

Gilles Legardinier
BP 70007
95122 Ermont Cedex
France